LE TIGRE BLANC

ARAVIND ADIGA

LE TIGRE BLANC

roman traduit de l'anglais (Inde)
par Annick Le Goyat

BUCHET ❖ CHASTEL

Titre original :
The White Tiger
Free Press, un département de Simon & Schuster, États-Unis, 2008
© 2008, Aravind Adiga
Tous droits réservés

Et pour la traduction française
© Buchet/Chastel,
un département de Meta-Éditions, 2008
7, rue des Canettes, 75006 Paris

ISBN : 978-2-283-02332-7

À Ramin Bahrani

Sommaire

La première nuit

À l'intention de :

Son Excellence Wen Jiabao
Cabinet du Premier ministre
Pékin
Capitale de la Chine, nation éprise de liberté.

De la part du :

«Tigre blanc»
Intellectuel
Entrepreneur
Résidant dans le centre mondial de la technologie et de l'externalisation
Electronics City Phase I (sis Hosur Main Road)
Bangalore, Inde.

Monsieur le Premier ministre,
Ni vous ni moi ne parlons l'anglais, cependant certaines choses ne peuvent se dire que dans cette langue.
L'ex-femme de mon ex-employeur le défunt M. Ashok, Pinky Madam, m'a appris l'une d'elles. Et, ce soir, à 23 h 32 il y a

dix minutes, les mots me sont venus tout naturellement à l'esprit, quand j'ai entendu la présentatrice de All India Radio annoncer : « Le Premier ministre Jiabao se rendra à Bangalore la semaine prochaine. »

En vérité, j'utilise cette expression chaque fois que de grands hommes, dont vous êtes, visitent notre pays. Je n'ai rien contre les grands hommes. À ma manière, monsieur, je me considère même comme l'un des vôtres. Mais, dès que je vois notre Premier ministre et ses distingués acolytes se rendre à l'aéroport en limousine noire, faire des salutations – des namastés, comme on dit chez nous – devant les caméras de télévision, et expliquer combien l'Inde est morale et angélique, je ne peux m'empêcher de prononcer ces paroles en anglais.

Car vous allez bientôt visiter notre pays, n'est-ce pas, Votre Excellence ? En général, pour ce genre de nouvelles, on peut se fier à notre radio nationale.

Je plaisante, monsieur.

Ha !

C'est d'ailleurs ce qui m'amène à vous poser la question directement. Car, si vous projetez en effet de venir à Bangalore, j'ai des révélations importantes à vous faire. « M. Jiabao a une mission : apprendre la vérité sur Bangalore », a déclaré la journaliste de la radio.

Mon sang s'est figé. Si une personne connaît la vérité sur Bangalore, c'est bien moi.

« M. Jiabao souhaite rencontrer quelques entrepreneurs indiens et entendre, de leur propre bouche, l'histoire de leur réussite. »

Sur ce point, la journaliste a fourni quelques explications. Il semblerait, monsieur, que vous autres Chinois, vous nous devanciez largement dans tous les domaines, à une seule exception :

vous n'avez pas d'entrepreneurs. Or notre nation, bien que dépourvue d'eau potable, d'électricité, de système d'évacuation des eaux usées, de transports publics, d'hygiène, de discipline, de courtoisie et de ponctualité, possède des entrepreneurs. Des milliers et des milliers d'entrepreneurs. Principalement dans le domaine de la technologie. Et ces entrepreneurs – dont je fais partie – ont fondé toutes les sociétés d'externalisation et de sous-traitance qui, aujourd'hui, dirigent virtuellement l'Amérique.

Vous espérez apprendre comment produire quelques entrepreneurs chinois ; tel serait, selon la radio, le but de votre visite. Cela m'a ravi. Mais j'ai aussitôt pris conscience que, conformément au protocole international, le Premier ministre et le ministre des Affaires étrangères de mon pays iraient vous accueillir à l'aéroport, avec des guirlandes, des statuettes-souvenirs de Gandhi en bois de santal, et une brochure d'informations sur le passé, le présent et le futur de l'Inde.

C'est alors que, instinctivement, j'ai lâché ces mots en anglais, monsieur. À voix haute.

Il était 23 heures 37. Il y a cinq minutes.

Sachez que je ne me contente pas de jurer ou de blasphémer. Je suis un homme d'action et de changement. C'est pourquoi j'ai décidé sur-le-champ de commencer à dicter une lettre à votre intention.

Tout d'abord, laissez-moi vous exprimer l'immense admiration que m'inspire la nation chinoise, millénaire.

J'ai lu un ouvrage sur l'histoire de la Chine intitulé *Contes fascinants de l'Orient exotique*, que j'avais déniché sur le trottoir, à l'époque où j'essayais de m'instruire en fréquentant les bouquinistes du marché du dimanche à Old Delhi. Ce livre parlait surtout d'or et de pirates à Hong Kong, mais on y trouvait aussi en arrière-plan quelques informations utiles. Notamment que,

vous autres Chinois, vous vouez une passion immense à l'indé-
pendance et à la liberté individuelle. Les Britanniques ont essayé
de vous asservir mais vous ne les avez pas laissés faire. C'est une
qualité que j'admire, monsieur le Premier ministre.

Car, voyez-vous, j'ai été un serviteur autrefois.

Trois nations seulement n'ont jamais courbé l'échine devant
des étrangers : la Chine, l'Afghanistan et l'Abyssinie.

Par respect pour l'amour de la liberté dont témoigne le peuple
chinois, et persuadé que l'avenir du monde est entre les mains de
l'homme jaune et de l'homme brun à présent que notre maître
d'antan, l'homme blanc, s'est perdu lui-même dans la sodomie,
l'usage du portable et l'abus de drogue, je me propose de vous
révéler, gracieusement, la vérité sur Bangalore.

Et cela en vous contant ma propre histoire.

Quand vous arrivez à Bangalore et arrêtez votre voiture à un
feu rouge, un jeune garçon vient taper à votre vitre en brandissant un exemplaire illicite d'un manuel américain sur la gestion
des affaires, soigneusement enveloppé de cellophane et intitulé :

Dix secrets sur la réussite en affaires!

Ou

Devenez entrepreneur en sept jours!

Inutile de gaspiller votre argent dans ces ouvrages américains.
Ils sont dépassés. Ils sont hier.

Moi, je suis demain.

Sur le plan de la culture officielle, il se peut que j'aie des
lacunes. Pour parler sans détours, je n'ai jamais terminé mes
études. Qui s'en soucie? Je n'ai pas lu beaucoup de livres,
mais j'ai lu ceux qui comptent. Je connais par cœur les œuvres
des quatre plus grands poètes de tous les temps : Rumi, Iqbal,

Mirza Ghalib, et un quatrième dont j'ai oublié le nom. Je suis un entrepreneur autodidacte.

C'est la meilleure espèce, croyez-moi.

Quand vous saurez comment je suis arrivé à Bangalore et devenu l'un de ses plus performants (bien que probablement le moins connu) hommes d'affaires, vous connaîtrez tout ce qu'il faut savoir sur la façon dont l'esprit d'entreprise naît, s'épanouit et se développe dans ce glorieux xxiᵉ siècle de l'homme.

Plus exactement, le siècle de l'homme jaune et de l'homme brun.

Vous et moi.

Il est presque minuit, monsieur Jiabao. Pour moi, c'est une heure propice pour parler.

Je reste éveillé toute la nuit, Votre Excellence, et il n'y a personne dans mon bureau de quarante-cinq mètres carrés. Seulement moi et le lustre au-dessus de ma tête. Toutefois ce lustre a sa personnalité propre. C'est un objet immense, plein de petites pendeloques de verre en forme de diamants, comme on en voyait dans les films des années soixante-dix. Malgré la fraîcheur de l'air nocturne à Bangalore, j'ai installé un miniventilateur – cinq pales tressées de toiles d'araignées – juste au-dessus du lustre. En tournant, les petites pales découpent la lumière et la projettent à travers la pièce. Comme l'éclairage stroboscopique des meilleures discothèques de la ville.

C'est le seul espace de quarante-cinq mètres carrés dans tout Bangalore doté d'un lustre à pampilles ! Mais, il faut dire que mon bureau est en quelque sorte un distributeur à billets et que j'y passe mes nuits.

La malédiction de l'entrepreneur : il doit surveiller ses affaires en permanence.

Je vais allumer le petit ventilateur pour faire tournoyer la lumière du lustre.

Je suis détendu, monsieur. J'espère que vous l'êtes aussi.

Commençons.

En préliminaire, voici l'expression anglaise que j'ai apprise de l'ex-femme de mon ex-employeur le défunt M. Ashok, Pinky Madam :

Quelle foutue connerie !

Je ne vais plus voir les films hindis – par principe – mais je me souviens que, autrefois, juste avant le générique, apparaissait sur l'écran soit le numéro 786 – les musulmans pensent que c'est un nombre magique qui représente leur dieu –, soit l'image d'une femme en sari avec des souverains d'or ruisselant à ses pieds : la déesse Lakshmi[1], vénérée des hindous.

C'est une coutume ancienne et respectée, dans mon pays, que de débuter une histoire par une prière à une puissance supérieure.

Je suppose, Votre Excellence, que moi aussi je devrais commencer par embrasser le cul d'un dieu quelconque.

Mais lequel ? Le choix est vaste.

Les musulmans ont un dieu.

Les chrétiens en ont trois.

Nous, les hindous, trente-six millions.

Soit un total de trente-six millions et quatre culs divins parmi lesquels choisir.

---

1. Lakshmi, épouse de Vishnu, incarne la beauté, la fortune et la prospérité. Ses quatre bras représentent les quatre buts d'une vie humaine : le dharma (vertu), le kama (désir sincère), l'artha (ambition), et le moksha (libération du cycle de vie et de mort). (*N.d.T.*)

Or, pour certaines personnes – je ne parle pas seulement des communistes comme vous, mais des intellectuels de tous bords politiques – très peu de ces dieux existent. Il en est même pour croire qu'aucun n'existe. Que nous sommes entourés d'un océan de ténèbres. Moi qui ne suis ni philosophe ni poète, comment pourrais-je connaître la vérité ? Ces dieux, il faut bien l'admettre, semblent accomplir peu de chose – comme la plupart de nos politiciens –, pourtant ils continuent d'obtenir leur réélection sur leurs trônes dorés au paradis, année après année. Cela ne signifie pas que je ne les respecte pas, monsieur le Premier ministre. Ne laissez jamais une idée aussi sacrilège s'infiltrer dans votre tête jaune ! Mon pays est le genre de pays où l'on gagne à jouer sur les deux tableaux : l'entrepreneur indien doit être à la fois loyal et véreux, dévoué et railleur, sincère et sournois.

Donc, je ferme les yeux, je joins les mains dans un namasté obséquieux, et je prie les dieux de braquer la lumière sur ma sombre histoire.

Patience, monsieur Jiabao. Cela risque de tarder un peu.

À votre avis, combien de temps vous faudrait-il, à vous, pour baiser trente-six millions et quatre culs ?

C'est fait.

Je rouvre les yeux.

23 h 52. Il est vraiment temps de commencer.

Petit avertissement légal – comme il en figure sur les paquets de cigarettes – avant d'attaquer.

Un jour où je conduisais mes ex-employeurs, M. Ashok et Pinky Madam, dans leur limousine Honda City, M. Ashok posa une main sur mon épaule et ordonna : «Range-toi sur le bas-côté. » Après quoi il se pencha en avant, si près de moi que je sentais son after-shave – un délicieux parfum fruité, ce jour-là – et me dit avec sa politesse coutumière : « Balram, j'ai quelques questions à te poser. Tu veux bien ?

– Oui, monsieur.

– Balram, combien y a-t-il de planètes dans le ciel ? »

Je répondis de mon mieux.

« Balram, qui a été le tout premier Premier ministre de l'Inde ? »

Puis :

« Balram, quelle est la différence entre un hindou et un musulman ? »

Et enfin :

« Quel est le nom de notre continent ? »

M. Ashok se pencha ensuite vers Pinky Madam et lui demanda :

« Tu as entendu ses réponses, ma chérie ?

– Est-ce qu'il plaisantait ? »

Mon cœur se mit à battre très vite, comme chaque fois qu'elle parlait.

« Non, répondit M. Ashok. Ce sont réellement les réponses qu'il croit correctes. »

Elle pouffa de rire, mais son visage à lui, dont je voyais le reflet dans le rétroviseur, resta sérieux.

« Voyons, reprit-il. Il a fait quoi… probablement deux ou trois années d'école ? Il sait lire et écrire, mais ne comprend pas ce qu'il lit. Il est comme un gâteau à demi cuit. L'Inde regorge de ses semblables, crois-moi. Et nous confions notre glorieuse démocratie parlementaire… » – il pointa le doigt vers moi – « … à des gens comme ça. C'est la tragédie de ce pays ».

M. Ashok poussa un soupir et ajouta à mon intention :

«C'est bien, Balram. Tu peux redémarrer.»

Cette nuit-là, allongé sur mon lit, sous la moustiquaire, je méditai ses paroles. Il avait raison. Je n'aimais pas sa façon de parler de moi, mais il avait raison.

Autobiographie d'un Indien à demi cuit. C'est le titre que je devrais donner au récit de ma vie. Ouvrez nos crânes, examinez l'intérieur avec un crayon lumineux, et vous découvrirez un étrange musée d'idées : phrases apprises dans des manuels d'histoire et de mathématiques (nul ne se rappelle mieux sa scolarité que celui qu'on a retiré de l'école, je peux vous l'assurer), extraits d'articles politiques pêchés dans un journal en attendant quelqu'un, triangles et pyramides entrevus sur les pages arrachées de vieux ouvrages de géométrie qui servent à emballer les casse-croûte dans tous les tea-shops du pays, fragments de bulletins d'informations de All India Radio, autant de bribes qui tombent dans notre cerveau, tels des lézards du plafond dans la demi-heure qui précède le sommeil ; toutes ces idées à demi formées, à demi digérées, à demi correctes, se mélangent dans notre tête à d'autres idées ébauchées, elles copulent ensemble pour engendrer de nouvelles idées imparfaites, et c'est avec cela que nous devons vivre et agir.

L'histoire de mon éducation est l'histoire de la façon dont on produit un garçon à demi cuit.

Mais, attention, monsieur le Premier ministre ! Les garçons complètement éduqués, après douze années d'école et trois années d'université, portent de jolis costumes, travaillent dans des entreprises, et reçoivent des ordres jusqu'à la fin de leur vie.

Les entrepreneurs, eux, sont faits d'argile à demi cuite.

Pour vous livrer les données essentielles me concernant – origine, taille, poids, déviations sexuelles connues, etc. – rien ne vaut l'affiche d'avis de recherche réalisée par la police.

J'admets avoir un peu exagéré en prétendant être la *success story* la moins connue de Bangalore. Il y a trois ans, lorsque je suis devenu, brièvement, un personnage d'importance nationale en raison de mon esprit d'entreprise, une affiche exhibant mon visage s'est trouvée placardée dans tous les bureaux de poste, gares de chemin de fer et commissariats de ce pays. Un grand nombre de gens ont alors découvert mes traits et mon nom. Je n'ai plus d'exemplaire papier en ma possession, mais j'ai chargé une image scannée sur mon ordinateur portable Macintosh – acheté en ligne à un magasin de Singapour qui fonctionne merveilleusement – et, si vous voulez bien patienter quelques secondes, je vais ouvrir le fichier pour le lire directement…

En attendant, un mot sur l'affiche originale. Je l'ai aperçue pour la première fois dans une gare de Hyderabad, à l'époque où je voyageais sans bagage – à l'exception d'un lourd sac rouge – de Delhi à Bangalore. J'ai gardé cette affiche ici, dans le tiroir de mon bureau, pendant une année entière. Mais, un jour, le garçon de ménage a bien failli tomber dessus. Je ne suis pas un sentimental, monsieur Jiabao. C'est une chose que les entrepreneurs ne peuvent se permettre. Je me suis donc débarrassé de l'affiche. Mais non sans avoir auparavant appris à scanner des documents ; vous savez que les Indiens sont aussi à l'aise avec la technologie que les canards dans l'eau. Il m'a fallu une heure, peut-être deux. Je suis un homme d'action, monsieur. Et voici l'image scannée sur l'écran, devant mes yeux :

APPEL À TÉMOIN

La police recherche cet homme, Balram Halwai, alias MUNNA, fils de Vikram Halwai, conducteur de rickshaw, en vue d'être interrogé. Âge : entre 25 et 35 ans. Caractéristiques : teint sombre. Visage ovale. Taille : environ 1,63 m. Corpulence : maigre et chétif.

Ce signalement n'est plus exact, monsieur. Sauf pour les «caractéristiques», bien que l'envie me démange d'essayer ces crèmes blanchissantes pour la peau lancées récemment sur le marché, qui visent à faire ressembler les Indiens à des Occidentaux. Le reste de la description, hélas, n'est plus d'actualité. La vie à Bangalore est confortable – nourriture riche, bière, boîtes de nuit – alors, «maigre et chétif», laissez-moi rire! Je suis en bien meilleure forme aujourd'hui. «Gras et bedonnant» serait plus approprié.

Mais poursuivons. Nous n'avons pas toute la nuit. Il y a un point que je ferais bien d'éclaircir tout de suite.

Balram Halwai, alias MUNNA...

Le premier jour de mon entrée à l'école, l'instituteur demanda aux garçons d'avancer en file devant son bureau pour inscrire leurs noms sur son registre. Quand j'énonçai le mien, il me regarda, bouche bée.

«Munna? Ce n'est pas un nom.»

Il avait raison. Munna signifie «garçon».

«C'est le seul que j'aie, monsieur.»

C'était vrai. On ne m'avait jamais appelé autrement.

«Quel nom t'a donné ta mère?

— Elle était très malade, monsieur. Elle était au lit et crachait du sang. Elle n'a pas eu le temps.

— Et ton père?

— Il est rickshaw, monsieur. Il n'avait pas le temps non plus.

— Tu n'as pas une grand-mère? Des tantes? Des oncles?

— Eux non plus n'ont pas eu le temps.»

L'instituteur se détourna pour cracher. Un jet de pâan rouge s'écrasa sur le sol de la classe. Il se lécha les lèvres.

«Dans ce cas, c'est à moi de décider, n'est-ce pas?» Il se passa la main dans les cheveux. «Nous allons t'appeler... Ram. Non, attends, on a déjà un Ram dans cette classe. Je ne veux pas de confusion possible. Ce sera Balram. Tu sais qui était Balram?

— Non, monsieur.

— Le frère du dieu Krishna. Tu sais comment je m'appelle?

— Non, monsieur.

— Krishna.»

Ce jour-là, en rentrant à la maison, j'annonçai à mon père que l'instituteur m'avait attribué un nouveau nom. Mon père haussa les épaules.

«Si ça lui fait plaisir, on t'appellera comme ça.»

C'est ainsi que je suis devenu Balram. Plus tard, j'ai reçu un troisième nom. Nous y reviendrons.

Pour l'instant, voyons quel est le genre d'endroit où des parents peuvent oublier de donner un nom à leurs enfants. L'affiche indique:

Le suspect est originaire de Laxmangarh, dans le...

Comme toutes les bonnes histoires de Bangalore, la mienne commence loin de Bangalore. Aujourd'hui, je vis dans la Lumière, mais j'ai vu le jour et grandi dans les Ténèbres.

Je parle ici d'une partie de l'Inde, au moins un tiers du pays, fertile, regorgeant de rizières, de champs de blé, avec, au milieu, des étangs étouffés par les lotus et les nénuphars, et des buffles d'eau pataugeant dans les étangs et mastiquant ces plantes. Ceux qui y vivent appellent cette vaste contrée les Ténèbres. Tâchez de comprendre, Votre Excellence. L'Inde est en réalité deux pays en un : une Inde de la Lumière et une Inde des Ténèbres. L'océan apporte la lumière à mon pays. Les régions situées à proximité de la mer vivent dans l'aisance. Tandis que le fleuve – le fleuve noir – apporte l'obscurité aux autres.

Quel est ce fleuve noir ? Cette rivière de la Mort aux berges gorgées de boue grasse, sombre et visqueuse, qui agrippe et emprisonne tout ce qui s'y enfonce, le retient, l'étouffe et le suffoque ?

Le Gange, bien sûr, notre mère Ganga, fille des Veda, rivière de l'illumination, notre protectrice à tous, qui brise la chaîne de la naissance et de la renaissance. Partout où coule le Gange s'étendent les Ténèbres.

L'Inde a ceci de singulier que, pour obtenir la vérité sur une chose, il suffit de prendre le contraire exact de ce qu'en dit le Premier ministre. Par exemple, vous savez sûrement qu'on surnomme le Gange «le fleuve de la délivrance», et des centaines de touristes américains viennent chaque année à Hardwar ou à Bénarès photographier des sadhus dénudés. Notre Premier ministre vous le décrira sans doute en ces termes et vous encouragera à y prendre un bain.

Surtout pas, monsieur Jiabao ! Je vous déconseille fortement un bain dans le Gange, à moins que vous n'aimiez avoir la bouche remplie d'excréments, de paille, de fragments de corps humains détrempés, de charognes de buffles, et de toutes sortes d'acides industriels.

Je connais le Gange, monsieur. À l'âge de six, sept ou huit ans (personne dans mon village ne sait son âge exact), je suis allé sur le lieu le plus sacré des rives du Gange : la ville de Bénarès. Je me souviens d'avoir descendu une rue dans la ville sainte, derrière le cortège funèbre transportant le corps de ma mère.

Kusum, ma grand-mère, ouvrait la procession. Rusée vieille Kusum ! Elle avait la manie de se frotter vigoureusement les bras lorsqu'elle était heureuse, comme si elle râpait un morceau de gingembre pour en extraire des sourires. Elle n'avait plus une seule dent, ce qui rendait son rictus plus fourbe encore. Elle s'était emparée du pouvoir dans la maison avec des sourires, et terrorisait tous ses fils et belles-filles.

Mon père et Kishan, mon frère, marchaient derrière Kusum, portant l'avant de la couche d'osier sur laquelle reposait ma mère. Mes oncles – Munnu, Jayram, Divyram et Umesh - soutenaient l'arrière. Le corps de ma mère avait été enveloppé de la tête aux pieds dans un tissu de satin couleur safran, recouvert de pétales de roses et de guirlandes de jasmin. Jamais, je crois, elle n'avait porté de son vivant une étoffe aussi riche. (Sa mort était aussi grandiose que sa vie avait été misérable, signe que ma famille se sentait coupable envers elle.) Mes tantes – Rabri, Shalini, Malilini, Luttu, Jaydevi et Ruchi – se retournaient sans cesse et tapaient dans leurs mains pour que je les rattrape. Je me souviens que je chantais avec un balandement des bras : «Le nom de Shiva est la vérité !»

Nous passâmes devant les temples, priant un dieu après l'autre, puis sur une seule file, entre un temple rouge dédié à

Hanuman et un gymnase ouvert où trois culturistes soulevaient des haltères rouillés. Je sentis l'odeur du fleuve avant de le voir : un remugle de chair en décomposition montait à ma droite. Je chantai plus fort : « la seule vérité » !

Soudain, un bruit gigantesque retentit. On cassait du bois. Une plate-forme avait été construite au bord du ghât, juste au-dessus de l'eau, et des hommes fendaient à la hache les rondins empilés dessus. Les chutes servaient ensuite à bâtir les bûchers funéraires sur les marches du ghât qui descendaient vers l'eau. Quatre corps brûlaient déjà à notre arrivée. Nous attendîmes notre tour.

Au loin, une île de sable blanc étincelait sous le soleil. Des bateaux surchargés de passagers se dirigeaient vers elle. Je me suis demandé si l'âme de ma mère s'en était allée là-bas, sur cet îlot scintillant.

J'ai mentionné que son corps était enveloppé de satin. L'étoffe fut alors tirée sur son visage, et des bûches (autant que nos moyens nous permettaient d'en acheter) furent empilées sur elle. Après quoi le prêtre mit le feu.

« C'était une bonne et tranquille jeune fille lorsqu'elle est arrivée dans notre maison, dit Kusum en mettant sa main sur mon visage. Ce n'est pas moi qui ai voulu la bagarre. »

J'écartai sa main. Je voulais voir ma mère.

Alors que les flammes dévoraient le satin, un pied pâle jaillit, comme une chose vivante ; les orteils, fondant sous l'effet de la chaleur, se recourbèrent en signe de résistance. Kusum repoussa le pied dans le feu, mais il ne brûlait pas. Mon cœur s'emballa. Ma mère refusait de se laisser détruire.

Sous la plate-forme où étaient empilées les bûches, à l'endroit du ressac de la rivière, s'accumulait un énorme amas suintant de vase noirâtre. Cet amas était parsemé de rubans de jasmin, de pétales de roses, de fragments de satin, d'os calcinés ; un chien au pelage pâle maraudait dans les pétales, le satin et les os carbonisés.

Je regardai la boue, je regardai le pied fléchi de ma mère, et je compris.

L'amas débordant de vase noire la retenait. Ma mère essayait de lutter contre la boue opaque, ses orteils se crispaient en signe de rébellion, mais la boue l'aspirait, l'aspirait. Et les rejets de la rivière sur le ghât épaississaient continuellement la masse déjà compacte. Bientôt, ma mère se fondrait dans ce magma noir et le chien viendrait la lécher.

Alors je compris : c'était cela le véritable dieu de Bénarès. Cette fange noire du Gange dans laquelle tout venait périr, se décomposer, renaître, et périr à nouveau. À ma mort, je suivrais le même chemin. Moi aussi on me conduirait ici, où rien ni personne ne pouvait trouver la délivrance.

Je cessai de respirer.

Pour la première fois de ma vie, je m'évanouis.

Depuis ce jour, je ne suis jamais retourné sur les rives du Gange. Je laisse le fleuve aux touristes américains !

> Originaire de Laxmangarh, dans le district de Gaya.

C'est un district célèbre dans le monde entier. Il a façonné l'histoire de votre nation, monsieur Jiabao. Vous avez sûrement entendu parler de Bodh Gaya, la ville où le Bouddha s'est assis sous un arbre et a atteint l'illumination. Le bouddhisme est né là, avant de se propager à travers le monde, y compris en Chine. Dans mon district ! À quelques kilomètres de Laxmangarh !

Je me demande si le Bouddha a traversé Laxmangarh – certains le croient. Moi, je pense qu'il l'a traversé en courant – aussi vite que possible – et que, une fois de l'autre côté, il ne s'est pas retourné !

Un petit bras du Gange coule à proximité de Laxmangarh ; des bateaux venant du monde extérieur le descendent et, chaque lundi, y déchargent des marchandises. Il y a une seule rue dans le village ; un égout luisant la sépare en deux, bordé par un marché : trois échoppes plus ou moins identiques vendant des articles plus ou moins identiquement frelatés et rassis : riz, huile de cuisine, essence, biscuits, cigarettes, sucre de palme. À l'extrémité se dresse une haute tour blanchie à la chaux en forme de cône, avec des serpents entrelacés peints sur les murs : le temple. À l'intérieur, vous trouvez l'image d'une créature couleur safran, mi-homme, mi-singe. C'est Hanuman, le dieu préféré des habitants des Ténèbres. Connaissez-vous Hanuman, monsieur ? C'était le serviteur fidèle du dieu Rama. Nous l'adorons dans nos temples car il est l'exemple éclatant de la fidélité absolue, de l'amour et de la dévotion avec lesquels on doit servir ses maîtres.

Tel est le genre de Dieu qui nous a été imposé, monsieur Jiabao. Vous comprenez maintenant pourquoi il est si difficile pour un homme de gagner sa liberté en Inde.

Voilà pour le décor. Les hommes, à présent. Votre Excellence, je suis fier de vous informer que Laxmangarh est un paradis rural indien typique, alimenté comme il convient en électricité, eau courante et téléphone en état de fonctionnement, et que les enfants de mon village, grâce à une alimentation à base de viande, œufs, légumes et lentilles, quand ils passeront à la toise et sur la balance, répondront aux critères de poids et de taille établis par les Nations unies et autres organismes dont notre Premier ministre a signé les chartes et fréquente les tribunes avec pompe et assiduité.

Ha !

Les pylônes électriques : défunts.

Le robinet d'eau courante : cassé.

Les enfants : trop maigres et trop petits pour leur âge, avec une tête surdimensionnée où brillent des yeux pénétrants comme la conscience coupable du gouvernement de l'Inde.

Oui, un paradis rural indien typique, monsieur Jiabao. Un jour, j'irai en Chine pour voir si vos paradis valent mieux que les nôtres.

Au milieu de la rue principale, des familles de cochons reniflent les eaux usées de l'égout. La moitié supérieure du corps de chaque animal est sèche, avec de longs poils emmêlés en crêtes, et la moitié inférieure est noire comme la tourbe et luisante. Des coqs bondissent de bas en haut des toits, éclairs de plumes ocre et rouge vif. Après les cochons et les coqs, vous arrivez à ma maison, si elle existe encore.

Sur le seuil, vous rencontrez le membre le plus important de ma famille.

La bufflonne.

C'était l'individu le plus gras de notre famille. Comme de toutes les familles du village. Tout au long du jour, les femmes la nourrissaient d'herbes fraîches. Nourrir la bufflonne constituait la tâche primordiale de leur vie. Elles concentraient tous leurs espoirs sur sa corpulence. Si l'animal donnait assez de lait, les femmes pouvaient en vendre une partie et gagner un peu d'argent. C'était une bête adipeuse, à la peau lustrée, avec une veine de la taille d'un pénis d'enfant saillant sur son groin velu, et un long filet de bave perlée dégoulinant du coin de sa gueule ; elle pataugeait toute la journée dans sa merde prodigieuse. La bufflonne était le dictateur de notre maison.

Dès l'entrée, vous voyez les femmes – si elles sont encore en vie après ce que j'ai fait – travaillant dans la cour. Mes tantes, mes cousines et Kusum, ma grand-mère. L'une prépare le repas pour la bufflonne, l'autre vanne le riz, une troisième, accroupie, épouille le cuir chevelu d'une autre et écrase les tiques entre deux ongles. De temps à autre, elles cessent de s'affairer parce que l'heure de la dispute a sonné. La bagarre consiste à se jeter de la vaisselle en fer-blanc à la figure, ou à se tirer les cheveux, puis à se réconcilier en déposant un baiser dans ses paumes avant de les presser sur les joues de l'adversaire. La nuit, elles dorment ensemble, jambes emmêlées; comme une créature unique, un mille-pattes.

Les hommes et les garçons dorment dans un autre coin de la maison.

L'aube. Les coqs se déchaînent dans tout le village. Une main me secoue. Je repousse la jambe de mon frère Kishan posée en travers de mon estomac, écarte de mes cheveux la main de mon cousin Pappu, et m'extirpe des dormeurs.

«Viens, Munna.»

Mon père m'appelle de la porte.

Je cours derrière lui. Nous sortons de la maison pour détacher la bufflonne de son piquet et la conduire prendre son bain matinal dans l'étang au pied du Fort noir.

Le Fort noir se dresse sur la crête d'une colline qui domine le village. Des voyageurs qui ont visité d'autres pays affirment que ce fort est aussi beau que ceux d'Europe. Il a été construit il y a des siècles par les Turcs, ou les Afghans, ou bien les Anglais, en tout cas par des étrangers qui régnaient sur l'Inde.

(Car l'Inde n'a jamais été libre. Les musulmans d'abord, puis les Britanniques, nous ont menés à la baguette. Les Britanniques sont partis en 1947, mais il n'y a que les imbéciles pour penser que cela nous a libérés.)

Les étrangers ont depuis longtemps abandonné le Fort noir, occupé aujourd'hui par une colonie de singes. Personne d'autre n'y monte, hormis un chevrier qui y mène paître son troupeau.

Au lever du soleil, l'étang qui entoure la base du fort étincelle. Des roches détachées de la muraille ont dévalé la colline et atterri dans l'étang, où elles gisent, à demi immergées dans l'eau boueuse, semblables à ces hippopotames somnolents que j'ai découverts bien des années plus tard au zoo national de New Delhi. Des lotus et des nénuphars flottent à la surface, l'eau scintille comme de l'argent, et la bufflonne patauge, mastiquant les feuilles de nénuphars et propageant des ondulations qui s'évasent en V à partir de son museau. Le soleil se lève sur le ruminant, sur mon père, sur moi, sur mon univers.

Parfois, le croiriez-vous, cet endroit me manque presque.

Mais revenons à l'avis de recherche...

> Le suspect a été vu pour la dernière fois portant une chemise à carreaux bleue en polyester, un pantalon en polyester orange, des sandales marron...

«Des sandales marron», quelle horreur! Seul un policier peut inventer pareil détail. Je nie catégoriquement.

«Chemise à carreaux bleue en polyester, pantalon en polyester orange.» J'aimerais pouvoir nier cela aussi, malheureusement, c'est exact. C'est le style de vêtements, monsieur, qui séduit l'œil d'un serviteur. Or, j'étais encore un serviteur le jour où cette affiche a été réalisée. (Le soir même, j'étais libre et habillé différemment!)

Une phrase m'ennuie particulièrement. Attardons-nous un instant pour la rectifier :

> ... Fils de Vikram Halwai, conducteur de rickshaw...

Monsieur Vikram Halwai, conducteur de rickshaw, s'il vous plaît. Mon père était un homme pauvre, certes, mais un homme fier et courageux. Sans ses conseils, je ne serais pas ici, sous ce lustre à pampilles.

L'après-midi, en sortant de l'école, j'allais au tea-shop pour le voir. La gargote était le centre vital du village. Le bus de Gaya s'y arrêtait chaque jour à midi (jamais en retard de plus d'une heure ou deux), et les policiers y garaient leur Jeep quand ils venaient harceler un villageois. Peu avant le coucher du soleil, un homme faisait trois fois le tour du tea-shop à bicyclette en faisant carillonner sa cloche, l'affiche cartonnée d'un film pornographique fixée à l'arrière du porte-bagages – quel village indien traditionnel serait ce qu'il est sans son cinéma X, monsieur? Tous les soirs, sur l'autre berge de la rivière, une salle projetait des fantaisies sur pellicule aux titres évocateurs : *C'était un homme, un vrai,* ou *Le Journal intime d'une jeune fille,* ou encore *L'Oncle a osé.* On y voyait des Américaines à cheveux d'or ou des dames seules de Hong Kong, c'est du moins ce que j'imaginais, monsieur, car, bien entendu, jamais je ne suis allé avec les autres jeunes gens voir un de ces films !

Les conducteurs de rickshaws, leurs véhicules alignés près du tea-shop, attendaient que le bus déverse ses passagers.

Ils n'avaient pas le droit de s'asseoir sur les sièges en plastique réservés aux clients. Ils se tenaient tout au fond, dans cette posture accroupie et voûtée commune à tous les serviteurs de tous les coins de l'Inde. Mon père, lui, n'était jamais accroupi, je m'en souviens. Il préférait rester debout, aussi longtemps qu'il le fallait et aussi inconfortable que cela pût être. Je le trouvais torse nu, généralement seul, pensif, buvant du thé.

Soudain, un klaxon retentissait.

Les cochons et les chiens errants qui rôdaient dans les parages s'égaillaient, et une odeur de poussière, de sable et de merde de cochon s'engouffrait à l'intérieur. Une voiture Ambassador blanche se garait devant le tea-shop. Mon père posait sa tasse de thé et sortait.

La portière de l'Ambassador s'ouvrait et un homme muni d'un calepin en descendait. Les clients habituels continuaient de manger, mais mon père et les autres rickshaws se mettaient en rang.

L'homme au calepin n'était pas le Buffle, seulement son adjoint.

Un second personnage restait assis dans l'Ambassador : corpulent, chauve, avec un visage bistre et ridé à l'expression sereine, un fusil de chasse posé sur les genoux.

Lui, c'était le Buffle.

Le Buffle était l'un des grands propriétaires terriens de Laxmangarh. Il y en avait trois autres, dont chacun tirait son surnom des singularités connues de son appétit.

La Cigogne était un homme bedonnant avec une moustache épaisse et recourbée en pointe aux extrémités. Propriétaire de la rivière bordant le village, il percevait une part sur chaque pêche et un péage sur les passeurs effectuant le transport d'une rive à l'autre.

Son frère, dit le Sanglier, possédait toutes les bonnes terres agricoles autour de Laxmangarh. Pour travailler sur son domaine, il fallait se prosterner à ses pieds, toucher le sol sous ses semelles, et accepter les salaires journaliers qu'il fixait. Quand il croisait des femmes sur la route, sa voiture s'arrêtait, les vitres s'abaissaient, et il dévoilait son sourire : il avait deux longues canines incurvées comme des petites défenses de sanglier.

Le Corbeau détenait les plus mauvais terrains : les flancs arides et rocailleux de la colline du fort. Il prélevait une dîme sur les chevriers qui montaient y faire paître leurs bêtes. S'ils n'avaient pas d'argent, le Corbeau se payait en plantant son bec dans leur postérieur. Ce qui lui valait son surnom.

Le Buffle était le plus gourmand des quatre. Il avait avalé les rickshaws et les voies de circulation. Ainsi, tous ceux qui avaient un rickshaw ou qui empruntaient la route devaient lui verser sa ration : un tiers de leurs gains, pas moins.

Les quatre Animaux habitaient des manoirs entourés de hauts murs à l'extérieur de Laxmangarh, le quartier des grands propriétaires. Ils possédaient leurs temples privés, leurs propres puits et étangs, et ils n'avaient pas besoin de venir au village, sauf pour se nourrir. De temps à autre, leurs enfants se promenaient dans leurs voitures personnelles. Kusum se rappelait cette époque. Mais après le kidnapping du fils du Buffle par les Naxalites – peut-être avez-vous entendu parler du mouvement naxalite, monsieur Jiabao, puisque ce sont des communistes, comme vous, qui tuent les riches par principe – ils envoyèrent leurs enfants au loin, à Dhanbad ou à Delhi.

Une fois leurs enfants en sécurité, les Animaux restèrent pour rançonner le village et tout ce qui y poussait, jusqu'à ce qu'il n'y eût plus rien à manger. Dès lors, pour survivre, les villageois durent quitter périodiquement Laxmangarh. Chaque année, les hommes se regroupaient devant le tea-shop. Dès que le bus arrivait, ils s'y entassaient, certains perchés sur le toit, d'autres accrochés aux balustrades, et partaient pour Delhi, Calcutta ou Dhanbad chercher du travail.

Un mois avant les pluies, les hommes revenaient de Dhanbad, Calcutta et Delhi, plus maigres, plus noirs, plus en colère, mais de l'argent en poche. Les femmes les guettaient. Cachées derrière la porte, elles bondissaient sur eux comme des chats sauvages sur un morceau de viande. S'ensuivaient des bagarres, des gémissements, des cris. Mes oncles résistaient et parvenaient à conserver un peu d'argent, mais mon père se faisait systématiquement dépouiller. « J'ai survécu à la grande ville, pas aux femmes de ma maison », avait-il coutume de dire, affalé dans un coin de la pièce. Les femmes lui servaient à manger après avoir nourri la bufflonne.

Je m'approchais et je jouais avec lui, grimpant sur son dos, passant ma main sur son front, ses yeux, son nez, son cou, jusqu'à la petite dépression de la nuque, où je laissais mon doigt s'attarder. Cela a toujours été mon endroit préféré du corps humain.

Le corps d'un homme riche ressemble à un oreiller en coton de première qualité : blanc, doux et lisse. Le nôtre est différent. La colonne vertébrale de mon père était une corde à nœuds, semblable à celle utilisée par les femmes à la campagne pour tirer l'eau du puits. Ses clavicules saillaient en haut relief, à la façon d'un collier de chien. Des coupures, des entailles et des cicatrices, pareilles à des marques de fouet dans sa chair, couraient sur son torse et sa taille, et jusque sous ses hanches, sur les fesses. L'histoire d'un homme pauvre s'inscrit dans son corps avec un stylo à la pointe aiguisée.

Comme les autres villageois, mes oncles exerçaient des travaux éreintants. Chaque année, dès le début des pluies, ils allaient dans les champs, armés d'une faucille noircie, pour implorer l'un ou l'autre des propriétaires de les embaucher. Ils semaient le grain, désherbaient, moissonnaient le blé et le riz. Mon père aurait pu travailler avec eux, il aurait pu s'échiner dans la boue, mais il s'y refusait.

Il avait choisi de se battre.

Je doute que vous ayez des rickshaws en Chine – comme n'importe quelle autre nation civilisée – aussi je vous engage à les observer de vos propres yeux lors de votre visite chez nous, monsieur le Premier ministre. Les rickshaws ne sont pas autorisés dans les quartiers huppés de Delhi, où les étrangers risqueraient de les voir et de s'étonner. Insistez pour vous rendre à Old Delhi, ou à Nizammudin. Là, les rues en sont pleines. Vous verrez ces hommes, minces comme des baguettes, penchés sur le guidon de leur bicyclette, pédalant pour tirer un chariot qui croule sous une pyramide de chair bourgeoise : un gros type avec sa grosse épouse et leurs gros sacs de shopping.

Quand vous verrez ces hommes baguettes, pensez à mon père.

Conducteur de rickshaw, bête de somme humaine, mon père n'en était pas moins un homme animé d'un projet.

J'étais son projet.

Un jour, il perdit son sang-froid et s'emporta contre les femmes. Elles venaient de l'informer que je n'étais pas allé en classe. Il fit ce que jamais jusqu'alors il n'avait osé : il cria après Kusum.

« Combien de fois je te l'ai répété ! Je veux que Munna apprenne à lire et à écrire ! »

Kusum en fut abasourdie. Mais un bref instant seulement. Elle hurla à son tour.

« Je n'y suis pour rien ! Ton fils est rentré de l'école en courant ! C'est un froussard et il mange trop. Mets-le au travail au tea-shop pour qu'il gagne un peu d'argent. »

Mes tantes et cousines s'étaient regroupées autour d'elle. Je me faufilai derrière le dos de mon père quand elles lui contèrent l'histoire de ma lâcheté.

Vous allez sans doute trouver incroyable qu'un enfant de la campagne ait peur d'un lézard. Les rats, les serpents, les singes et les mangoustes ne m'inquiètent pas du tout. Au contraire, j'aime les animaux. Mais les lézards… chaque fois que j'en croise un, aussi petit soit-il, je deviens une vraie mauviette. Mon sang se fige.

Dans la salle de classe, il y avait un immense placard dont la porte était toujours légèrement entrebâillée et dont personne ne savait à quoi il servait. Un matin, la porte s'entrouvrit en grinçant et un lézard en jaillit.

Il avait la couleur vert clair d'une goyave à demi mûre. Sa langue effilée dardait. Il mesurait au moins soixante centimètres.

C'est à peine si les autres garçons de la classe y prêtèrent attention. Jusqu'au moment où l'un d'eux remarqua mon visage. Aussitôt, ils firent cercle autour de moi.

Deux d'entre eux me bloquèrent les mains derrière le dos et immobilisèrent ma tête. Un troisième saisit la bête à deux mains et avança vers moi, à pas exagérément lents. Le lézard silencieux, dont la langue ne cessait de pointer et de se rétracter, approchait de plus en plus de mon visage. Les rires enflèrent. J'étais incapable d'émettre un son. La tête du lézard était à quelques centimètres de la mienne. Il ouvrit sa gueule vert clair, et je m'évanouis pour la seconde fois de ma vie.

Depuis cet incident, je n'avais pas remis les pieds à l'école.

L'histoire n'amusa pas mon père. Il prit une profonde inspiration et déclara à Kusum :

«Tu as déjà laissé Kishan quitter l'école. Mais celui-ci, je veux qu'il continue et tu le sais. Sa mère disait qu'il était le seul capable de faire des études. Sa mère disait...

– Au diable sa mère! s'écria Kusum. C'était une folle et elle est morte, Dieu merci. Maintenant, écoute-moi. Laisse ce garçon aller travailler au tea-shop comme Kishan.»

Le lendemain, mon père m'accompagna à l'école, pour la première et la dernière fois. C'était l'aurore, tout était désert. La salle de classe baignait dans une faible lumière bleutée. Notre maître d'école était un grand chiqueur et cracheur de bétel : ses expectorations formaient, sur la partie basse de trois murs, une sorte de papier mural rouge. Lorsqu'il s'endormait, ce qui était habituel chez lui vers midi, on volait le pâan dans sa poche et on se le distribuait pour chiquer. Puis, imitant son style si personnel – mains sur les hanches et dos légèrement arqué –, chacun son tour, nous crachions sur les trois murs maculés.

Une fresque murale défraîchie représentant Lord Buddha entouré de biches et d'écureuils ornait le quatrième mur : le seul épargné par l'instituteur. À notre arrivée, le lézard géant couleur de goyave à demi mûre se tenait devant la fresque, cherchant à se faire passer pour l'un des animaux peints aux pieds de Lord Buddha.

Sa tête pivota vers nous et je vis ses yeux briller.

«C'est ça, le monstre?» fit mon père.

Le lézard tourna la tête en tous sens, affolé, cherchant une issue. Puis il commença à se cogner contre le mur. Il était comme moi. Terrifié.

«Ne le tue pas, papa. Jette-le simplement par la fenêtre, tu veux bien?»

Allongé dans un angle de la salle de classe, l'instituteur ronflait bruyamment. Son haleine empestait l'alcool. Près de lui gisait le pot de grog épicé qu'il avait vidé la veille au soir. Mon père ramassa le pot.

«Ne le tue pas, papa! S'il te plaît!»

Il ne m'écoutait pas. Il donna un coup de pied contre le placard et le lézard détala. Mon père le pourchassa, frappant tout sur son passage et hurlant : «Yahaaaa! Yahaaaa!» Il le martela avec le pot jusqu'à ce que celui-ci se brise. Puis il aplatit le cou du lézard avec son poing et lui piétina la tête.

Une odeur âcre de chair écrasée imprégna l'air. Mon père ramassa le lézard et le jeta dehors par la porte.

Ensuite, essoufflé, il s'adossa contre la fresque de Lord Buddha entouré des gentils animaux.

Quand il eut repris son souffle, il me dit :

«Toute ma vie, on m'a traité comme un bourricot. Je veux qu'un de mes fils – au moins un – vive comme un homme.»

Que signifiait vivre comme un homme? Mystère. J'imaginai que c'était mener le même genre d'existence que Vijay, le conducteur de bus. Le bus faisait halte une demi-heure à Laxmangarh. Les passagers descendaient et le chauffeur allait boire un thé. Pour nous tous qui travaillions dans le tea-shop, c'était une personnalité. Nous admirions son uniforme kaki de la compagnie d'autobus, son sifflet d'argent suspendu à sa poche par un cordonnet rouge. Tout en lui clamait sa réussite.

Dans la famille de Vijay, on était porchers, c'est-à-dire tout en bas de l'échelle, et pourtant il s'était élevé. J'ignore comment il s'était débrouillé pour se lier d'amitié avec un politicien. La rumeur disait qu'il avait laissé ce politicien lui planter son dard dans le derrière. Quoi qu'il en soit, Vijay avait réussi : il était le premier entrepreneur que je rencontrais. Il avait un emploi, un sifflet en argent, et, quand il soufflait dedans, au moment où le bus démarrait, tous les garçons du village devenaient comme fous; ils couraient à côté du bus, tapant sur la carrosserie et implorant Vijay de les emmener. Moi, je voulais lui ressembler ; je voulais un uniforme, un salaire, un sifflet étincelant avec un son perçant, et des gens me regardant avec des yeux qui disaient à quel point j'étais important. Deux heures du matin, monsieur le Premier ministre. Je vais bientôt m'interrompre pour cette nuit. Un dernier coup d'œil sur l'écran du portable pour voir s'il reste une information de quelque importance.

Délaissons les détails superflus...

À Dhaula Kuan, quartier de New Delhi, la nuit du 2 septembre, près de l'hôtel ITC Maurya Sheraton...

Cet hôtel Sheraton est le plus luxueux de Delhi ; je ne suis jamais entré à l'intérieur mais mon ex-patron, M. Ashok, venait régulièrement y finir la soirée au bar. Il y a un restaurant au sous-sol que l'on dit excellent. Je vous le recommande, si vous en avez l'occasion.

L'homme recherché était employé comme chauffeur et conduisait une Honda City au moment des faits. À cet égard, un dossier (rapport d'enquête n° 438/05, P.-S. Dhaula Kuan, Delhi) a été enregistré. On pense aussi que l'homme était en possession d'un sac rempli d'une certaine somme d'argent.

Un sac *rouge* auraient-ils dû préciser. Sans indication de couleur, l'information est sans valeur, vous ne trouvez pas ? Pas étonnant qu'on ne m'ait jamais repéré.

Une certaine somme d'argent. Ouvrez n'importe quel journal, c'est toujours les mêmes débilités : « Un *certain* groupe d'intérêt a répandu la rumeur que... », « Une *certaine* communauté religieuse ne croit pas à la contraception. » Ça m'horripile.

Sept cent mille roupies.

C'était le montant de l'argent liquide contenu dans le sac rouge. Croyez-moi, la police connaissait ce chiffre. Je ne sais pas combien cela fait en monnaie chinoise, monsieur Jiabao, mais cela permet d'acheter dix ordinateurs portables Macintosh à Singapour.

L'avis de recherche ne mentionne pas mon école, et c'est bien dommage. Il faudrait toujours parler de l'éducation d'un homme quand on dresse son portrait. Ils auraient pu préciser quelque chose du genre : *Le suspect a fait ses études primaires dans une école où un lézard des soixante centimètres, couleur d'une goyave à demi mûre, était caché dans un placard...*

Si le village indien est un paradis, alors l'école est un paradis au sein du paradis.

Dans mon école, nous étions censés être nourris gratuitement : un programme gouvernemental accordait à chaque élève trois rotis, un dâl et des pickles pour le déjeuner. Mais nous n'avons jamais vu ni les rotis, ni le dâl, ni les pickles, et tout le monde savait pourquoi : l'instituteur s'appropriait l'argent alloué pour nos repas.

Il avait d'ailleurs une excuse légitime pour voler l'argent : son salaire ne lui avait pas été versé depuis six mois. Il comptait entreprendre une action de protestation gandhienne pour réclamer son dû : ne rien faire en classe jusqu'à l'arrivée de son chèque par la poste. Pourtant il était terrifié à la pensée de perdre son emploi, car, malgré la médiocrité de leur traitement, les fonctionnaires indiens jouissent de nombreux avantages annexes. Un jour, un camion livra à l'école les uniformes envoyés par le gouvernement. On n'en vit jamais la couleur mais, une semaine plus tard, ils réapparurent sur le marché d'un village voisin.

Personne ne blâma l'instituteur. On n'attend pas d'un homme vivant sur un tas d'excréments qu'il sente la rose. Chacun au village savait que, dans sa position, il aurait agi de même. Certains étaient même fiers qu'il s'en soit tiré sans ennuis.

Un matin, un homme vêtu du costume le plus élégant que j'eus jamais vu – un ensemble saharien bleu, plus impressionnant encore que l'uniforme du conducteur d'autobus – apparut sur la route menant à l'école. Tout le monde s'attroupa devant la porte pour admirer sa tenue. Il tenait à la main une canne, avec laquelle il se mit à cingler l'air dès qu'il nous aperçut. Ce fut la débandade. Chacun regagna sa place en courant.

C'était une inspection surprise.

L'homme en costume saharien bleu – l'inspecteur – pointa sa canne sur les trous et les décolorations rougeâtres des murs, tandis que l'instituteur se recroquevillait en marmonnant : « Désolé, monsieur l'inspecteur. Pardon, monsieur l'inspecteur.

– Il n'y a pas de chiffon pour le tableau, pas de chaises, et pas d'uniformes pour les élèves. Combien d'argent avez-vous volé dans les caisses de l'école, espèce de salopard ? »

L'inspecteur inscrivit quatre phrases au tableau et pointa sa canne sur un élève.

« Lis. »

L'un après l'autre, les garçons se levèrent, fronçant les sourcils.

« Demandez à Balram, monsieur l'inspecteur, suggéra l'instituteur. C'est le plus futé de la classe. Il lit bien. »

Je me levai donc et lus : « Nous vivons dans un pays merveilleux. Le Lord Buddha a reçu l'illumination sur cette terre. Le Gange donne la vie à nos végétaux, à nos animaux et à notre peuple. Nous sommes reconnaissants à Dieu de vivre dans ce pays.

— Bien, dit l'inspecteur. Et qui était Lord Buddha ?

— Un homme éveillé.

— Un *dieu* éveillé. »

(Aïe ! Un de plus. Trente-six millions cinq !)

L'inspecteur me demanda d'écrire mon nom sur le tableau noir. Puis il allongea son poignet pour me faire lire l'heure à sa montre. Enfin il sortit son portefeuille de sa poche, en tira une petite photo et me demanda :

« Qui est cet homme ? Qui est l'homme le plus important de notre vie à tous ? »

La photo représentait un homme grassouillet et joufflu, avec des cheveux blancs hérissés et d'épais anneaux d'oreilles en or. Son visage rayonnait d'intelligence et de bonté.

« C'est le Grand Socialiste.

— Très bien. Et quel est le message adressé par le Grand Socialiste aux petits enfants ? »

Je connaissais la réponse pour l'avoir vue sur la façade d'un temple, où un policier l'avait écrite à la peinture rouge.

« N'importe quel garçon de n'importe quel village peut devenir le Premier ministre de l'Inde. Voilà le message adressé à tous les enfants de ce pays. »

L'inspecteur pointa sa canne sur moi.

« Toi, petit, au milieu de cette bande d'abrutis, tu es un garçon intelligent, honnête et vif. Dans la jungle, quel est l'animal le plus rare ? Celui qui ne se présente qu'une fois par génération ? »

Je réfléchis un instant avant de répondre :

« Le Tigre blanc.

– C'est ce que tu es, dans cette jungle-ci. »

Avant de partir, l'inspecteur ajouta :

« J'écrirai de Patna pour demander que l'on t'attribue une bourse d'études. Tu as besoin d'aller dans une véritable école, quelque part loin d'ici. Il te faut un véritable uniforme et une véritable éducation. »

Il m'offrit un cadeau de départ. C'était un livre. Je me souviens parfaitement du titre : *Leçons à l'intention des jeunes garçons, tirées de la vie du Mahatma Gandhi.*

Voici donc comment je devins le Tigre blanc. Par la suite, j'eus un quatrième puis un cinquième nom, mais nous verrons cela plus tard.

Les louanges de l'inspecteur scolaire en présence de l'instituteur et de mes camarades de classe, le surnom de Tigre blanc, le livre qu'il m'avait donné et la promesse d'une bourse scolaire, tout cela était pour moi une aubaine inespérée. Mais la loi infaillible de la vie dans les Ténèbres veut que les bonnes choses se transforment en mauvaises choses. Et vite.

Ma cousine Reena fut mariée à un jeune homme du village voisin. La fille venant de notre famille, le mariage nous saigna à blanc. Il nous fallut offrir au marié une bicyclette neuve, du liquide, un bracelet en argent, et organiser une grande réception. Vous savez probablement, monsieur le Premier ministre, combien nous autres Indiens affectionnons les mariages : j'ai cru comprendre que des étrangers viennent chez nous pour s'épouser à la mode indienne. Nous pourrions leur apprendre une ou deux petites choses, croyez-moi ! Par exemple : les chansons de films gueulées dans les haut-parleurs par un lecteur de cassettes, l'alcool qui coule à flots, la danse qui se prolonge toute la nuit ! Au mariage de ma cousine, j'étais ivre mort, comme l'étaient

Kishan et tout le reste de la famille. Je crois même que l'on versa de la gnôle dans l'abreuvoir de la bufflonne.

Deux ou trois jours passèrent. J'étais dans ma classe, assis dans le fond avec l'ardoise noire et la craie que mon père m'avait rapportées d'un de ses voyages à Dhanbad, et je travaillais seul mon alphabet. Les autres garçons bavardaient ou chahutaient. L'instituteur s'était évanoui.

Kishan apparut sur le pas de la porte et me fit signe.

« Qu'est-ce qu'il y a, Kishan ? On va quelque part ? »

Il se taisait.

« Je dois emporter mon livre ? Mes affaires ?

– Pourquoi pas ? » dit-il.

Et, posant la main sur ma tête, il m'entraîna dehors.

Ma famille avait emprunté une grosse somme à la Cigogne pour payer le colossal mariage et la colossale dot de ma cousine. À présent, la Cigogne réclamait son dû. Il exigeait que tous les membres de la famille travaillent pour lui et il m'avait aperçu à l'école. Ou plutôt son encaisseur m'avait reconnu. Ma famille devait donc me livrer.

Kishan me conduisit au tea-shop. Les mains derrière le dos, il s'inclina devant le patron. Je fis de même.

« Qui est-ce ? » demanda le patron en me lorgnant.

Il était assis sous un immense portrait du Mahatma Gandhi. Je pressentis aussitôt de gros ennuis.

« Mon frère, répondit Kishan. Il vient travailler avec moi. »

Kishan traîna le four à l'extérieur et me dit de m'asseoir à côté de lui. D'un énorme sac en toile de jute, plein à craquer, il sortit un morceau de charbon, l'écrasa sur une brique, puis enfourna les éclats dans le four.

« Plus fort, dit-il, lorsque je brisai le charbon contre la brique. Tape plus fort. Plus fort. »

Je finis par y arriver. Kishan se leva et m'ordonna :

«Maintenant, casse tout ce qu'il y a dans le sac.»

Peu après, deux de mes camarades de classe vinrent m'observer en sortant de l'école. Puis deux autres, et deux autres encore. Je les entendais pouffer.

«Quel est l'animal qui ne se présente qu'une fois par génération? lança l'un d'eux à voix haute.

— Le charbonnier», répondit un autre.

Et tous éclatèrent de rire.

«Ignore-les, me conseilla Kishan. Ils finiront par s'en aller. Tu es en colère contre moi parce que je t'ai sorti de l'école, hein?»

Je ne répondis pas.

«Et tu détestes être obligé de casser du charbon.»

Je ne répondis pas.

Kishan prit un morceau de charbon dans sa main et l'écrasa.

«Imagine que chaque morceau est mon crâne. Ce sera beaucoup plus facile à casser.»

Lui aussi avait été retiré de l'école. Après le mariage de mon autre cousine, Meera. Un grand mariage, là encore.

Travailler dans un tea-shop. Casser du charbon. Nettoyer les tables. Un malheur pour moi, dites-vous?

Briser la loi de ce pays – transformer la malchance en chance – est la prérogative de l'entrepreneur.

Demain, monsieur Jiabao, à partir de minuit, je vous raconterai comment j'ai acquis dans ce tea-shop une instruction bien supérieure à celle que m'aurait donnée n'importe quelle école. Pour l'instant, il est temps pour moi de cesser de contempler le lustre et de me mettre au travail. Il est presque trois heures du matin. L'heure où Bangalore s'anime. La journée de travail des Américains touche à sa fin et la mienne commence pour de bon. Je dois être sur le qui-vive au moment où tous les jeunes gens des centres d'appel quittent leur poste pour rentrer chez eux. C'est l'heure où je dois rester à côté du téléphone.

Je ne possède pas de portable, et cela pour des raisons évidentes. Chacun sait que le portable corrode la cervelle d'un homme, lui ratatine les couilles et lui dessèche le sperme. Mais cela m'oblige à rester cloîtré dans mon bureau. Au cas où se déclencherait une crise.

Je suis l'homme que les gens appellent en cas de crise !

Voyons rapidement s'il y a autre chose...

Toute personne ayant des informations ou des indices concernant l'homme recherché peut en référer au CBI, le bureau central d'investigation.

Site web : http ://cbi.nic.in
Adresse e-mail : diccbi@cbi.nic.in
Fax : 011-23 011 334
Tél : 011-23 014 046 (direct) 011-23 015 229 et 23 015 218
(extension : 210), ainsi qu'à l'adresse ci-dessous :

dp 3 687/05

Sho – Dhaula Kuan, New Delhi

Tél : 28 653 200, 27 641 000

En incrustation dans le texte de la police, une photographie : floue, noircie, maculée par la presse d'imprimerie antique d'un commissariat quelconque. Déjà à peine reconnaissable sur un mur de gare, l'image de mauvaise définition et transférée sur un écran d'ordinateur n'est plus que l'idée abstraite d'un visage d'homme : une petite créature avec de grands yeux exorbités et une épaisse moustache. Le portrait de la moitié des hommes en Inde.

Monsieur le Premier ministre, je vais clore pour ce soir avec un commentaire sur les défauts du travail de la police indienne. Un car entier rempli d'agents en tenue kaki – après tout, c'était une affaire sensationnelle – se rendit très certainement à Laxmangarh pour enquêter sur ma disparition. Ils interrogèrent probablement les commerçants, bousculèrent les conducteurs de rickshaws, réveillèrent l'instituteur. Le garçon volait-il étant enfant ? Couchait-il avec les prostituées ? Sans doute aussi ont-ils dévasté une épicerie ou deux, et arraché des confessions à quelques personnes.

Pourtant, je parie qu'ils ont manqué l'indice le plus important et qui leur crevait les yeux.

Je parle du Fort noir, bien sûr.

Enfant, je ne cessais d'implorer Kusum de m'emmener en haut de la colline. Elle rétorquait que j'étais un froussard et que je mourrais de peur car un énorme lézard, le plus grand lézard du monde, vivait dans le fort.

Aussi devais-je me contenter de l'admirer d'en bas. Les étroites meurtrières percées dans ses murailles se transformaient en lignes d'un rose flamboyant au lever du soleil, et d'un or ardent au coucher. Le ciel bleu étincelait par les interstices des pierres et la lune luisait sur les remparts déchiquetés ; les singes bondissaient sur les murs, poussaient des cris stridents en se bagarrant, comme les esprits de combattants morts réincarnés rejouant leur dernière bataille.

Moi aussi, je voulais monter sur ces murs.

Iqbal, qui est l'un des quatre meilleurs poètes du monde – les autres étant Rumi, Mirza Ghalib et un musulman dont j'ai oublié le nom –, a écrit un poème où il dit ceci à propos des esclaves :

Ils restent des esclaves parce qu'ils ne peuvent voir ce qui est beau en ce monde.

C'est la chose la plus juste qui ait jamais été écrite. Un grand poète, cet Iqbal, bien que musulman. (À ce propos, monsieur le Premier ministre, avez-vous remarqué que quatre des plus grands poètes au monde sont des musulmans? Pourtant, tous les musulmans que l'on rencontre sont illettrés, ou couverts de la tête aux pieds d'une burka noire, ou bien en quête d'immeubles à faire exploser. C'est une énigme, n'est-ce pas? Si vous arrivez à comprendre ces gens, envoyez-moi un e-mail.)

Même très jeune, je savais distinguer ce qu'il y avait de beau en ce monde. J'étais destiné à ne pas rester un esclave.

Un jour, Kusum découvrit la vérité sur le fort et moi-même. Elle me suivit de notre maison jusqu'à l'étang jonché de roches, et m'espionna. Le soir même, elle me dénonça à mon père.

«Il reste là à rêvasser devant le fort, comme sa mère autrefois. Ce garçon ne fera jamais rien de bon dans la vie, tu peux me croire.»

Quand j'eus treize ans, je décidai de monter seul au fort. Je traversai l'étang en pataugeant et gravis la colline. À l'instant où j'allais entrer, une forme noire se matérialisa devant le portail. Je fis demi-tour et dévalai la pente à toutes jambes, trop effrayé même pour crier.

Ce n'était qu'une vache. Je l'aperçus de loin mais j'étais trop ébranlé pour revenir sur mes pas.

Je fis plusieurs autres tentatives, mais ma lâcheté était telle que, chaque fois, mes nerfs craquaient et je rebroussais chemin.

À l'âge de vingt-quatre ans, alors que je vivais à Dhanbad et travaillais au service de M. Ashok comme chauffeur, je revins à Laxmangarh avec mes patrons qui désiraient y faire une excursion. Pour moi, c'était un voyage très important, et j'espère le relater en détail quand le temps me le permettra. En attendant, je veux juste vous raconter cette anecdote : comme je me trouvais désœuvré, pendant que M. Ashok et Pinky Madam déjeunaient, je décidai de tenter à nouveau l'ascension. Je franchis l'étang, gravis la colline, marchai vers l'entrée et pénétrai pour la première fois à l'intérieur du Fort noir. Il n'y avait pas grand-chose à voir, hormis quelques murs éboulés et une horde de singes effarouchés qui m'observaient de loin. Je posai un pied sur le rempart et contemplai le village en contrebas. Mon petit Laxmangarh. Je voyais la tour du temple, le marché, la bande luisante de l'égout, les manoirs des propriétaires terriens, et ma propre maison, avec ce nuage noir rebondi à l'extérieur : la bufflonne. Cela me parut le plus beau panorama de la terre.

Je me penchai par-dessus la muraille, du côté du village, et fis une chose si répugnante que j'ose à peine vous l'avouer.

Je crachai. Encore et encore. Après quoi, sifflotant et fredonnant, je redescendis la colline.

Huit mois plus tard, je tranchais la gorge de M. Ashok.

La deuxième nuit

À l'intention de :

Son Excellence Wen Jiabao
Sans doute profondément endormi dans le
Cabinet du Premier ministre
En Chine.

De la part de :

Son Instructeur nocturne
Sur les questions entrepreneuriales
« Le Tigre blanc »

Monsieur le Premier ministre.

Poursuivons.

À quoi ressemble mon rire ?

Quelle odeur dégagent mes aisselles ?

Quand je souris, est-il vrai – ainsi que vous l'imaginez sans doute à présent – que mes lèvres s'étirent en un rictus diabolique ?

Oh, je pourrais continuer de parler de moi à l'infini. Me vanter d'être non pas un meurtrier quelconque, mais un homme qui a assassiné son employeur (son second père en quelque sorte), et a contribué à la mort probable de tous les membres de sa famille. Un quasi-tueur en série.

Mais je ne tiens pas à m'étendre davantage. Vous devriez entendre crâner certains de mes confrères entrepreneurs de Bangalore : *ma start-up a signé un contrat avec American Express, ma start-up gère le système informatique de tel hôpital de Londres*, bla-bla-bla. Je déteste cette foutue mentalité bangalorienne, croyez-moi.

(Toutefois, si vous tenez vraiment à en apprendre un peu plus sur ma personne, connectez-vous à mon site web : www.tigreblanc.chauffeurs.com. Mais oui, c'est bien l'URL de ma start-up !)

Je suis las de parler de moi, monsieur. Ce soir, je préfère aborder l'autre personnage principal de mon histoire.

Mon ex.

Je revois le visage de M. Ashok, tel qu'il m'apparaissait lorsque j'étais à son service : reflété dans le rétroviseur. Un visage si beau qu'il m'arrivait parfois de ne pouvoir en détacher mes yeux. Imaginez un gaillard d'un mètre quatre-vingts, large d'épaules, avec des avant-bras musclés de propriétaire – des bras faits pour cogner –, et pourtant toujours gentil (si l'on excepte la fois où il donna un coup de poing en pleine face à Pinky Madam), attentionné envers son entourage, même ses domestiques et son chauffeur.

À côté du visage de M. Ashok en apparaît un autre dans le rétroviseur de ma mémoire. Celui de Pinky Madam, sa femme. Aussi jolie à regarder que son mari ; tout comme l'image de la déesse rivalise en beauté avec celle du dieu son époux dans le temple hindou de Birla à New Delhi. Pinky Madam s'asseyait avec M. Ashok sur la banquette arrière, ils bavardaient, et moi je les conduisais à leur gré, aussi fidèle que le dieu serviteur Hanuman transportant son maître et sa maîtresse, Ram et Sita. Penser à M. Ashok me rend sentimental. J'espère qu'il y a des mouchoirs en papier quelque part.

C'est un curieux phénomène. Vous tuez un homme et vous vous sentez responsable de sa vie. Possessif, même. Vous en savez davantage sur lui que son père et sa mère ; ils ont connu le fœtus, mais vous avez connu son cadavre. Vous seul êtes en mesure de compléter le récit de son existence ; vous seul savez pourquoi il a fallu prématurément pousser son corps dans les flammes, pourquoi ses orteils se sont recourbés et ont lutté pour rabioter une heure sur terre.

J'ai beau l'avoir occis, vous ne m'entendrez pas dire du mal de lui. Quand j'étais à son service, je protégeais sa réputation ; maintenant que je suis, en un certain sens, son maître, je continuerai d'y veiller. Je lui dois tant. M. Ashok et Pinky Madam s'asseyaient sur la banquette arrière et ils discutaient, de la vie, de l'Inde, de l'Amérique, mêlant le hindi et l'anglais. Et moi, en les écoutant, j'apprenais beaucoup sur la vie, sur l'Inde, sur l'Amérique, et aussi un peu d'anglais. (J'en ai peut-être même appris bien plus que je ne l'ai dit.) En fait, la plupart de mes meilleures idées, je les ai empruntées à mon ancien employeur, à son frère et à tous ceux que j'ai conduits. Je le reconnais volontiers, monsieur le Premier ministre, je ne suis pas un esprit original, mais je suis un auditoire attentif. M. Ashok et moi avons fini par avoir un ou deux désaccords à propos d'une notion typiquement anglaise : « impôts sur le revenu », et nos relations se sont quelque peu détériorées, mais ce différend intervient plus tard dans l'histoire. À ce stade de l'histoire, nous sommes en excellents termes : nous venons de faire connaissance, loin de Delhi, dans la ville de Dhanbad.

J'ai débarqué à Dhanbad après la mort de mon père. Il était malade depuis quelque temps mais Laxmangarh ne possède pas d'hôpital, bien qu'on n'y trouve pas moins de trois «première pierre» de fondation d'un dispensaire, posées par trois politiciens différents, avant trois élections différentes. Le matin où mon père commença à cracher du sang, Kishan et moi le transportâmes en barque sur l'autre rive. Nous lui essuyions la bouche avec de l'eau de la rivière, mais elle était si polluée qu'il crachait encore plus.

Sur l'autre rive, un rickshaw reconnut mon père et nous conduisit gratuitement à l'hôpital public.

Trois chèvres noires étaient juchées sur le perron de la grande bâtisse blanche décatie ; l'odeur des crottes de biques se diffusait par les portes ouvertes. Les vitres de la plupart des fenêtres étaient cassées ; couché sur un rebord, un chat nous observait.

Sur la porte principale, une pancarte indiquait :

Hôpital universel gratuit de Lohia
Fièrement inauguré par le Grand Socialiste
Preuve sacrée qu'il tient ses promesses

Pour porter notre père à l'intérieur, il nous fallut piétiner les crottes de chèvres disséminées telle une constellation d'étoiles noires. Il n'y avait pas un seul médecin de garde dans l'hôpital. Le garçon de salle, stimulé par un bakchich de dix roupies, nous apprit qu'un docteur passerait peut-être dans la soirée. Les portes des chambres étaient grandes ouvertes ; les ressorts métalliques saillaient des lits. Le chat feula en nous voyant entrer dans une salle.

«Les chambres ne sont pas sûres. Le chat a goûté au sang.»

Deux musulmans avaient étalé des feuilles de journal par terre pour s'asseoir. L'un d'eux souffrait d'une plaie ouverte à la jambe. Il nous invita à nous asseoir avec lui et son ami. Nous déposâmes notre père sur les feuilles du journal. Et nous attendîmes.

Deux petites filles arrivèrent bientôt et s'assirent derrière nous. Elles avaient les yeux jaunes.

« La jaunisse, dit l'une. C'est elle qui me l'a donnée.

– C'est pas vrai, c'est toi! Et maintenant nous allons mourir toutes les deux! »

Un vieil homme, l'œil protégé par un tampon d'ouate, prit place derrière les fillettes.

Les musulmans continuaient d'étaler des feuilles de journal sur le sol, et la file d'yeux malades, de blessures à vif et de bouches délirantes ne cessait de croître.

« Pourquoi n'y a-t-il pas de docteur? demandai-je. C'est le seul hôpital de la région.

– C'est ainsi, répondit le plus vieux des deux musulmans. Le directeur de la santé est supposé vérifier que des médecins visitent les hôpitaux de campagne. Chaque fois que le poste de directeur est vacant, le Grand Socialiste laisse entendre qu'il est ouvert à toutes les candidatures. Le tarif normal pour obtenir cet emploi est de quatre cent mille roupies.

– Tant que ça? m'exclamai-je.

– Bien-sûr. On peut gagner beaucoup dans le service public! Imaginons que je sois docteur. Je fais des pieds et des mains pour emprunter de l'argent que je remets au Grand Socialiste en me prosternant. Il me nomme directeur de la santé. Je prête serment devant Dieu et la Constitution de l'Inde, puis je m'installe dans la capitale, les pieds sur mon bureau. » Joignant le geste à la parole, il leva les jambes sur une table imaginaire. « Ensuite, je convoque tous les jeunes médecins de la fonction publique que je suis censé superviser, je sors mon grand registre, et je crie : "Dr Ram Pandey !"»

Il pointa l'index sur moi, m'attribuant un rôle dans sa pièce improvisée.

«Oui, monsieur !» répondis-je en le saluant bien bas.

Il tendit la main vers moi, paume ouverte.

«Dr Ram Pandey, vous me remettrez un tiers de votre salaire. Très bien. En échange, voici ce que je ferai.» Il cocha une case sur son registre imaginaire. «Vous garderez le restant de votre salaire et vous irez travailler dans une clinique privée. Oubliez le dispensaire de campagne. Ce registre signale que vous y avez fait une visite. Vous avez traité une jambe malade. Vous avez guéri une petite fille de la jaunisse.

– Ah !» firent les patients.

Même les garçons de salle, qui s'étaient approchés pour écouter, hochaient la tête en signe d'assentiment. Les histoires de pourriture et de corruption sont toujours les meilleures, n'est-ce pas ?

Kishan essaya de glisser un peu de nourriture dans la bouche de notre père, mais celui-ci la recracha aussitôt avec du sang. Son corps décharné se convulsa. Les fillettes aux yeux jaunes se mirent à pleurnicher. Les autres patients s'écartèrent.

«Il n'a pas la tuberculose, j'espère ? demanda le vieux musulman en chassant d'une main les mouches attirées par sa plaie.

– On ne sait pas, monsieur. Il tousse depuis un bout de temps, mais on ne sait pas ce que c'est.

– Il est tubard. J'ai déjà vu ça chez les rickshaws. Le travail les ronge. Qui sait… ? Peut-être que le docteur se pointera ce soir.»

Le docteur ne vint pas. Vers six heures, ce jour-là, ainsi que le rapporta sans doute très justement le registre officiel, mon père fut définitivement guéri de sa tuberculose. Les garçons de salle nous obligèrent à faire le ménage avant de l'emporter. Une chèvre vint renifler son corps pendant que nous lavions le sol souillé avec une serpillière. Les garçons de salle caressèrent la chèvre et lui donnèrent une grosse carotte.

Kishan se maria un mois après la crémation.

Pour nous, c'était un bon mariage. Il était de notre famille. C'était à nous de soutirer de l'argent à celle de la fille. Je me rappelle très précisément ce que nous rapporta la dot. Rien que d'y songer, j'en ai l'eau à la bouche. Cinq mille roupies cash, en bons billets tout frais sortis de la banque, la bicyclette Hero et le col-lier en or massif. Kishan eut deux semaines pour profiter de sa femme avant d'être expédié à Dhanbad. Je l'accompagnai, avec mon cousin Dilip. Un tea-shop nous engagea tous les trois. Le patron avait eu de bons échos sur le travail de Kishan à Lax-mangarh.

Par chance, il n'avait rien entendu sur mon compte.

Allez dans n'importe quel tea-shop le long du Gange, mon-sieur, et observez les hommes qui y travaillent ; je dis les hommes, mais je ferais mieux de les appeler des araignées humaines, car ils rampent entre et dessous les tables, un chiffon à la main, humains fripés en uniformes fripés, léthargiques, pas rasés, âgés de trente, quarante ou cinquante ans mais toujours « garçons ». Tel est votre destin si vous faites bien votre travail, avec honnê-teté, dévouement, loyauté, comme Gandhi l'aurait fait, sans nul doute.

Moi, j'accomplissais le mien avec une totale malhonnêteté, absence de dévouement et déloyauté – c'est pourquoi ce fut une expérience extrêmement enrichissante.

À Laxmangarh, au lieu de nettoyer les tables et d'écraser le charbon pour le four du tea-shop, je passais mon temps à espion-ner les conversations des clients. J'avais décidé de compléter mon éducation de cette manière – c'est une qualité que je me reconnais. J'ai toujours cru aux bienfaits de l'éducation – surtout la mienne.

Le patron s'asseyait à l'entrée du tea-shop, sous la grande photo de Gandhi, et il tournait le sirop de sucre qui bouillait à petit feu. Il savait ce que j'avais en tête. Chaque fois qu'il me surprenait à traînasser autour d'une table ou à faire semblant de passer un coup d'éponge pour mieux entendre une conversation, il beuglait : « Petit vaurien ! » Il bondissait de sa chaise pour me poursuivre dans la salle et me taper sur la tête avec sa louche. Des gouttes de sirop brûlant laissèrent ainsi sur mes oreilles une série de taches que certains prenaient parfois pour un vitiligo ou une autre maladie de peau ; un réseau de points roses qui permet encore de m'identifier, mais qui, comme c'était prévisible, passa inaperçu aux yeux de la police.

Je finis par être renvoyé. Après cela, plus personne à Laxmangarh ne voulut m'employer, même comme ouvrier agricole. C'est donc en grande partie à cause de moi que Kishan et Dilip s'exilèrent à Dhanbad : pour me donner une chance de recommencer à zéro ma carrière d'araignée humaine.

De la campagne à la grande métropole, de Laxmangarh à Delhi, la route de l'entrepreneur traverse un grand nombre de villes de province, qui ont la pollution, le bruit et les embouteillages d'une capitale, mais sans en avoir le sens de l'histoire, l'urbanisme, ni la magnificence. Des villes à demi cuites, bâties pour des hommes à demi cuits.

L'odeur de l'argent flottait dans l'air de Dhanbad. Il y avait des immeubles tout en verre et des hommes avec des dents en or. Tout ce verre et tout cet or provenaient des mines de charbon. Car, aux environs de Dhanbad, il y avait du charbon, plus de charbon que partout ailleurs dans les Ténèbres, peut-être même plus que partout ailleurs dans le monde. Les mineurs venaient manger au tea-shop où je travaillais, et je leur réservais toutes mes attentions parce qu'ils racontaient les meilleures histoires. Ils disaient que les mines s'étendaient sur des kilomètres et des kilomètres à la ronde. À certains endroits, des feux brûlaient sous terre et expulsaient de la fumée en surface : des feux qui brûlaient en permanence depuis cent ans !

C'est dans le tea-shop de cette ville née du charbon, en essuyant les tables et épiant les conversations, que mon existence prit un nouveau tournant.

« Tu sais, parfois je me dis que j'ai raté ma vie en devenant mineur.

– Et après ? Hors de la mine, que peuvent devenir les gens comme toi et moi ? Des politiciens ?

– Aujourd'hui, tout le monde a une voiture. Tu sais combien gagne un chauffeur ? Mille sept cents roupies par mois ! »

Je laissai tomber mon éponge et courus vers Kishan occupé à nettoyer l'intérieur d'un four.

Après la mort de notre père, c'est Kishan qui prit soin de moi. Je ne cherche pas à minimiser son rôle dans ce que je suis devenu. Mais mon frère n'avait absolument pas l'audace d'un entrepreneur. Il aurait été heureux de me laisser m'enfoncer dans la boue.

« Rien à faire, dit-il. Grand-mère a dit de rester au tea-shop, on y reste. »

Je fis le tour de toutes les stations de taxis et, au hasard, implorai à genoux des inconnus. Aucun n'accepta de m'apprendre à conduire gratuitement. Il m'en coûterait trois cents roupies.

Trois cents roupies !

Aujourd'hui, à Bangalore, j'ai du mal à trouver du personnel. Les employés vont et viennent. Les meilleurs ne restent jamais. Je songe même à faire paraître une annonce dans le journal.

Homme d'affaires installé à Bangalore
Recherche personnel qualifié
Posez votre candidature sans tarder !
Salaire attractif
Apprentissage de la vie et de l'esprit d'entreprise inclus !

Entrez dans n'importe quel bar ou pub de Bangalore et ouvrez grandes vos oreilles. Vous entendrez toujours le même refrain : *Je ne trouve pas assez d'employés de centres d'appels, d'ingénieurs informaticiens, de directeurs des ventes.* Chaque semaine, il y a vingt-cinq pages d'offres d'emplois dans le journal.

Dans les Ténèbres, les choses sont différentes. Chaque matin, dix mille jeunes hommes s'assoient dans un tea-shop et lisent le journal, s'allongent sur un charpai en fredonnant une chanson, ou restent assis dans leur chambre et dialoguent avec la photo d'une actrice de cinéma. Ils n'ont rien à faire. Ils savent qu'ils ne trouveront pas de travail. Ils ont abandonné le combat.

Ceux-là sont futés.

Les idiots, eux, se rassemblent sur un terrain vague au milieu de la ville. De temps à autre, un camion passe et tous se ruent vers lui les mains tendues en criant : « Prenez-moi ! Prenez-moi ! »

Tout le monde me poussait ; je poussais. Mais le camion n'embarquait que six ou sept hommes et laissait les autres en rade. Les petits veinards allaient sur un chantier quelconque ou dans une carrière. Une demi-heure plus tard, un autre camion approchait. Nouvelle ruée, nouvelle bousculade. Au bout de la cinquième ou sixième bagarre de la journée, je me retrouvai au premier rang, face au chauffeur du camion. C'était un Sikh, coiffé d'un grand turban bleu. Dans une main, il tenait un bâton dont il se servait pour repousser la foule.

« Que tout le monde enlève sa chemise ! brailla le Sikh. Je veux voir les nichons d'un homme avant de l'embaucher ! »

Il regarda mon torse, me pinça les tétons, me claqua les fesses, sonda mes yeux, puis m'enfonça le bout du bâton dans la cuisse. « Trop maigre ! Tire-toi !

– Donnez-moi une chance, monsieur. Je suis petit mais costaud. Je creuserai pour vous. Je porterai du ciment, je...»

Il fit tournoyer son bâton et me frappa à l'oreille gauche. Je tombai à genoux. Les autres se précipitèrent pour prendre ma place.

Je restai assis par terre, me massant l'oreille, et regardai le camion s'éloigner dans un nuage de poussière.

L'ombre d'un aigle me recouvrit. J'éclatai en sanglots.

« Tigre blanc ! Enfin te voilà ! »

Kishan et mon cousin Dilip me remirent debout, un large sourire aux lèvres. Bonnes nouvelles ! Grand-mère avait accepté de les laisser investir dans mes cours de conduite.

« À une condition, précisa Kishan. Grand-mère dit que tu es gourmand comme un goret. Elle veut que tu jures sur les dieux qui sont au ciel que, une fois riche, tu ne l'oublieras pas.

– Je le jure.

– Jure que tu enverras tout ce que tu gagnes chaque mois à grand-mère.»

Dans la maison où vivaient les chauffeurs de taxi, un vieil homme vêtu d'un uniforme brun ressemblant à une ancienne tenue militaire fumait un hookah chauffé par une coupelle de charbons ardents. Kishan lui exposa la situation.

« De quelle caste êtes-vous ? demanda le vieux.

– Halwai.

— Des confiseurs, grommela-t-il en secouant la tête. Vous n'êtes bons qu'à fabriquer des sucreries. Comment pouvez-vous apprendre à conduire ? Ça équivaudrait à faire de la glace avec des tisons. Maîtriser une voiture… » Il bougea le tuyau de sa pipe à eau comme un changement de vitesse. «… C'est maîtriser un étalon sauvage. Seul un garçon issu de la caste des guerriers peut y arriver. Il faut avoir de l'agressivité en soi. Les musulmans, les Rajputs, les Sikhs, eux, ce sont des bagarreurs. Ils sont de taille à devenir chauffeurs. Vous croyez que des confiseurs peuvent tenir longtemps en quatrième ? »

Dès six heures le lendemain matin, je commençai à apprendre à faire de la glace avec des tisons. Il en coûterait trois cents roupies et une bonification. Chaque fois que je me trompais dans les vitesses, j'écopais d'une claque sur la tête : « Tu aurais mieux fait de rester à faire des sucreries et du thé ! »

Pour quatre heures passées dans la voiture, il me forçait à en passer deux ou trois dessous. Je devins mécanicien bénévole pour tous les taxis de la station. Tard le soir, j'émergeai de sous une voiture comme un porc d'un égout, le visage noir de cambouis, les mains luisantes d'huile de vidange. Je plongeai dans un Gange noir et en sortis chauffeur.

« Écoute », dit mon instructeur quand je lui remis les cent roupies de bonus. « Savoir tenir un volant ne suffit pas. Il y a aussi une attitude à apprendre. Tu saisis ? Sur la route, tout le monde essaie de te doubler. Si un type te fait un sale coup, voilà comment tu dois répondre. » Il serra le poing et l'agita en l'air. « Et tu le traites de connard deux ou trois fois. La route est une jungle, pigé ? Un bon chauffeur doit rugir pour s'imposer. »

Il me tapota l'épaule et ajouta :

« Tu es plus doué que je ne pensais. Tu es un petit gars surprenant. Viens, j'ai un cadeau pour toi. »

Je le suivis. C'était le soir. On traversa des rues et des places. On marcha une demi-heure. La nuit tombait. Soudain, ce fut comme si nous débouchions en plein feu d'artifice. La rue était pleine de portes et de fenêtres colorées, et, dans chaque porte et chaque fenêtre, une femme me reluquait avec un grand sourire. Des rubans de papier rouge et de feuilles d'aluminium miroitaient entre les toits ; de part et d'autre de la rue, des petites échoppes proposaient du thé brûlant. Quatre hommes se précipitèrent vers nous. Le vieux chauffeur de taxi leur demanda de nous ficher la paix, expliquant que c'était ma première fois. « Laissez-le d'abord profiter de la vue. C'est le meilleur moment de la partie, non ? Le plaisir des yeux.

– Oui, bien sûr, répondirent les hommes en reculant. C'est tout ce qu'on lui souhaite. Le plaisir ! »

Je marchai à côté du vieux chauffeur, bouche bée, louchant sur toutes ces femmes superbes qui me brocardaient et me sollicitaient derrière leurs fenêtres grillagées .

Le vieux chauffeur m'expliqua la nature des articles proposés. En haut d'une maison, assises sur le rebord de la fenêtre de façon à exhiber la plénitude de leurs jambes brunes et luisantes, se tenaient les « Américaines » : des filles en jupette et chaussures à semelle compensée, avec un sac rose brodé de mots anglais pailletés. Elles étaient minces et athlétiques – pour les hommes qui aimaient le type occidental. Dans un autre secteur, sur le seuil d'une maison ouverte, les « traditionnelles » : grosses et grasses, vêtues d'un sari – pour ceux qui en voulaient pour leur argent. Il y avait aussi des eunuques à une fenêtre, des adolescents à la suivante. Le visage d'un jeune garçon apparut entre les jambes d'une femme et disparut.

Il y eut un éclair de lumière aveuglant : une porte bleue s'ouvrit et quatre Népalaises à la peau claire, vêtues de superbes jupons rouges, jetèrent un coup d'œil dehors.

« Celles-là ! m'écriai-je. Je veux celles-là !

– Bien, dit le vieux chauffeur. Moi aussi, j'aime les étrangères. »

On entra. Il choisit une femme parmi les quatre, moi une autre, et on se répartit dans deux chambres. Celle que j'avais choisie ferma la porte derrière moi.

Ma première fois !

Une demi-heure plus tard, quand le vieux chauffeur et moi rentrâmes chez lui en titubant, ivres et heureux, je mis des tisons dans son hookah, le lui apportai et le regardai tirer de longues bouffées satisfaites sur la pipe. La fumée sortait de ses narines.

« Et maintenant ? dit-il. Je t'ai appris à conduire une voiture et à devenir un homme. Que veux-tu de plus ?

– Monsieur... pouvez-vous demander aux chauffeurs de taxi s'ils ont besoin de quelqu'un ? Je veux bien travailler pour rien, au début. »

Le vieux éclata de rire. « Je ne travaille pas depuis quarante ans, pauvre crétin. Comment pourrais-je t'aider ? Allez, fiche-moi le camp. »

Le lendemain matin, j'allai de maison en maison frapper aux grilles et aux portes des riches pour proposer mes services comme chauffeur expérimenté.

Tout le monde me disait : « Tu ne trouveras jamais de travail en frappant aux portes. Il faut connaître quelqu'un de la famille pour décrocher un emploi. »

Dans la majeure partie de l'Inde, l'esprit d'entreprise n'est pas récompensé, Votre Excellence. C'est la triste réalité.

Chaque soir, je rentrais au bord des larmes, mais Kishan m'encourageait. « Continue. Quelqu'un finira bien par dire oui. »

Alors je persévérai, allant de maison en maison, de maison en maison. Au bout de deux semaines de refus et de rebuffades, j'arrivai devant une propriété abritée derrière des murs de trois mètres de haut, avec des fenêtres mises en cage derrière des grilles.

Un Népalais à l'air sournois, avec des yeux bridés et une moustache blanche, me toisa à travers les barreaux du portail :

« Qu'est-ce que tu veux ? »

Sa façon de me parler me déplut, mais je me fendis d'un large sourire.

« Vous n'avez pas besoin d'un chauffeur, monsieur ? J'ai quatre ans d'expérience. Mon maître est mort récemment et...

— Déguerpis. On a ce qu'il faut », répondit le Népalais avec un petit sourire, en faisant tournoyer un gros trousseau de clés.

Mon cœur se serra. J'allais faire demi-tour lorsque j'aperçus une silhouette sur la terrasse : un homme habillé de longs et amples vêtements blancs, qui marchait en rond, perdu dans ses pensées. Je jure devant Dieu, monsieur — devant les trente-six millions et quatre dieux — que, dès l'instant où j'entrevis son visage, j'eus une révélation. C'était le maître qu'il me fallait.

Quelque sombre destin avait lié sa ligne de vie à la mienne car, à cette seconde précise, il baissa les yeux vers moi.

Je sus aussitôt qu'il allait accourir à mon secours. Il me suffisait de distraire le Népalais le plus longtemps possible.

« Je suis un bon chauffeur, monsieur. Je ne fume pas, je ne bois pas, je ne vole pas.

— Déguerpis, tu m'entends !

— Je respecte Dieu, je respecte ma famille.

— Quelle mouche te pique ? Je te dis de déguerpir...

— Je ne colporte pas de ragots sur mes maîtres, je ne vole pas, je ne blasphème pas. »

À cet instant, la porte de la maison s'ouvrit. Mais ce n'était pas l'homme de la terrasse. Celui-ci était plus âgé, avec une grosse moustache blanche, recourbée et effilée aux pointes.

« Que se passe-t-il, Ram Bahadur ? demanda-t-il au Népalais.

– C'est un mendiant, monsieur. »

Je me mis à tambouriner contre le portail.

« Je suis de votre village, monsieur ! Je viens de Laxmangarh ! Au pied du Fort noir ! Votre village ! »

Le vieil homme était la Cigogne.

Il me regarda pendant un temps infini, puis ordonna au gardien népalais :

« Laisse-le entrer. »

Pffuiiiittt ! À peine la grille entrouverte, je fonçai tout droit me prosterner aux pieds de la Cigogne. Un coureur olympique n'aurait pas été plus rapide. Le Népalais n'avait aucune chance de m'arrêter.

Vous m'auriez vu, ce jour-là ! Quel numéro extraordinaire de gémissements, de courbettes et de larmes ! La caste des gens du spectacle ne m'aurait pas renié ! Pendant toute ma prestation, agrippé aux pieds de la Cigogne, je ne quittai pas des yeux les ongles énormes, sales et longs de ses orteils, tout en songeant : *Qu'est-ce qu'il fait à Dhanbad ? Pourquoi n'est-il pas à Laxmangarh, en train de dépouiller les pauvres pêcheurs et de trousser leurs filles ?*

« Relève-toi », me dit-il.

Ses ongles épais et longs me griffèrent la joue. Pendant ce temps, M. Ashok – l'homme de la terrasse – l'avait rejoint.

« Tu es vraiment de Laxmangarh ?

– Oui, monsieur. Je travaillais au tea-shop. Celui avec une grande photo de Gandhi dans la salle. Je cassais le charbon. Vous êtes venu une fois boire le thé.

– Ah… le vieux village. » Il ferma les yeux. « Les gens se souviennent-ils encore de moi, là-bas ? Je n'y suis pas retourné depuis trois ans.

– Bien sûr, monsieur. Les gens disent : "Notre père est parti, Thakur Ramdev est parti. Le meilleur des propriétaires n'est plus là. Qui va veiller sur nous à présent ?" »

Mes paroles enchantèrent la Cigogne. Il se tourna vers M. Ashok.

« Voyons s'il conduit bien. Appelle Mukesh. Nous allons faire un tour. »

C'est seulement plus tard que je compris ma chance. M. Ashok était rentré d'Amérique la veille, et on lui avait acheté une voiture. Il lui fallait donc un chauffeur. Et voilà que je me présentais !

Deux automobiles occupaient le garage. Une Maruti Suzuki standard – la voiture que l'on voit partout en Inde – et une Honda City. La Maruti est une voiture petite et simple, très facile à conduire ; dès qu'il met le contact, le chauffeur peut en faire ce qu'il veut. La Honda est plus grande, plus sophistiquée, et capricieuse ; dotée d'une direction assistée et d'un moteur puissant, elle fait ce qu'*elle* veut. Nerveux comme j'étais, si la Cigogne m'avait demandé de passer le test sur la Honda, c'en était fini de moi. Mais la chance était de mon côté.

Ils me confièrent la Maruti.

La Cigogne et M. Ashok prirent place sur la banquette arrière, et Mukesh Sir, l'autre fils de la Cigogne, un petit homme noiraud, à côté de moi. Le gardien népalais me jeta un regard renfrogné quand je franchis la grille au volant de la Maruti, avant de m'aventurer dans les rues de Dhanbad.

Je roulai pendant une demi-heure, puis ils m'ordonnèrent de rentrer.

« Pas mal, conclut le vieil homme en descendant de voiture. Il est adroit et prudent. Quel est ton nom déjà ?

– Halwai.

– Halwai… » Il se tourna vers le petit noiraud. « Quelle caste ? Haute ou basse ? »

Je compris que, de la réponse à cette question dépendait mon avenir.

C'est le moment de préciser un ou deux points au sujet des castes, monsieur Jiabao. Les Indiens eux-mêmes connaissent mal cette notion, surtout les Indiens éduqués des grandes villes. Ils auraient bien du mal à vous l'expliquer. Pourtant, c'est simple. Vraiment.

Prenons mon cas.

Halwai signifie « fabricant de sucreries ».

C'était ma caste, mon destin. Ce nom permet à toute personne habitant les Ténèbres de m'identifier aussitôt. Cela explique pourquoi Kishan et moi étions embauchés dans des tea-shops partout où nous allions. Le patron se disait : *Ah, des Halwai ! Le thé et les sucreries, ils ont ça dans le sang.*

Mais, si nous étions des Halwai, alors pourquoi notre père ne faisait-il pas des pâtisseries plutôt que de conduire un rickshaw ? Pourquoi ai-je grandi en cassant du charbon et en nettoyant les tables, au lieu de m'empiffrer à volonté de gulab jamun et de gâteaux ? Pourquoi étais-je maigre, basané et fourbe, et non pas gras, pâle et affable comme doit l'être un garçon élevé aux douceurs ?

Notre pays, voyez-vous, au temps de sa splendeur, quand il était la plus riche nation du monde, ressemblait à un zoo. Un zoo propre, bien tenu et ordonné. Chacun y était à sa place et heureux. Les orfèvres ici, les bouviers là, ailleurs les propriétaires terriens. L'homme dénommé Halwai fabriquait des sucreries. L'homme appelé bouvier gardait les vaches. L'intouchable nettoyait les excréments. Les grands propriétaires terriens traitaient leurs serfs avec bienveillance. Les femmes se couvraient la tête avec un voile et baissaient les yeux lorsqu'elles adressaient la parole à des étrangers.

Puis, grâce à tous ces politiciens de Delhi, le 15 août 1947 – jour du départ des Anglais –, les cages furent ouvertes. Les animaux s'entr'attaquèrent et se dépecèrent, et la loi de la jungle remplaça celle du zoo. Les plus féroces, les plus affamés, dévorèrent les autres et prirent du ventre. Désormais, seule comptait la taille de votre panse. Peu importait que vous fussiez une femme, un musulman ou un intouchable. Quiconque ayant un gros ventre pouvait s'élever. Le père de mon père était un vrai Halwai, mais quand il hérita la pâtisserie, un membre d'une autre caste la lui vola avec l'aide d'un policier. Mon père n'eut pas le courage de se battre. Voilà pourquoi il tomba si bas, dans la boue, au rang de conducteur de rickshaw. Voilà pourquoi j'ai été spolié de mon destin de garçon gras et affable, au teint crémeux.

En résumé, il y avait autrefois mille castes et destins en Inde. De nos jours, il ne reste que deux castes : les Gros Ventres et les Ventres Creux.

Et deux destins : manger ou être mangé.

Le noiraud – Mukesh Sir, frère de M. Ashok – ne connaissait pas la réponse à la question posée par son père. Comme je l'ai dit, les citadins ne connaissent pas grand-chose au système des castes. Alors la Cigogne se tourna vers moi pour m'interroger directement :

« Es-tu issu d'une caste basse ou haute ? »

Ne sachant quelle réponse il attendait, je tirai à pile ou face – l'une ou l'autre option aurait probablement autant plaidé en ma faveur – et je répondis :

« Basse, monsieur. »

Le vieil homme se tourna vers Mukesh Sir :

« Tous nos domestiques sont de hautes castes. Cela ne fera pas de mal d'avoir une ou deux basses castes à notre service. »

Mukesh me sonda de ses yeux plissés. Il ne connaissait pas les coutumes villageoises mais il possédait toute la ruse des propriétaires terriens.

« Tu bois ?

– Non, monsieur. Chez les Halwai, on ne boit jamais d'alcool.

– Halwai… intervint M. Ashok en souriant. Si tu es pâtissier, tu pourras peut-être nous préparer des gâteaux quand tu ne conduiras pas ?

– Certainement, monsieur. Je cuisine très bien. Je fais de très bons gâteaux. Gulab jamun, laddoo, tout ce que vous voudrez. J'ai travaillé dans un tea-shop pendant des années. »

M. Ashok trouva cela très amusant.

« Il n'y a qu'en Inde qu'un chauffeur peut vous faire des pâtisseries. Tu commences demain.

– Pas si vite, objecta Mukesh. Il faut d'abord se renseigner sur sa famille. Combien ils sont, où ils habitent. Autre chose : quel salaire veux-tu ? »

C'était un autre test.

« Rien du tout, monsieur. Pour moi, vous êtes comme mon père et ma mère. Comment pourrais-je demander de l'argent à mes parents ?

– Huit cents roupies par mois, dit-il.

– C'est trop, monsieur. La moitié suffira largement.

– Si nous te gardons plus de deux mois, tu auras mille cinq cents roupies.»

J'affichai la mine terrassée qui convenait et acceptai son offre. Je n'avais pas encore convaincu Mukesh Sir. Il me jaugea de la tête aux pieds.

«Il est jeune. Un homme plus âgé serait préférable.»

La Cigogne secoua la tête.

«Un jeune, tu le gardes à vie. Un chauffeur de quarante ans, tu en profites vingt ans. Ensuite, sa vue baisse. Celui-ci tiendra trente ou trente-cinq ans. Il a des dents saines, des cheveux, et il a l'air en bonne santé.»

La Cigogne suçota sa chique de bétel, cracha un jet de liquide rouge sur le côté, puis me dit de revenir dans deux jours.

Le temps de téléphoner à son homme de confiance à Laxmangarh. Lequel dut s'empresser d'aller discuter avec Kusum, d'interroger les voisins à notre sujet, pour le rappeler ensuite : «C'est une bonne famille. Ils ne causent jamais d'ennuis. Le père est mort de tuberculose il y a quelques années. Il était rickshaw. Le frère travaille à Dhanbad dans un tea-shop. Ils ne soutiennent pas les Naxalites ni aucun groupe terroriste. Et ils ne bougent pas. Nous savons exactement où les trouver.»

Cette dernière information avait une importance capitale. Il leur fallait absolument savoir où trouver ma famille à tout moment.

Je ne vous ai pas encore raconté, je crois, comment le Buffle traita la famille du domestique qui était supposé surveiller son jeune enfant lorsque celui-ci avait été enlevé, torturé et tué par les Naxalites. Le domestique appartenait à notre caste, monsieur. C'était un Halwai. Je l'avais entrevu une fois ou deux quand j'étais enfant.

Il affirma qu'il n'avait aucun lien avec les kidnappeurs. Le Buffle refusa de le croire et ordonna à quatre de ses mercenaires de le torturer. Ils l'achevèrent d'une balle dans la tête.

D'accord, je l'admets, je ferais la même chose à un homme qui laisserait kidnapper mon fils.

Mais, comme le Buffle était persuadé que son serviteur avait délibérément laissé la voie libre aux ravisseurs pour de l'argent, il se vengea également sur sa famille. Un frère fut battu à mort alors qu'il travaillait dans les champs, et la femme du frère massacrée par trois hommes. Une sœur non mariée fut également tuée. Pour finir, les hommes de main incendièrent la maison familiale.

Qui voudrait qu'une telle chose arrive aux siens, monsieur ? Quel misérable monstre expédierait sa grand-mère, ses frères, tantes, neveux et nièces à la mort ?

La Cigogne et ses fils pouvaient compter sur ma loyauté.

Lorsque je revins, deux jours plus tard, le Népalais m'ouvrit la grille sans un mot. À présent, j'étais dans la place.

Comme maîtres, M. Ashok, Mukesh Sir et la Cigogne valaient mieux que neuf sur dix de leurs semblables. Les serviteurs ne manquaient jamais de nourriture. Le dimanche, on avait même droit à un menu spécial : du riz mélangé avec des morceaux de poulet désossé. Jamais je n'avais connu ça ; du poulet chaque dimanche, il y avait de quoi se prendre pour un roi ! Je dormais dans une chambre couverte. D'accord, je la partageais avec un autre serviteur : un type lugubre dénommé Ram Persad, et il avait droit à un lit alors que je dormais sur le sol. Mais nous avions un toit, et c'était beaucoup plus confortable que de dormir dans la rue, comme nous le faisions, Kishan et moi, depuis notre arrivée à Dhanbad. Et, par-dessus tout, j'avais ce que les enfants des Ténèbres convoitaient le plus. Un uniforme. Un uniforme kaki !

Le lendemain, j'allai à la banque. Celle qui avait un mur tout en verre. Je vis mon reflet dans les vitres. Un reflet kaki. Je fis une douzaine d'allées et venues devant, juste pour m'admirer. Si seulement ils m'avaient donné un sifflet en argent ! J'aurais été au paradis.

Kishan me rendait visite chaque mois. Kusum avait décidé que je garderais quatre-vingt-dix roupies sur mon salaire mensuel. Le reste, je devais le remettre à mon frère qui le lui enverrait directement au village. Je lui glissais donc l'argent chaque mois à travers les barreaux noirs de la grille de service, et nous bavardions quelques minutes jusqu'à ce que le Népalais braille : « Ça suffit ! Retourne travailler ! »

La fonction d'un chauffeur numéro deux était simple. Si le chauffeur numéro un était occupé à promener les maîtres en ville dans la Honda City et qu'un autre membre de la famille désirait se rendre au marché, à une mine de charbon, ou à la gare ferroviaire, je sautais au volant de la Maruti pour l'y conduire. Sinon, je restais à la maison et tâchais de m'y rendre utile.

J'ai dit qu'ils m'avaient embauché comme « chauffeur ». Je ne sais pas comment vous régentez vos serviteurs en Chine, mais en Inde – du moins dans les Ténèbres – les riches n'ont pas de chauffeurs, de cuisiniers, de barbiers ni de tailleurs. Ils ont simplement des serviteurs.

J'entends par là que, chaque fois que je ne conduisais pas, je devais balayer la cour, préparer le thé, enlever les toiles d'araignées avec un long balai, chasser une vache de la propriété. Une chose m'était interdite : toucher à la Honda City. Ram Persad était seul autorisé à la conduire et à la laver. Le soir, je l'observais lustrer la carrosserie avec un chiffon doux. Et j'étais dévoré par la jalousie.

Même de l'extérieur, je voyais que c'était une superbe automobile, moderne, avec tous les accessoires nécessaires : stéréo, air conditionné, sièges en cuir fin, crachoir en acier inoxydable à l'arrière. Ce devait être magique de conduire une si belle voiture. Moi, je n'avais droit qu'à une vieille Maruti.

Un soir où j'admirais la Honda City à distance, M. Ashok s'en approcha et tourna autour. Je commençais à me rendre compte que c'était un homme très curieux de nature.

« À quoi sert cet objet brillant, à l'arrière ?

– C'est un crachoir, monsieur.

– Quoi ? »

Ram Persad expliqua que le crachoir était destiné à la Cigogne, qui aimait chiquer du pâan. S'il crachait par la vitre, il risquait de tacher la carrosserie, aussi préférait-il se servir du crachoir posé entre ses pieds, que le chauffeur vidait et nettoyait après chaque sortie.

« C'est dégoûtant », grimaça M. Ashok.

Il s'apprêtait à poser une autre question lorsque le petit garçon de Mukesh Sir, Roshan, approcha en courant avec une batte en plastique et une balle.

Ram Persad claqua des doigts à mon intention.

(Jouer au cricket avec l'un ou l'autre des enfants de la maison – et le laisser gagner avec élégance – faisait partie des attributions du chauffeur numéro deux.)

M. Ashok se joignit à la partie de cricket. Il prit le poste de gardien de guichet, tandis que je servais des coups pleins au jeune Roshan.

« Je suis Azharuddin, le capitaine de l'équipe de l'Inde ! criait le petit garçon chaque fois qu'il frappait un six ou un quatre.

– Tu ferais mieux de prendre le nom de Gavaskar ! Azharuddin est un musulman. »

C'était la Cigogne qui venait d'arriver pour nous regarder jouer. M. Ashok répliqua :

«Père, c'est idiot de dire une chose pareille ! Hindou ou musulman, quelle différence cela fait-il ?

– Oh ! vous, les jeunes, avec vos idées modernes !» dit la Cigogne en posant une main sur mon épaule. «Désolé, Roshan, mais je vais te voler le chauffeur. Tu le récupéreras dans une heure, d'accord ?»

La Cigogne faisait un usage spécial du chauffeur numéro deux. Comme il souffrait de ses jambes, parcourues de grosses veines bleues, son médecin lui avait recommandé de s'asseoir dans la cour, le soir, les pieds dans un baquet d'eau chaude, et de se les faire masser.

Je devais chauffer l'eau sur le poêle, la porter dans la cour, soulever les jambes du vieil homme l'une après l'autre pour les immerger dans l'eau, puis les masser doucement. Il fermait les yeux et gémissait.

Au bout d'une demi-heure, il me disait : «L'eau est froide.» Alors je soulevais ses pieds l'un après l'autre et emportais le baquet aux toilettes. L'eau était sombre ; des poils et des copeaux de peau morte flottaient à la surface. Je remplissais le baquet d'eau propre et revenais dans la cour.

Pendant la séance de massage, les deux fils approchaient des chaises pour bavarder avec leur père. Ram Persad apportait une bouteille remplie d'un liquide ambré et servait trois verres, avec des glaçons. Les fils attendaient que le père eût avalé la première gorgée et dit : «Ah... le whisky. Comment pourrions-nous survivre à ce pays sans whisky ?» pour entamer la conversation. Plus ils parlaient, plus je massais vite. Ils causaient de politique, de charbon, et aussi de votre pays, la Chine. Parfois ces sujets étaient liés aux bonnes fortunes de la famille. Je compris ainsi confusément que mon propre destin, puisque je faisais moi aussi partie de la famille, leur était également lié. Les propos sur la politique, le charbon et la Chine se mêlaient à l'arôme du whisky, à l'odeur fétide qui s'élevait du baquet d'eau chaude, et aux légers coups de sandales que me donnaient dans le dos M. Ashok ou Mukesh Sir quand ils changeaient de position. J'absorbais tout : c'est une singularité des entrepreneurs. Nous sommes comme des éponges. Nous absorbons et nous grossissons.

Je reçus un coup brutal sur la tête.

Je levai les yeux et vis la Cigogne, la paume encore tendue au-dessus de mon crâne, qui me foudroyait du regard.

« Tu sais pourquoi ?

— Oui, monsieur, répondis-je avec un grand sourire.

— Bien. »

Une minute plus tard, il me frappa à nouveau.

« Explique-lui pourquoi tu l'as tapé, père. Je ne pense pas qu'il ait compris. » M. Ashok ajouta à mon intention : « Tu masses trop fort. Tu t'énerves. Cela agace père. Ralentis.

— Oui, monsieur.

— Es-tu vraiment obligé de frapper les domestiques, père ?

— On n'est pas en Amérique, fils. Ne pose pas ce genre de questions.

— Pourquoi pas ?

— C'est ce qu'ils attendent de nous, Ashok. Ne l'oublie jamais. C'est pour ça qu'ils nous respectent. »

Pinky Madam ne se joignait jamais à ces conversations. Elle quittait rarement sa chambre, sauf pour jouer au badminton avec Ram Persad, ce qu'elle faisait en portant des lunettes noires. Cela m'intriguait. Se disputait-elle avec son mari ? Ne la baisait-il pas bien au lit ?

Quand la Cigogne disait pour la seconde fois : « L'eau est froide », et retirait ses pieds du baquet, mon travail était terminé. J'allais vider l'eau dans l'évier. Je me lavais les mains pendant dix minutes et les séchais. Les lavais à nouveau. En vain. Vous pouvez vous laver autant de fois que vous voulez après avoir massé les pieds d'un homme, l'odeur de sa vieille peau squameuse colle à la vôtre la journée entière.

Une seule activité réunissait le chauffeur numéro un et le chauffeur numéro deux. Une fois par semaine au moins, aux environs de six heures de l'après-midi, Ram Persad et moi quittions la maison et descendions l'avenue principale jusqu'à un magasin dont l'enseigne annonçait :

JACKPOT
Spiritueux anglais
Alcools étrangers fabriqués en Inde

Je dois vous expliquer une chose, monsieur Jiabao. Dans ce pays, il existe deux sortes d'hommes : ceux qui boivent « anglais » et ceux qui boivent « indien ». L'alcool indien est tout juste bon pour les villageois comme moi : grog épicé, arack, gnôle. L'alcool anglais, évidemment, est réservé aux riches. Rhum, whisky, bière, gin : tout ce que les Britanniques ont laissé. (Existe-t-il un alcool chinois, monsieur le Premier ministre ? J'y goûterais volontiers.)

L'une des tâches les plus importantes du chauffeur numéro un consistait à aller au magasin Jackpot une fois par semaine pour acheter une bouteille du whisky le plus cher pour la Cigogne et ses fils. Cela faisait partie du protocole domestique. Ne me demandez pas pourquoi le chauffeur numéro deux devait l'accompagner. Je suppose que j'étais censé m'assurer qu'il ne s'enfuyait pas avec le whisky.

Des bouteilles de tailles variées s'alignaient sur les étagères du Jackpot; derrière le comptoir, deux adolescents s'efforçaient de prendre les commandes que les hommes leur beuglaient. Sur le mur jouxtant le magasin, deux cents noms de marques de spiritueux étaient écrits à la main, à la peinture rouge dégoulinante, subdivisés en cinq catégories : bière, rhum, whisky, gin et vodka.

Tarifs « Jackpot »

Notre whisky de qualité supérieure

	Quart	Demi	Bouteille
Black Dog	–	–	1 330
Teacher's	–	530	1 230
Vat 69	–	–	1 210

Whisky 2ᵉ qualité

	Quart	Demi	Bouteille
Royal Challenge	–	–	1 330
Royal Stag	–	530	1 230
Bagpiper	–	–	1 210

Whisky 3ᵉ qualité

	Quart	Demi	Bouteille
Royal Choice	61	110	200
Wild Horse	44	120	200

(Whisky moins cher disponible. Demandez au comptoir.)

Notre vodka de qualité supérieure...

La boutique était exiguë. Une cinquantaine d'hommes au moins s'entassaient dans les trois mètres carrés devant le comptoir. Chacun criait à tue-tête en agitant une liasse de roupies pour commander les marques les plus chères.

« Kingfisher, un litre ! »

« Old Monk, une demie ! »

« Thunderbolt ! Thunderbolt ! »

Ces hommes ne boiraient pas ces bouteilles. À leurs chemises déchirées et sales, on devinait en eux de simples serviteurs, comme Ram Persad et moi, venus acheter des marques d'alcools anglais pour leurs maîtres. Si nous arrivions au Jackpot après vingt heures un soir de week-end, une véritable guerre civile se déroulait devant le comptoir. Je repoussais les autres clients pendant que Ram Persad se frayait un chemin jusqu'au comptoir et hurlait :

« Black Dog, une bouteille ! »

Le Black Dog était la première marque des whiskies de qualité supérieure. La Cigogne et ses fils n'en buvaient pas d'autre.

Ram Persad serrait le whisky contre lui, et je distribuais des coups à droite et à gauche pour nous dégager un passage vers la sortie. C'était le seul moment où nous formions une équipe. Pendant le trajet de retour, Ram Persad s'arrêtait toujours sur le bas-côté de la rue et sortait la bouteille de Black Dog de son emballage en carton. Il voulait vérifier, disait-il, si on ne nous avait pas roulés. Je savais qu'il mentait. Il voulait juste tenir la bouteille de whisky supérieur dans sa main. Imaginer qu'il l'avait achetée pour lui. Ensuite, il la remettait en place dans sa boîte et revenait vers la maison, moi dans son sillage, les yeux encore éblouis de tant de bon alcool anglais.

La nuit, tandis que Ram Persad ronflait dans son lit, je restais allongé sur le dos, par terre, les mains sous la nuque.

Je fixais le plafond.

Et je méditais sur la différence radicale qui séparait les deux fils de la Cigogne. C'était le jour et la nuit.

Mukesh Sir était petit, noiraud, laid, et très habile. Au village, on l'aurait surnommé « la Mangouste ». Il était marié depuis quelques années à une femme sans charme, qui prenait de l'embonpoint comme prévu après avoir mis deux enfants au monde. Deux garçons. La Mangouste n'avait pas le physique de son père, mais il en avait l'esprit. S'il m'apercevait désœuvré, même un instant, il me criait : « Chauffeur, cesse de traînailler ! Va laver la voiture !

– C'est fait, monsieur.

– Alors prends un balai et nettoie la cour. »

M. Ashok avait le physique de son père : grand, large d'épaules et beau, comme devrait l'être un fils de propriétaire terrien. Le soir, je le regardais jouer au badminton avec sa femme dans l'enceinte de la maison. Elle portait un pantalon ; cela me sidérait. Qui avait déjà vu une femme en pantalon, sinon dans les films ? Je devinai tout de suite qu'elle était américaine ; elle faisait partie des quelques trésors qu'il avait rapportés de New York, avec son accent et le parfum aux effluves fruités qu'il se mettait sur le visage après s'être rasé.

Deux jours plus tard, je surpris Ram Persad et le Népalais aux yeux bridés en train de cancaner. Je m'armai d'un balai et entrepris de nettoyer la cour afin de me rapprocher d'eux.

« C'est une chrétienne, tu le savais ?

– Sûrement pas.

– Si !

– Et il l'a épousée ?

– Ils se sont mariés en Amérique. Quand on va là-bas, nous autres Indiens, on perd tout respect pour les castes.

– Le vieux était farouchement opposé à ce mariage. Et sa famille à elle ne sautait pas de joie non plus.

– Alors... comment ça s'est passé ? »

Le Népalais me foudroya du regard.

« Hé, toi ! Tu nous espionnes ?

– Non, monsieur. »

Un matin, on frappa à la porte du quartier des domestiques. Je sortis et découvris Pinky Madam sur le seuil, deux raquettes à la main.

Un filet avait été tendu dans la cour entre deux piquets. Elle alla se placer d'un côté, moi de l'autre. Puis elle tapa dans le volant qui s'éleva et retomba près de mon pied.

« Hé ! Il faut bouger ! Renvoie le volant !

– Désolé, madame. Excusez-moi. »

Je n'avais encore jamais joué à ce jeu. Je tapai avec ma raquette dans le volant qui alla droit dans le filet.

« Oh, tu n'es bon à rien. Où est l'autre chauffeur ? »

Ram Persad accourut. Il avait déjà observé des parties de badminton et savait jouer.

Il expédia avec précision le volant de l'autre côté, renvoyant coup pour coup. Une brûlure me vrilla l'estomac. Existe-t-il sur terre une haine plus féroce que celle d'un chauffeur numéro deux pour le chauffeur numéro un ?

Nous dormions dans la même chambre, à quelques dizaines de centimètres l'un de l'autre, pourtant nous n'échangions jamais un mot – ni *Bonjour* ni *Comment se porte ta mère ?* Rien. La nuit, je sentais sa chaleur irradier de son corps – je savais qu'il me maudissait et me jetait des sorts dans son sommeil. Il débutait chaque journée en se prosternant devant au moins vingt images de dieux différents qu'il entreposait dans son coin de la chambre, en répétant : « Om, om, om. » Et pendant tout ce temps il me surveillait du coin de l'œil, comme pour dire *Tu ne pries donc pas ? Es-tu un Naxalite ?*

Un soir, j'allai au marché acheter deux douzaines des statuettes de Hanuman et Ram les moins chères que je pus trouver, et les rapportai dans la chambre. Ainsi nous avions l'un et l'autre le même nombre d'idoles dans la pièce. Le matin, nos voix se couvraient mutuellement en récitant les prières à nos divinités respectives.

Le Népalais était copain comme cochon avec Ram Persad. Un jour, il fit irruption dans la chambre, déposa bruyamment un gros baquet en plastique sur le sol, et, avec un large sourire, me lança :

« Tu aimes les chiens, bouseux ? »

Il y avait dans la maison deux loulous de Poméranie : Câlin et Caresse. Les riches attendent que l'on traite leurs toutous comme des humains. Il faut les bichonner, les promener, les caresser, et même les laver ! Et devinez qui dut se charger du toilettage ? Je

m'agenouillai pour brosser les chiens, puis je les lavai, les savon-
nai, les rinçai, et enfin les séchai avec un séchoir électrique. Cela
fait, je les emmenai dans les jardins au bout d'une laisse, tandis
que le roi du Népal, assis dans un coin, me criait : «Ne tire pas
si fort sur la laisse! Ces chiens valent beaucoup plus cher que
toi!»

La promenade terminée, je reniflai mes mains. La seule odeur
capable de chasser celle d'un chien des mains d'un domestique
est l'odeur de son maître.

M. Ashok attendait devant la porte de ma chambre.

J'accourus vers lui et m'inclinai très bas. Il entra dans la pièce.
Je le suivis, toujours plié en deux. Il dut se courber pour passer
sous la porte; celle-ci avait été conçue pour des serviteurs
sous-alimentés, pas pour un maître de grande taille et bien
nourri. Il jeta un regard perplexe au plafond et dit :

«Horrible!»

Jusqu'alors, je n'avais pas remarqué à quel point la peinture
s'écaillait, ni combien il y avait de toiles d'araignées dans les
angles. Jusqu'à ce jour, j'avais vécu très heureux dans cette
chambre.

«Quelle odeur! Ouvre la fenêtre.»

Il s'assit sur le lit et le tâta du bout des doigts. Ça semblait dur.
Ma jalousie envers Ram Persad tomba d'un coup.

(Et je vis la chambre avec les yeux de M. Ashok, la humai avec
son nez, palpai le lit avec ses doigts. J'avais déjà commencé à
digérer mon maître!)

Il regarda dans ma direction mais évita mes yeux, comme s'il
avait honte de quelque chose.

«Toi et Ram Persad aurez une meilleure chambre. Des lits
séparés. Et un peu d'intimité.

– Non, monsieur, ne vous donnez pas cette peine. Cette pièce est un palais pour nous.»

Il se sentit mieux. Il me regarda.

«Tu es de Laxmangarh, c'est bien ça?

– Oui, monsieur.

– Je suis né à Laxmangarh. Mais je n'y suis pas retourné depuis. Toi aussi tu es né là-bas?

– Oui, monsieur. J'y suis né et j'y ai grandi.

– À quoi ça ressemble?»

Sans attendre ma réponse, il ajouta : «Ce doit être très joli.

– Un vrai paradis, monsieur.»

Il m'examina de haut en bas, de la tête aux pieds, de la même façon que je le scrutais depuis mon arrivée.

Son regard reflétait un profond étonnement : comment deux spécimens d'humanité si dissemblables pouvaient-ils être le produit du même terroir, du même soleil, de la même eau?

«Je veux aller à Laxmangarh aujourd'hui, annonça-t-il en se levant. Je veux voir mon village natal. Tu m'y conduiras.

– Oui, monsieur!»

Aller chez moi! Revêtu de mon uniforme, au volant de la voiture de la Cigogne, bavardant avec son fils et sa belle-fille!

Je lui aurais volontiers baisé les pieds.

La Cigogne comptait nous accompagner, ce qui aurait ajouté un faste inespéré à mon entrée dans le village, mais il se ravisa à la dernière minute. Finalement, seuls M. Ashok et Pinky Madam firent le déplacement.

C'était la première fois que je les conduisais tous les deux – jusqu'alors, seul Ram Persad avait eu ce privilège. Et je n'avais pas l'habitude de la Honda City – je vous l'ai dit, c'est une voiture lunatique qui n'en fait qu'à sa tête. Je priai les dieux – tous les dieux – de m'empêcher de faire une bêtise.

Personne ne dit mot pendant une demi-heure. Un chauffeur perçoit toujours la tension qui règne dans sa voiture : la température intérieure monte sensiblement. La femme était très en colère.

Enfin, sa voix rompit le silence.

« Pourquoi allons-nous dans un trou perdu au milieu de nulle part, Ashoky ?

– C'est le village de mes ancêtres, Pinky. Tu n'as pas envie de le connaître ? J'y suis né. Mon père m'en a fait partir quand j'étais tout petit. Il y avait des troubles avec la guérilla communiste, à l'époque. J'ai pensé que nous pourrions...

– Tu as décidé d'une date de retour ? demanda-t-elle brutalement. Je parle de New York.

– Non. Pas encore. Bientôt. »

Il se tut pendant une minute. J'ouvris grandes les oreilles. S'ils retournaient en Amérique, aurait-on encore besoin d'un second chauffeur ?

Pinky Madam ne disait rien, mais je jure que j'entendis ses dents grincer.

M. Ashok ne se rendait compte de rien. Il se mit à fredonner une chanson de film. Elle l'interrompit d'un ton cassant :

« Tu te fous de moi.

– Pardon ?

– Tu as menti à propos de notre retour à New York, Ashok. Tu n'y retourneras jamais, n'est-ce pas ?

– Nous ne sommes pas seuls dans la voiture, Pinky. Je t'expliquerai plus tard.

– Quelle importance ? Ce n'est qu'un chauffeur. Et tu changes encore de sujet ! »

Un parfum délicieux imprégna la voiture. Je devinai qu'elle avait dû bouger un peu et rajuster ses vêtements.

« D'ailleurs, avons-nous besoin d'un chauffeur ? Pourquoi ne conduis-tu pas, comme avant ?

— Pinky, c'était à New York. En Inde, on ne peut pas conduire. Regarde la circulation. Personne ne respecte le code. Les gens traversent la route en courant comme des dingues. Regarde ! Et là, regarde ! »

Un tracteur fonçait sur la route à toute vitesse, son pot d'échappement éructant un joli panache de diesel noir.

« Il roule du mauvais côté de la route ! Il ne s'en rend même pas compte ! »

Moi non plus. Je ne l'avais pas remarqué. On est censé rouler sur la voie de gauche, mais jusqu'à présent je n'avais jamais vu quiconque se préoccuper de cette règle.

« Et tu as vu ces fumées de diesel qu'il crache ! Si je conduisais ici, Pinky, je deviendrais complètement cinglé. »

Après avoir longé une rivière, la route goudronnée s'arrêtait. Je bifurquai sur une piste de terre cahoteuse et traversai bientôt une petite place de marché, avec quelques échoppes identiques vendant les mêmes produits : essence, encens et riz. Tout le monde nous observait. Quelques enfants se mirent à courir à côté de la voiture. M. Ashok leur adressa de petits signes de la main et tenta de convaincre Pinky Madam d'en faire autant.

Les enfants disparurent. Nous venions de franchir une ligne qu'ils ne pouvaient outrepasser. Nous étions dans la zone réservée aux grands propriétaires.

Le gardien nous attendait à la grille du manoir de la Cigogne ; il ouvrit la portière de la voiture avant même que celle-ci fût immobilisée et se jeta aux pieds de M. Ashok.

« Petit prince, vous voilà ! Enfin vous voilà à la maison ! »

Le Sanglier vint déjeuner avec M. Ashok et Pinky Madam.

Après tout, il était leur oncle. Dès que je l'aperçus, je filai dans la cuisine et dis au gardien :

« J'aime beaucoup M. Ashok. Je voudrais le servir à table. » Le cuisinier accepta. Cela me permit d'approcher le Sanglier que je n'avais pas vu depuis des années. Il était plus vieux que dans mon souvenir, plus courbé, mais ses dents n'avaient pas changé : aiguisées, noircies, avec deux canines incurvées. Ils déjeunaient dans la grande salle à manger, une pièce somptueuse, très haute de plafond, avec un énorme lustre et un lourd mobilier traditionnel.

« C'est une belle demeure ancienne, se félicita M. Ashok. Tout est magnifique ici.

– Sauf le lustre, dit Pinky Madam. Je le trouve un peu vulgaire.

– Ton père adore les lustres à pampilles, remarqua le Sanglier. Il voulait même en mettre un dans les toilettes ! Tu le savais ? Je suis sérieux ! »

Quand on posa les plats sur la table, M. Ashok les examina avec une moue :

« Il n'y a rien de végétarien ? Je ne mange pas de viande.

– Un propriétaire terrien végétarien, ça ne s'est jamais vu ! s'exclama le Sanglier. Ce n'est pas naturel. Il faut manger de la viande pour être fort. »

Il ouvrit la bouche et découvrit ses crocs.

« Je désapprouve l'abattage inutile des animaux, insista M. Ashok. Je connais des végétariens en Amérique et je pense qu'ils ont raison.

– Quelles idées farfelues vous allez chercher, vous les jeunes ! dit le Sanglier. Tu es un propriétaire ! Ce sont les brahmanes qui sont végétariens, pas nous. »

Après le repas, je lavai la vaisselle et aidai le gardien à faire le thé. Mon maître était en de bonnes mains. Il était temps pour moi d'aller voir ma famille. Je quittai la maison par la petite porte.

Ils m'avaient pris de vitesse. Toute ma famille était venue à ma rencontre. Ils encerclaient la Honda City, admiratifs, trop effrayés pour oser la toucher.

Kishan leva la main. Je ne l'avais pas revu depuis qu'il avait quitté Dhanbad pour revenir travailler dans les champs, trois mois plus tôt. Je me baissai pour lui toucher les pieds et prolongeai ce moment un peu plus que nécessaire ; je savais que, sitôt les salutations terminées, il allait sérieusement m'engueuler. Je n'avais pas envoyé d'argent depuis deux mois.

« Tiens, il se souvient enfin de la famille ! s'exclama-t-il en m'écartant. A-t-il pensé à nous ?

– Pardonne-moi, frère.

– Tu n'as rien envoyé depuis deux mois. Tu as oublié notre accord.

– Pardonnez-moi, pardonnez-moi. »

Mais ils étaient vraiment en colère. C'était la première fois, je crois, que j'accaparais davantage leur attention que la buflonne. Plus prodigue dans ses démonstrations, naturellement, cette vieille rusée de Kusum ne cessait de sourire et de se frotter les bras.

« Quand je pense à toutes les sucreries que je te fourrais dans la bouche quand tu étais petit ! » dit-elle en essayant de me pincer les joues.

Elle était trop impressionnée par mon uniforme pour oser me toucher ailleurs.

Ils me transportèrent quasiment sur leur dos jusqu'à la vieille maison. Les voisins nous attendaient pour admirer mon costume.

On me présenta les enfants de la famille nés pendant mon absence, et je fus contraint de les embrasser sur le front. Ma tante

Laila en avait mis deux au monde depuis mon départ. La femme du cousin Pappu, un. La famille s'était agrandie. Et ses besoins avec. Tous me sermonnèrent pour n'avoir pas envoyé d'argent chaque mois. Kusum se lamentait auprès des voisins en se frappant la tête avec le poing.

« Mon petit-fils a un emploi et il me force encore à travailler ! Voilà le sort d'une vieille femme ici-bas.

– Mariez-le ! beuglaient les voisins. C'est la seule façon de mater les rebelles de son genre !

– Oui, oui, c'est une bonne idée. » Elle souriait et se frottait les bras. « Une très bonne idée. »

Kishan avait de nombreuses nouvelles à m'apprendre et, puisque nous étions dans les Ténèbres, c'était forcément de mauvaises nouvelles. Le Grand Socialiste était toujours aussi corrompu. La lutte entre les terroristes naxalites et les grands propriétaires devenait de plus en plus sanglante. Les pauvres étaient pris en étau entre les deux. Des armées privées, recrutées par les deux camps, tuaient et torturaient les personnes soupçonnées de sympathie avec l'ennemi.

« La vie est devenue un enfer, dit Kishan. Mais nous sommes contents que tu aies échappé à tout ça. Tu as un uniforme et un bon maître. »

Kishan avait changé. Plus mince, plus basané – ses tendons saillaient en haut relief de ses clavicules creusées –, il était subitement devenu mon père.

Kusum parlait de mon mariage en souriant et en se frottant les bras. Elle tint à me servir elle-même mon repas : elle avait fait du poulet juste pour moi. En versant une louche de curry sur mon assiette, elle annonça :

« Nous allons fixer la date du mariage dans le courant de

l'année, d'accord ? On t'a déjà trouvé une femme. Une jolie poulette dodue. Dès qu'elle aura eu ses règles, elle pourra venir ici. »

Dans mon assiette il y avait du poulet, chair et os, imprégné de curry brun. J'eus l'impression que c'était le corps de Kishan que l'on me servait.

« Grand-mère, dis-je en contemplant le morceau de poulet, donne-moi un peu de temps. Je ne suis pas encore prêt à me marier. »

Sa mâchoire tomba.

« Comment ça "pas encore prêt" ? Tu feras ce qu'on te dit. » Elle sourit puis ajouta : « Mange, mon petit. J'ai fait du poulet rien que pour toi.

— Non.

— Mange. »

Elle poussa l'assiette vers moi.

Toute l'assistance se figea pour assister à notre prise de bec.

Grand-mère plissa les yeux.

« Qui es-tu ? Un Brahmane ? Mange, mange.

— Non ! » J'écartai si violemment l'assiette qu'elle vola dans un coin de la pièce et percuta le mur. Le curry de poulet se répandit sur le sol. « Je ne veux pas me marier ! »

Kusum était trop abasourdie pour crier. Kishan tenta de m'empêcher de sortir. Je l'écartai un peu trop brutalement et il tomba en arrière. Je quittai la maison à grands pas.

Les enfants m'escortèrent, courant autour de moi, petits gamins sales, nés d'une tante ou d'une autre, dont je ne voulais pas savoir les noms, ni toucher les cheveux. Peu à peu, ils comprirent et firent demi-tour.

Je laissai derrière moi le temple, le marché, les cochons et l'égout, et arrivai à l'étang. J'étais seul au pied du Fort noir.

Je m'assis au bord de l'eau. Je serrais les dents.

Je ne pouvais me retenir de penser au corps de Kishan. La famille le dévorait vivant! Ils lui feraient subir le même sort qu'à mon père. Ils l'évideraient et le laisseraient faible et vulnérable, jusqu'à ce que la tuberculose le ravage et qu'il succombe sur le sol d'un hôpital, crachant son sang, attendant en vain un médecin.

Il y eut un clapotement. Le buffle qui se baignait dans l'étang souleva sa tête recouverte de nénuphars et me jeta un coup d'œil furtif. Une grue, perchée sur une patte, m'examinait.

J'entrai dans l'eau jusqu'au cou et nageai, passant devant les nénuphars, le buffle, les grenouilles, les poissons et les rochers géants tombés du fort.

En haut, sur les remparts, les singes se regroupèrent pour m'observer. Je commençai à gravir la pente.

Vous avez compris, je pense, mon amour pour la poésie, plus spécialement pour les œuvres des quatre poètes musulmans reconnus comme les plus grands de tous les temps. L'un des quatre, Iqbal, a notamment écrit un poème remarquable dans lequel il imagine qu'il est le diable défendant ses droits devant Dieu qui tente de le rudoyer. Pour les musulmans, le diable était jadis un acolyte de Dieu, qui finit un jour par se fâcher avec lui et se mit à travailler en free-lance. Depuis lors, une guerre des cerveaux oppose Dieu et le diable. C'est le thème du poème d'Iqbal. J'ai oublié les termes exacts, mais cela donne à peu près ceci :

Dieu dit : «Je suis puissant. Je suis grand. Redeviens mon serviteur.»

Le diable ricane : «Ha!»

Lorsque je songe au diable d'Iqbal, ce qui m'arrive souvent, allongé sous mon lustre, j'imagine une petite silhouette noire en uniforme kaki mouillé qui escalade une pente vers l'entrée d'un Fort noir.

Il se tient là, un pied sur les remparts du Fort noir, entouré d'un groupe de singes étonnés.

Là-haut, dans le ciel, Dieu étire Sa paume sur les plaines, tout en bas, pour montrer au petit homme le village de Laxmangarh, son mince affluent du Gange, et tout ce qui s'étend au-delà : un million de villages semblables, un milliard d'individus semblables. Et Dieu demande au petit homme : *N'est-ce pas magnifique ? N'est-ce pas grandiose ? N'es-tu pas reconnaissant d'être mon serviteur ?*

Alors, je vois le petit homme en uniforme kaki mouillé se mettre à trembler, bouillonnant de colère, avant d'adresser au Tout-Puissant un signe de remerciement pour avoir choisi de créer le monde ainsi, plutôt que de toutes les autres façons qui s'offraient à lui.

Et, tandis que je regarde les pales noires du miniventilateur hacher les lumières du lustre, encore et encore, je vois le petit homme en uniforme kaki mouillé cracher vers Dieu, encore et encore.

Une demi-heure plus tard, je redescendis de la colline et retournai directement au manoir de la Cigogne. M. Ashok et Pinky Madam m'attendaient près de la Honda City.

« Où diable étais-tu passé, chauffeur ? cria-t-elle.

— Pardon, madame, répondis-je en souriant. Je suis désolé.

— Un peu de pitié, Pinky. Il est allé chez lui. Tu sais combien ils sont attachés à leur famille. »

Kusum, tante Luttu et toutes les autres femmes étaient rassemblées sur le bas-côté de la route pour assister à notre départ. Elles me regardèrent bouche bée, au volant de la Honda City, sidérées que je ne sois pas venu leur présenter mes excuses. Kusum brandit son poing noueux vers moi. J'enfonçai la pédale d'accélérateur et les dépassai rapidement. En traversant la place du marché, je jetai un coup d'œil au tea-shop : les araignées humaines étaient au travail, les rickshaws alignés dans le fond, et le cycliste venait juste de commencer son circuit avec l'affiche du film porno du jour.

Je passai devant les champs, les buissons, les arbres et les buffles qui se prélassaient dans les mares boueuses, devant les fourrés de plantes rampantes, les rizières, les cocotiers, les bananiers, les margousiers et les banians, les prés d'herbes folles d'où émergeaient les têtes des buffles. Un petit garçon à demi nu chevauchait un buffle sur le bord de la route. En nous voyant, il leva les deux poings et poussa un cri de joie. J'eus envie de lui répondre : *Oui, moi aussi je me sens joyeux! Plus jamais je ne reviendrai ici!*

«Tu peux me répondre, maintenant, Ashoky? Tu peux répondre à ma question?

– D'accord, Pinky. Je pensais sincèrement ne rester que deux mois. Mais... la situation a beaucoup changé en Inde. Je pourrais faire tellement plus de choses dans ce pays qu'à New York.

– Foutaises, Ashoky.

– Non, c'est vrai. Au rythme où les choses évoluent, d'ici dix ans, l'Inde ressemblera à l'Amérique. Et puis je m'y plais mieux. On a du personnel à notre service. Des chauffeurs, des gardiens, des masseurs. À New York, où trouveras-tu quelqu'un pour t'apporter du thé et des biscuits au lit, comme le fait Ram Bahadur? Tu sais, il est chez nous depuis trente ans. On dit que c'est un serviteur, mais il fait partie de la famille. Mon père a trouvé un jour ce Népalais qui déambulait dans Dhanbad avec une arme à la main, et il lui a dit…»

M. Ashok interrompit brusquement sa phrase, puis reprit :

«Tu as vu ça, Pinky?

— Quoi?

— Tu as vu le geste du chauffeur?»

Mon cœur manqua un battement. Je n'avais pas la moindre idée de ce que je venais de faire. M. Ashok se pencha en avant et me demanda :

«Tu as touché ton œil avec un doigt, n'est-ce pas?

— Heu, oui, monsieur.

— Pinky, tu n'as pas remarqué ce temple?» M. Ashok désigna une haute structure conique peinte de serpents entrelacés que nous venions de dépasser. «Et le chauffeur a…» Il me toucha l'épaule. «Quel est ton nom, déjà?

— Balram.

— Eh bien, Balram, ici présent, a touché son œil en signe de respect, Pinky. Les villageois sont très religieux dans les Ténèbres.»

Comme apparemment cela les avait impressionnés, j'attendis un peu puis me touchai de nouveau l'œil avec un doigt.

«Et là, chauffeur, c'était pour quoi? Je n'ai vu aucun temple.

— Heu… un arbre sacré, monsieur.

— Tu as entendu ça, Pinky? Ils vénèrent la nature. C'est magnifique, non?»

À partir de cet instant, ils guettèrent tous les arbres et tous les temples, épiant une réaction de piété de ma part que je ne manquai pas de leur procurer, avec une complaisance et une sophistication croissantes : d'abord en me touchant l'œil, puis le cou, la clavicule, et même les tétons.

Mes maîtres étaient maintenant convaincus que j'étais le serviteur le plus religieux qui soit. (Ça t'apprendra, Ram Persad!) Soudain, la route de Dhanbad se trouva bloquée par un barrage. Un camion stationnait en travers, bondé d'hommes en turban rouge qui braillaient des slogans.

«Révoltez-vous contre les riches! Soutenez le Grand Socialiste! Chassez les propriétaires!»

Bientôt, d'autres camions affluèrent. Leurs passagers, qui arboraient eux aussi un bandeau sur le front mais de couleur verte, vociférèrent contre les premiers. Une bagarre allait éclater.

«Que se passe-t-il? s'alarma Pinky Madam.

– Calme-toi, répondit son mari. C'est la période des élections, tout simplement.»

Pour vous expliquer la raison de ces altercations entre camions, je vais devoir définir ce qu'est la démocratie, notion qui ne vous est pas très familière à vous autres Chinois, il me semble. Mais il vous faudra attendre demain, Votre Excellence.

Il est 2 h 44.

L'heure des dégénérés, des toxicos et des entrepreneurs de Bangalore.

La troisième nuit

À l'intention de :

Ces conventions ne sont plus nécessaires entre nous. N'est-ce pas, monsieur Jiabao ?

Nous nous connaissons, à présent. Et puis nous n'avons pas de temps à perdre en formalités.

La leçon sera écourtée, aujourd'hui, Votre Excellence. J'étais en train d'écouter un programme de radio sur un certain Castro, qui a expulsé les riches de son pays et libéré son peuple. J'adore les émissions sur les grands hommes. Bref, je n'ai pas vu le temps passer et il est déjà deux heures du matin ! J'aurais aimé en apprendre davantage sur ce Castro, mais j'ai éteint la radio pour vous. Je vais donc reprendre mon histoire là où nous en étions restés.

Ô démocratie !

La petite brochure souvenir que vous aura remise notre Premier ministre, monsieur le Premier ministre, contiendra sans doute un important paragraphe sur la démocratie en Inde : le spectacle impressionnant d'un milliard d'individus mettant leur bulletin de vote dans l'urne pour déterminer leur avenir en toute liberté de choix, et ainsi de suite.

Si j'ai bien compris, vous autres Jaunes, malgré vos immenses réussites en matière de canalisations, d'eau potable, de médailles d'or olympiques, vous n'avez pas la démocratie. À la radio, certains politiciens expliquent que c'est la raison pour laquelle nous, les Indiens, allons vous surpasser. Nous n'avons pas de tout-à-l'égout, d'eau potable ni de médailles d'or aux jeux Olympiques, mais nous avons la démocratie.

En ce qui me concerne, si je construisais un pays, je commencerais par installer le tout-à-l'égout, ensuite la démocratie, et après seulement je distribuerais des brochures et des statuettes de Gandhi. Mais que vaut mon avis ? Je ne suis qu'un criminel.

Je n'ai rien contre la démocratie, monsieur Jiabao. Bien au contraire, je lui dois beaucoup, même mon anniversaire ! Cela remonte à l'époque où je cassais du charbon et essuyais les tables dans le tea-shop de Laxmangarh. Un jour, des acclamations fusèrent sous le portrait de Gandhi, et le patron beugla à tous les employés d'interrompre immédiatement leurs occupations pour se rendre à l'école.

Un émissaire du gouvernement régional en uniforme était dans la salle de classe, assis derrière le bureau de l'instituteur avec un grand registre et un stylo. Il posait à chacun deux questions.

« Nom ?

— Balram Halwai.

— Âge ?

— Pas d'âge.

— Tu n'as pas de date de naissance ?

— Non, monsieur. Mes parents ne l'ont pas notée. »

Il me dévisagea puis déclara :

« Je pense que tu as dix-huit ans. Tu viens d'avoir dix-huit ans aujourd'hui. Tu avais juste oublié, c'est ça ?

– Oui, monsieur, c'est ça, répondis-je en m'inclinant. J'avais oublié. C'est aujourd'hui mon anniversaire.

– Tu es un bon garçon. »

Il inscrivit la date dans son registre et me congédia. C'est ainsi que le gouvernement fixa ma date d'anniversaire.

Il fallait que j'aie dix-huit ans. Il fallait que tous les employés du tea-shop aient dix-huit ans. L'âge légal pour voter. Les élections approchaient et notre patron nous avait déjà vendus. Plus exactement, il avait vendu nos empreintes de doigts – les empreintes à l'encre que les citoyens illettrés apposent sur leur bulletin de vote. J'avais appris cela en écoutant un client. L'élection s'annonçant serrée, notre patron avait obtenu une jolie somme du parti du Grand Socialiste pour chacun d'entre nous.

Le Grand Socialiste était alors le grand manitou des Ténèbres depuis une décennie. L'emblème de son parti : deux mains se libérant de menottes – symbole des pauvres se débarrassant des riches – étaient imprimées au pochoir noir sur les murs de toutes les administrations. Certains clients du tea-shop disaient que le Grand Socialiste, à ses débuts, avait été un homme bon. Il avait voulu faire le ménage, mais la boue du Gange avait fini par le rattraper. D'autres affirmaient qu'il était véreux depuis toujours mais qu'il avait trompé son monde et dévoilait seulement maintenant sa vraie nature. Dans un cas comme dans l'autre, personne ne paraissait en mesure de le chasser du pouvoir. Même si son autorité faiblissait, il remportait élection sur élection.

Imaginez que, en ce moment même, pas moins de quatre-vingt-treize affaires criminelles – meurtres, viols, vols qualifiés, contrebande d'armes, proxénétisme, et autres délits aussi anodins – sont en instance contre le Grand Socialiste et ses ministres. Il n'est pas facile d'obtenir des condamnations quand les juges officient dans les Ténèbres, pourtant trois verdicts ont été rendus et trois des ministres sont actuellement en prison. Ce qui ne les empêche pas de continuer à être ministres. Le Grand Socialiste lui-même est soupçonné d'avoir détourné un milliard de roupies des Ténèbres, et d'avoir transféré cette somme sur un compte bancaire dans un charmant petit pays d'Europe plein de personnes blanches et d'argent sale.

Maintenant que la date du scrutin avait été fixée et annoncée à la radio, la fièvre électorale se propageait à nouveau. Il existe trois maladies majeures dans ce pays, monsieur : la typhoïde, le choléra et la fièvre électorale. Cette dernière est la pire. Elle fait beaucoup parler les gens de choses sur lesquelles ils n'ont pas voix au chapitre. Les adversaires du Grand Socialiste paraissaient plus forts que lors de la précédente élection. Ils avaient distribué des tracts, circulé dans des bus et des camions avec des micros, proclamé qu'ils allaient renverser le Grand Socialiste et draguer le Gange de toute sa boue, et que tous ceux qui vivaient sur ses rives sortiraient des Ténèbres pour rejoindre la Lumière.

Au tea-shop, les rumeurs allaient bon train. Les clients sirotaient leur thé et ressassaient inlassablement les mêmes sujets.

Y parviendraient-ils, cette fois ? Réussiraient-ils à vaincre le Grand Socialiste et à gagner les élections ? Avaient-ils rassemblé assez d'argent, soudoyé assez de policiers, acheté assez d'empreintes pour emporter la bataille ? Tels des eunuques commentant le Kama-sutra, les électeurs commentaient les élections à Laxmangarh.

Un matin, j'aperçus un policier en train d'inscrire un slogan à la peinture rouge sur un mur du temple :

Vous voulez de bonnes routes,
de l'eau propre, des hôpitaux ?
Votez contre le Grand Socialiste !

Pendant des années, un accord avait lié les grands propriétaires au Grand Socialiste – tout le village était au courant – mais, cette fois, un différend les avait opposés et les quatre Animaux s'étaient unis pour fonder leur propre parti.

Sous le slogan, le policier ajouta :

Front Social Progressiste All India
(Faction léniniste)

C'était le nom du parti des propriétaires.

Les semaines précédant l'élection, des camions descendirent en cahotant la grande rue crasseuse de Laxmangarh, bondés de jeunes gens qui braillaient dans des porte-voix : « Tenez tête aux riches ! »

Vijay, le conducteur d'autobus, était toujours dans un de ces camions. Il avait quitté son ancien emploi pour entrer en politique. Cela lui ressemblait bien ; chaque fois qu'on le rencontrait, il avait amélioré sa situation. Vijay était un politicien-né. Il portait autour du front un bandeau rouge pour montrer qu'il soutenait le Grand Socialiste, et faisait des discours chaque matin devant le tea-shop. En représailles, les propriétaires envoyaient des camions remplis de leurs propres supporters. Lesquels criaient : « Des routes ! De l'eau ! Des hôpitaux ! Chassez le Grand Socialiste ! »

Une semaine avant le vote, les deux partis cessèrent d'envoyer les camions. J'appris pourquoi en nettoyant une table.

Le bluff des Animaux avait fonctionné. Le Grand Socialiste avait accepté de conclure un accord avec eux.

Vijay s'inclina et toucha respectueusement les pieds de la Cigogne lors d'un grand meeting devant le tea-shop. Apparemment, on avait réglé tous les différends, et la Cigogne avait été nommé président de la section de Laxmangarh du parti du Grand Socialiste. Vijay était son suppléant.

Les rassemblements étaient terminés. Le prêtre célébra un pooja spécial pour prier pour la victoire du Grand Socialiste ; on distribua du mouton biryani sur des assiettes en carton devant le temple et, le soir, une tournée générale de gnôle.

Le lendemain matin, il y eut un afflux de poussière et de policiers dans le village. Un officier lut à haute voix les instructions du vote sur la place du marché.

Tout ce qui était fait l'était pour notre bien. Les ennemis du Grand Socialiste allaient tenter de nous voler l'élection, à nous les pauvres, et de nous remettre les menottes dont lui, le Grand Socialiste, nous avait délivrés avec tant d'amour. Avions-nous bien compris ? Leur mission accomplie, les policiers quittèrent les lieux dans un nuage de poussière.

« C'est toujours la même chose, me dit mon père ce soir-là. J'ai connu douze élections : cinq générales, cinq régionales, et deux locales. Chaque fois on a voté à ma place. J'ai entendu dire qu'ailleurs, en Inde, les gens votent eux-mêmes. C'est quelque chose, hein ? »

Le jour du scrutin, un homme perdit la raison.

Cela se produit régulièrement, à chaque élection dans les Ténèbres.

Un des collègues de mon père, un petit bonhomme noir de peau auquel personne n'avait jusqu'alors prêté attention, fut soudain encerclé par une bande de conducteurs de rickshaws – dont mon père – qui tentèrent de le dissuader sans grande conviction. Ils avaient déjà assisté à des incidents similaires et savaient qu'ils avaient peu de chances de calmer leur collègue. De temps à autre, même dans un trou comme Laxmangarh, perce un rayon de soleil. Les affiches, les discours, les slogans finissent peut-être par pénétrer dans la tête d'un homme. Tout à coup, celui-ci se proclame citoyen de la démocratie indienne et décide de voter. C'était le cas du pauvre conducteur de rickshaw. Il se déclara délivré des Ténèbres ; c'était comme s'il avait fait son propre pèlerinage à Bénarès.

Il marcha droit vers le bureau de vote à l'école.

« Je suis censé tenir tête aux riches, hein ? criait-il. C'est ce qu'ils n'ont pas cessé de nous répéter, pas vrai ? »

Au bureau de vote, les partisans du Grand Socialiste avaient déjà affiché le résultat du scrutin sur un tableau noir à l'extérieur. 2 341 bulletins de vote, tous en sa faveur. Vijay, le conducteur de bus, était perché sur une échelle et clouait au mur une banderole ornée de l'emblème du Grand Socialiste (les mains se libérant des menottes), avec ces mots :

Félicitations au Grand Socialiste
Élu à l'unanimité à Laxmangarh !

À la vue du conducteur de rickshaw, Vijay lâcha le marteau, les clous et la banderole.

« Qu'est-ce que tu viens faire ici ?

– Voter ! C'est bien le jour des élections, non ? »

Je me trouvais à quelques mètres derrière lui, pourtant je ne peux pas garantir avec certitude ce qui se produisit ensuite. Une foule de curieux s'était rassemblée pour l'observer de loin, mais, dès que la police chargea, ce fut la débandade. Je ne vis donc pas ce qu'on fit à cet homme courageux et insensé.

J'en appris davantage le lendemain au tea-shop. Vijay et un policier avaient jeté l'intrépide à terre, l'avaient bastonné, et, comme il se débattait violemment, l'avaient roué de coups de pied. Chacun son tour. Vijay cognait et le policier piétinait le visage. Et inversement. Au bout d'un moment, le malheureux cessa de gigoter, mais eux continuèrent de le marteler, jusqu'à lui incruster littéralement le corps dans le sol.

Permettez-moi de revenir à cet AVIS DE RECHERCHE me concernant, Votre Excellence. On me définit comme meurtrier. D'accord, je n'ai aucune objection. C'est un fait : je suis un pécheur, un être déchu. Mais que ce soit la police qui me traite de meurtrier !

Quelle foutue connerie !

Voici un petit souvenir à conserver de votre visite en Inde. On dit que Balram Halwai est un fugitif, un homme dont la police ignore où il se trouve.

Ha ! Laissez-moi rire.

La police sait exactement où me trouver : au bureau de vote de l'école de Laxmangarh, district de Gaya, accomplissant mon devoir d'électeur comme je le fais lors de toutes les élections, générales, régionales ou locales depuis l'âge de dix-huit ans.

Je suis l'électeur le plus fidèle de l'Inde. Et pourtant je n'ai jamais vu l'intérieur d'un isoloir.

Malgré l'approche des élections à Dhanbad, dans l'enceinte de la résidence de la Cigogne la vie poursuivait son cours. Le maître soupirait quand je lui massais les jambes dans l'eau chaude, les parties de badminton et de cricket se déroulaient devant lui, et je toilettais consciencieusement les deux loulous de Poméranie. Un jour, un visage familier apparut à la grille : Vijay, le conducteur de bus de Laxmangarh. Cette fois, le héros de mon enfance arborait un nouvel uniforme. Il était tout vêtu de blanc, coiffé d'un calot blanc à la Nehru, et portait des bagues en or massif à huit de ses doigts !

Le service public lui avait été bénéfique.

La Cigogne sortit lui-même accueillir Vijay et s'inclina devant lui : un grand propriétaire terrien se courbant devant le fils d'un porcher ! Les merveilles de la démocratie !

Deux jours plus tard, le Grand Socialiste en personne vint à la propriété.

Sa visite mit toute la maisonnée en effervescence. Pour le recevoir, M. Ashok alla se poster à l'entrée avec une guirlande de fleurs de jasmin, encadré de son père et de son frère.

Une voiture se présenta à la grille, et le visage que j'avais vu sur un million d'affiches électorales depuis que j'étais enfant m'apparut. Je reconnus les joues bouffies, les cheveux blancs en brosse, les lourds anneaux d'oreilles en or.

Vijay, ce jour-là, portait son bandeau rouge et brandissait le drapeau orné de l'emblème aux menottes brisées. Il cria : « Longue vie au Grand Socialiste ! »

Le grand homme joignit ses mains et salua à la ronde. Son visage ressemblait à celui de n'importe quel autre politicien indien de renom. Ce visage dit qu'il est en paix pour le moment − et que vous le serez aussi si vous le suivez. Mais ce même visage peut également dire, par une légère contraction des traits, qu'il a connu le contraire de la paix et qu'il peut vous y plonger s'il lui en prend l'envie.

M. Ashok mit la guirlande autour du cou de taureau du grand homme.

« Mon fils vient de rentrer d'Amérique », signala la Cigogne.

Le Grand Socialiste pinça les joues de M. Ashok.

« C'est bien. Nous avons besoin que nos jeunes gens reviennent nombreux pour faire de l'Inde une superpuissance. »

Après quoi, ils entrèrent dans la maison, et toutes les portes et fenêtres furent fermées. Un moment plus tard, le Grand Socialiste sortit dans le patio, suivi par la Cigogne, la Mangouste et M. Ashok.

Pour les entendre, je pris mon balai et avançai peu à peu. J'avais réussi à m'approcher à portée de voix lorsque le Grand Socialiste m'interpella.

« Quel est ton nom, petit ? » Je lui répondis et il ajouta : « Eh bien, Balram, tes employeurs essaient de me baiser. Que dis-tu de ça ? »

M. Ashok était abasourdi. La Cigogne minauda.

« Un million et demi, c'est beaucoup ! Nous aimerions sincèrement négocier avec vous. »

Le Grand Socialiste agita la main pour signifier qu'il rejetait l'argument.

« Foutaises ! Vous avez mis au point une jolie combine. Vous extrayez gratuitement du charbon des mines du gouvernement. Et votre arnaque marche bien parce que je l'ai permise. Vous n'étiez qu'un petit cul-terreux de propriétaire quand je vous ai trouvé. Je vous ai amené ici, j'ai fait de vous ce que vous êtes aujourd'hui. Si vous me contrariez, vous retournerez dans votre village. J'ai dit un million et demi et... »

Il dut s'interrompre. Il chiquait du bétel, et un filet de salive rouge commençait à dégouliner sur son menton. Il se tourna vers moi et, avec ses mains, fit le geste d'une coupe. Je partis en courant.

Lorsque je revins avec le crachoir de la Honda City, il jeta un regard glacé à la Mangouste et lui dit :

« Tenez-moi ça. »

Comme la Mangouste refusait de bouger, le Grand Socialiste me prit le crachoir des mains et le lui tendit.

« Tenez-le. »

La Mangouste prit le crachoir.

Le Grand Socialiste cracha dedans. Trois fois.

Les mains de la Mangouste tremblaient, la honte assombrissait son visage.

« Merci », dit le Grand Socialiste en s'essuyant les lèvres d'un revers de main. Puis il pivota vers moi et se gratta le front. « Où en étais-je ? »

Maintenant vous comprenez, monsieur. C'était le côté positif du Grand Socialiste. Il humiliait nos maîtres, voilà pourquoi nous votions pour lui.

Ce soir-là, feignant une fois de plus de m'affairer dans le patio, j'approchai de la Cigogne et de ses fils. Ils bavardaient, assis sur un banc, un verre d'alcool ambré dans la main. Mukesh Sir venait de faire une remarque que je n'entendis pas. Le vieil homme secoua la tête.

« Non, Mukesh, on ne peut pas faire ça. Il nous est utile.

— Crois-moi, père, nous n'avons plus besoin de lui. Nous pouvons aller directement à Delhi. Nous connaissons du monde là-bas.

— Je suis d'accord avec Mukesh, père, intervint M. Ashok. Il ne faut plus le laisser nous traiter de la sorte. Comme... des esclaves.

— Silence, Ashok. Laisse-moi régler ça avec ton frère. »

Après deux tours de balai supplémentaires, j'allai retendre le filet affaissé du badminton.

Mais deux yeux soupçonneux de Népalais m'épinglèrent.

« Ne traîne pas dans le patio. Va dans ta chambre attendre que les maîtres t'appellent.

– Bien. »

Ram Bahadur me jeta un regard noir, et je me repris :

« Bien, monsieur. »

(Remarquons en passant, monsieur, combien les serviteurs aiment se faire appeler « monsieur » par les autres serviteurs.)

Le lendemain matin, tandis que je séchais Câlin et Caresse au séchoir électrique après les avoir shampouinés, Ram Bahadur vint me trouver et demanda :

« Tu es déjà allé à Delhi ? »

Je fis non de la tête.

« M. Ashok et Pinky Madam partent à Delhi dans une semaine. Ils y resteront trois mois. »

Je m'agenouillai pour diriger le séchoir sous les pattes de Câlin, feignant l'indifférence, et demandai de mon air le plus désinvolte.

« Pourquoi ? »

Le Népalais haussa les épaules. Comment savoir ? Nous n'étions que des serviteurs. Néanmoins il savait une chose.

« Un seul chauffeur ira avec eux. Et ce chauffeur gagnera trois mille roupies par mois. C'est le tarif à Delhi. »

Le séchoir m'échappa des mains.

« C'est sérieux ? Trois mille ?

– Oui.

– Est-ce qu'ils vont m'emmener ? » Je me relevai et demandai d'un ton implorant : « Est-ce que vous pouvez les convaincre de me choisir ?

– Ils prendront Ram Persad, dit-il avec un rictus. À moins…

– À moins?»

Il fit le geste de palper de l'argent.

Cinq mille roupies pour convaincre la Cigogne que j'étais le plus apte à aller à Delhi.

«Cinq mille? Où voulez-vous que je trouve autant d'argent? Ma famille me vole tout mon salaire!

– Dans ce cas, ce sera Ram Persad. Et toi...» Il désigna les deux loulous de Poméranie. «... Tu passeras le restant de tes jours à toiletter les chiens.»

Je m'éveillai, les narines en feu.

Il faisait encore nuit.

Ram Persad était assis sur son lit. Il hachait des oignons sur une planche. J'entendais le staccato de la lame du couteau sur le bois.

Pourquoi diable hache-t-il des oignons en pleine nuit? me demandai-je en me tournant sur le côté. Je tentai de me rendormir, mais le martèlement régulier m'en empêchait. *Cet homme a un secret.*

Je m'efforçai de réfléchir.

Qu'avais-je remarqué au sujet de Ram Persad au cours des derniers jours?

Tout d'abord, sa mauvaise haleine. Même Pinky Madam s'en était plainte. Et il avait subitement cessé de partager ses repas avec nous, tant à l'intérieur qu'à l'extérieur de la maison. Même le dimanche, jour du poulet. Il prétextait qu'il n'avait pas faim, qu'il avait déjà déjeuné, etc.

Ram Persad continua de hacher les oignons, tandis que je continuais d'aligner les idées dans le noir.

Le lendemain, je l'observai toute la journée. Le soir, comme je m'y attendais, il se dirigea vers la grille.

En discutant avec le cuisinier, j'avais en effet appris que, depuis quelque temps, Ram Persad quittait la maison chaque soir à la même heure. Je le suivis à distance. Il s'engagea dans un quartier de la ville que je ne connaissais pas, emprunta plusieurs ruelles. À un certain moment, je le vis nettement se retourner pour s'assurer que personne ne l'observait.

Il s'était arrêté devant une bâtisse de deux étages. Sur le mur, il y avait une grande grille de fer divisée en cases ; juste dessous, une rangée de petits robinets noirs sortaient du mur. Il se baissa devant un robinet, s'aspergea le visage d'eau, se gargarisa et cracha. Puis il ôta ses sandales. Une multitude de paires de chaussures et de sandales occupaient les petites cases de la grille. Il y glissa aussi les siennes. Après quoi il entra et ferma la porte derrière lui.

Je me frappai le front.

Quel imbécile j'étais ! « C'est ramadan ! Ils ne peuvent ni manger ni boire entre le lever et le coucher du soleil. »

Je rentrai en courant à la maison et cherchai le Népalais. Il était à son poste près du portail, occupé à se frotter les dents avec une brindille de margousier. C'est ainsi que font les pauvres dans mon pays pour se laver les dents, monsieur le Premier ministre.

« Je viens de voir un film, monsieur, commençai-je.

– Fous le camp.

– Un grand film. Avec beaucoup de danses. Le héros est un musulman. Il s'appelle Mohamed Mohamed.

– Ne me fais pas perdre mon temps. Va laver la voiture si tu n'as rien à faire.

– Donc, le dénommé Mohamed Mohamed est un musulman pauvre, honnête et travailleur, mais il trouve du travail dans la maison d'un démon, un riche propriétaire bourré de préjugés qui n'aime pas les musulmans. Alors, pour être embauché et nourrir sa famille, il se fait passer pour un hindou ! Et il prend le nom de Ram Persad. »

Le bâtonnet de margousier tomba de la bouche du Népalais.

« Et vous savez comment il réussit son coup ? Grâce au gardien de la maison, un Népalais en qui les maîtres ont toute confiance et qui était censé vérifier le passé de Ram Persad. En fait, le Népalais est dans la combine ! »

Je le saisis par le col avant qu'il ne tente de filer. Techniquement, dans les conflits entre domestiques, la seule chose à faire est de déclarer « J'ai gagné ». Mais, dans ce cas, autant le faire avec style, n'est-ce pas ? Alors je le giflai.

Dès cet instant, je devins le serviteur numéro un.

Je retournai en courant à la mosquée. Namaz, la prière, devait être terminée. En effet, Ram Persad – Mohamed ou quel que soit son véritable nom – sortit de l'édifice, reprit ses sandales, les enfila, et se mit en marche. C'est alors qu'il m'aperçut. Je lui adressai un clin d'œil et il comprit que la partie était terminée.

Je conclus l'affaire en quelques mots précis.

Après quoi, je regagnai la maison. Le Népalais me regarda approcher. Je lui pris son trousseau de clés et le mis dans ma poche.

« Apporte du thé. Et des biscuits. Et je veux ton uniforme. Le mien est un peu usé. »

Cette nuit-là, je dormis dans le lit.

Au lever du jour, quelqu'un entra dans la chambre. C'était l'ex-chauffeur numéro un. Sans un mot, il commença à emballer ses affaires. Le tout tenait dans un seul petit sac.

Quelle vie misérable il a eue ! pensai-je. Devoir cacher ainsi sa religion, son nom, uniquement pour obtenir un emploi de chauffeur. Et c'est un bon chauffeur, bien meilleur que je ne le serai jamais. Une partie de moi avait envie de lui présenter des excuses et de lui dire : Pars à Delhi avec les maîtres. Tu ne m'as jamais causé de tort. Pardonne-moi, frère.

Mais je me retournai dans le lit, pétai, et me rendormis.

À mon réveil, il avait disparu, laissant derrière lui ses images de divinités. Je les rangeai dans un sac. On ne sait jamais quand ces choses-là peuvent être utiles.

Dans la soirée, le Népalais vint me voir, affichant un grand sourire, le même sourire faux dont il gratifiait la Cigogne en permanence. Et il m'annonça que, Ram Persad ayant déserté son service sans un mot, c'était moi qui conduirais Pinky Madam et M. Ashok à Delhi. Il m'avait personnellement et chaudement recommandé auprès de la Cigogne.

Je m'allongeai sur le lit, désormais tout à moi, m'étirai et répondis :

« Très bien. Maintenant, nettoie ces toiles d'araignées au plafond. »

Il me jeta un regard noir, mais ne répondit rien et s'en alla chercher un balai. Je criai derrière lui : « Monsieur ! »

Dès ce jour, j'eus droit à du thé chaud népalais et quelques délicieux biscuits au sucre servis sur un plateau de porcelaine.

Le dimanche suivant, Kishan se présenta à la grille et je lui annonçai la nouvelle. Je pensais qu'il allait me houspiller pour la façon brutale dont j'avais quitté le village, mais ma promotion l'inonda de joie. Il en avait les larmes aux yeux. Quelqu'un de la famille allait enfin réussir à quitter les Ténèbres et vivre à New Delhi !

« Notre mère l'avait prédit. Elle savait que tu t'en sortirais. »

Deux jours plus tard, je conduisais M. Ashok, la Mangouste et Pinky Madam à Delhi dans la Honda City. La direction n'était pas difficile à trouver : il suffisait de suivre les bus. Car la route était encombrée de bus et de taxis-Jeep surchargés de passagers, dont certains accrochés aux portières ou juchés sur le toit. Tous quittaient les Ténèbres pour Delhi. On avait l'impression que le monde entier émigrait.

Chaque fois que nous dépassions un bus, je souriais. J'avais envie de baisser ma vitre et de leur crier : *Moi, je vais à Delhi dans une voiture climatisée!*

Mais je suis certain qu'ils lisaient ces paroles dans mes yeux.

Vers midi, M. Ashok me tapota l'épaule.

Depuis le début, je savais deviner ses désirs, de la même manière que les chiens sentent ceux de leur maître. J'arrêtai la voiture, me déplaçai sur la gauche, lui-même opérant une reptation sur la droite. Nos corps se frôlèrent (son eau de toilette riche et fruitée envahit mes narines un instant, tandis que ma sueur de serviteur lui sautait au visage), il devint le chauffeur et moi le passager.

Il démarra.

La Mangouste, qui lisait le journal depuis notre départ, remarqua l'échange.

« Ne fais pas ça, Ashok. »

Il se conduisait comme un vieux maître d'école. Il savait distinguer le bien du mal.

« Tu as raison, ça fait un effet bizarre. »

M. Ashok arrêta la voiture. Nos corps se frôlèrent une nouvelle fois, je redevins chauffeur et serviteur, et lui passager et maître.

Il faisait nuit quand on atteignit enfin Delhi.

Je pourrais continuer un peu, monsieur, car il n'est pas encore trois heures, mais je préfère m'interrompre avant d'aborder un autre genre d'histoire.

Rappelez-vous, monsieur le Premier ministre – vous étiez très jeune alors –, rappelez-vous la première fois où vous avez soulevé le capot d'une voiture pour examiner ses entrailles. Souvenez-vous des fils de couleur torsadés reliant une partie du moteur à une autre, du boîtier noir couvert de bouchons jaunes, des tuyaux énigmatiques crachant de la vapeur, de l'huile et de la graisse. Rappelez-vous combien tout cela vous semblait mystérieux et magique. Eh bien, j'éprouve la même impression devant la séquence de mon récit qui se déroule à Delhi. Si vous me demandez comment les événements se relient l'un à l'autre, comment une motivation renforce ou affaiblit la suivante, ou comment mon opinion à l'égard de mon maître a évolué, je vous répondrai que je n'en sais rien. Je ne suis pas certain que l'histoire, telle que je vais la raconter, soit la meilleure histoire à raconter. Je ne suis pas certain de savoir exactement pourquoi M. Ashok est mort.

Mieux vaut marquer une pause maintenant.

Quand nous nous retrouverons, à minuit, rappelez-moi d'augmenter un peu la puissance du lustre. Car à partir d'ici, le récit s'assombrit.

La quatrième nuit

Je devrais parler davantage de ce lustre.

Pourquoi pas ? Je n'ai plus de famille. Tout ce qu'il me reste, ce sont des lustres. J'en ai un ici, dans mon bureau, au-dessus de ma tête, et deux autres dans mon appartement de Raja Mahal Villas Phase II. Il y en a même un petit dans les toilettes. Ce sont sûrement les seules toilettes de Bangalore à posséder un tel éclairage !

J'ai découvert ces lustres un jour, suspendus à la branche d'un gros banian près de Lalbagh Gardens, où un jeune villageois les vendait. Je les ai achetés sur-le-champ. Ensuite j'ai loué les services d'un paysan avec un char à bœufs, et nous avons traversé Bangalore, lui, moi et les quatre lustres dans une limousine tirée par des buffles !

La vue d'un lustre à pampilles me rend heureux. Après tout, je suis un homme libre, je peux acheter les luminaires qui me plaisent. Sans compter qu'ils éloignent les lézards. C'est la vérité, monsieur, les lézards n'aiment pas la lumière. Dès qu'ils aperçoivent une ampoule, ils détalent.

Je ne comprends pas pourquoi les gens ne mettent pas des lustres partout. Les hommes libres ne connaissent pas la valeur de la liberté, voilà le problème.

Parfois, dans mon appartement, je les allume tous, je m'allonge au milieu de ce bain de lumière, et je ris. Un fuyard en pleine clarté !

C'est le secret d'une évasion réussie que je vous révèle. La police me recherchait dans les Ténèbres, je me cachais dans la Lumière.

À Bangalore !

L'un des nombreux usages du lustre, cet objet méconnu et mal aimé, est de raviver votre mémoire : lorsque vous oubliez quelque chose, il vous suffit de fixer assez longtemps les pampilles de verre qui étincellent au plafond pour vous rappeler, après quelques minutes, ce que vous cherchiez.

Ainsi, j'avais oublié où s'était arrêté mon récit, et, grâce à cette digression sur les lustres, à présent je m'en souviens.

Delhi. Nous en étions au moment de notre arrivée à Delhi.

La capitale de notre glorieuse nation. Le siège du Parlement, de la Présidence, de tous les ministres et Premiers ministres. Le fer de lance de notre urbanisme. La vitrine de la République.

Du moins, c'est ainsi qu'on la nomme.

Mais permettez à un chauffeur de vous dire la vérité. Delhi est une ville folle.

Par exemple, dans certains quartiers résidentiels où vivent les riches, tels que Defence Colony, Greater Kailash ou Vasant Kunj, les maisons portent des numéros et des lettres, mais le système de numérotation et de lettrage ne suit aucune logique. Ainsi, dans l'alphabet anglais, A précède B, ce que chacun sait, même les gens comme moi qui ne parlent pas cette langue. Or, dans un quartier résidentiel, A231 peut succéder à F378. Cela pour vous expliquer comment, un jour où Pinky Madam m'avait demandé de la conduire à Greater Kailash E231, je suivis les plaques des maisons jusqu'à E200 et, au moment où je croyais toucher au but, le bloc E prit brutalement fin, supplanté par le bloc F.

Pinky Madam hurla à son mari : «Je t'avais dit de ne pas amener ce bouseux à Delhi!»

Autre chose. À Delhi, chaque rue a un nom : Aurangzeb Road, Humayun Road, Archbishop Makarios Road. Mais personne, maître ou serviteur, ne connaît ces noms. Vous demandez à quelqu'un : «Où se trouve Nikolai Copernicus Marg?» Même s'il habite Nikolai Copernicus Marg depuis toujours, il vous regarde d'un air ahuri et grogne «Hein?» Ou alors il vous répond : «Tout droit, puis à gauche», même s'il n'en a pas la moindre idée.

Toutes les avenues se ressemblent. Toutes contournent des ronds-points plantés de gazon, où des gens mangent, dorment, jouent aux cartes. Quatre routes partent de chaque rond-point. Vous en suivez une, et vous arrivez de nouveau à un rond-point planté de gazon où des hommes dorment, mangent, jouent aux cartes. Et ainsi de suite. Voilà pourquoi, à Delhi, on se perd continuellement.

Des milliers de gens vivent au bord des routes. Eux aussi viennent des Ténèbres : cela se voit à leurs corps décharnés, à leurs visages sales, à leur façon presque animale de loger sous les ponts gigantesques et les échangeurs; ils allument des feux, se lavent, s'épouillent les cheveux, tandis que les voitures défilent à côté d'eux en rugissant. Les sans-abri posent un problème particulier aux automobilistes. Ils n'attendent jamais qu'un feu passe au rouge. Ils traversent d'un coup, sans regarder. Chaque fois que je freinais pour en éviter un, cela me valait les foudres de mes passagers.

Qui a construit Delhi sur un plan aussi délirant? Je vous le demande. Quels sont les génies qui ont placé le Bloc F après le

Bloc A, le numéro 69 après le numéro 12 ? Étaient-ils trop occupés par ailleurs à faire la fête, s'abreuver de whisky, promener et toiletter leurs loulous de Poméranie, pour choisir des noms de rues dont personne ne peut se souvenir ?

« Tu t'es encore perdu, chauffeur ?

– Arrête de le houspiller.

– Pourquoi prends-tu toujours sa défense, Ashok ?

– Nous avons des sujets de conversation plus intéressants, non ? Pourquoi faut-il toujours que nous parlions du chauffeur ?

– D'accord, parlons d'autre chose. De ta femme, par exemple. De ses crises de colère.

– Tu crois vraiment que c'est plus important que notre problème d'impôts ? Je m'entête à te demander ce que nous allons faire, et toi tu t'entêtes à changer de sujet. Je trouve totalement insensée la somme qu'on nous réclame.

– Je t'ai expliqué, Ashok. C'est politique. Ils nous harcèlent parce que père essaie de prendre ses distances vis-à-vis du Grand Socialiste.

– Je n'arrive toujours pas à comprendre pourquoi il s'est acoquiné avec cette fripouille.

– Père s'est mêlé de politique parce qu'il ne pouvait pas faire autrement, Ashok. Dans les Ténèbres, on n'a pas le choix. Ne t'affole pas. On se débrouillera avec cette histoire d'impôts. On est en Inde, pas en Amérique. Il y a toujours une solution. N'oublie pas que nous avons quelqu'un dans la place qui travaille pour nous. Ramanathan est un excellent combinard.

– Ramanathan est un crétin mielleux et ambigu. Nous avons besoin d'un nouvel avocat fiscaliste, Mukesh. Il faut contacter les médias et expliquer que les politiciens nous rackettent.

– Écoute, dit la Mangouste en haussant la voix. Tu viens juste de rentrer d'Amérique. Même ce chauffeur en sait davantage sur l'Inde que toi. Nous avons besoin d'un combinard. Il nous obtiendra une entrevue avec le ministre concerné. C'est ainsi que ça fonctionne à Delhi. »

La Mangouste se pencha et posa une main sur mon épaule. « Encore perdu ? Tu crois que tu pourras retrouver le chemin de la maison sans te tromper dix fois ? » Il poussa un soupir et retomba en arrière. « Pourquoi a-t-on amené cet abruti à Delhi ? Il est nul. Ram Bahadur s'est totalement mépris à son sujet. Ashok ?

— Mmm ?

— Lâche ce téléphone une minute. Tu as dit à Pinky que tu restais ici pour de bon ?

— Mmm... Oui.

— Qu'a répondu la princesse ?

— Ne l'appelle pas comme ça. Pinky est ta belle-sœur, Mukesh. Elle sera heureuse à Gurgaon. C'est le quartier le plus américain de la ville. »

Sur ce point, M. Ashok avait raison. On raconte que, il y a encore dix ans, Gurgaon n'était peuplé que de buffles et de gras fermiers pendjabis. Aujourd'hui, c'est le quartier le plus moderne de Delhi. American Express, Microsoft, toutes les grandes compagnies américaines y ont leur siège. L'avenue principale est bordée de galeries marchandes, chacune avec un cinéma ! Donc, si Pinky Madam s'ennuyait de son pays, c'était l'endroit idéal.

« Quel crétin ! pesta la Mangouste. Tu as vu ? Il s'est encore perdu. » Il se pencha pour me donner une claque sur la tête. « Tourne à gauche à la fontaine, idiot ! Tu ne sais pas retrouver le chemin à partir d'ici ? »

Je commençai à m'excuser, mais une voix derrière moi m'interrompit.

«Ce n'est rien, Balram. Ramène-nous à la maison par où tu veux.

— Tu vois, tu le défends encore!

— Mets-toi à sa place. Imagine combien Delhi doit lui paraître compliqué. Comme New York pour moi quand j'y suis arrivé la première fois.»

La Mangouste passa à l'anglais. Je ne saisis pas un mot. Mais M. Ashok poursuivit en hindi.

«Pinky pense la même chose. C'est le seul point sur lequel vous êtes d'accord. Pas moi, Mukesh. À Delhi, on ne sait jamais qui est qui. Lui, au moins, on peut lui faire confiance. Il vient de chez nous.»

À cet instant, je jetai un coup d'œil dans le rétroviseur et croisai le regard de M. Ashok qui m'observait. Je lus dans les yeux de mon maître une émotion très inattendue.

La pitié.

«Combien ils te paient, Rat-des-Champs?

— Assez bien. Je suis content.

— Tu ne veux rien dire, hein? Brave garçon. Serviteur loyal jusqu'au bout. Tu te plais à Delhi?

— Oui.

— Ha! Ne mens pas, lèche-cul. Je sais que tu es complètement paumé ici. Tu dois avoir horreur de cette ville!»

Il voulut poser la main sur moi. Je reculai. L'homme avait une maladie de peau: un vitiligo qui avait fait de ses lèvres une tache rose clair au milieu de son visage noir. Une précision, monsieur, à propos de ce vitiligo qui affecte un grand nombre de mes concitoyens. J'ignore pourquoi on l'attrape, mais une fois, qu'on l'a, la peau se met à rosir. Dans neuf cas sur dix, ce sont quelques points rose vif sur le nez ou les joues, comme une étoile explosant sur le visage, ou bien une éruption sur le bras, comme lorsqu'on se brûle avec de l'eau bouillante. Mais il arrive parfois que le corps entier change de couleur ; quand vous croisez quelqu'un atteint de vitiligo, vous le prenez pour un Américain. Vous le dévisagez, bouche bée, vous avez envie de l'approcher pour le toucher. Et puis vous comprenez que c'est un de vos compatriotes, affligé de cette vilaine maladie.

Dans le cas du chauffeur, la dépigmentation affectait entièrement et uniquement ses lèvres ; il avait l'air d'un clown de cirque à la bouche peinturlurée. Mon estomac se révulsait à la seule vue de son visage. Pourtant il était le seul, parmi les chauffeurs, à se montrer amical à mon égard, aussi je restais près de lui.

Nous étions devant le « mall », la galerie marchande. Nous – c'est-à-dire une douzaine de chauffeurs – qui attendions que nos maîtres aient terminé leurs emplettes. Bien entendu, nous n'étions pas autorisés à entrer dans le centre commercial, inutile de nous le préciser. Nous formions un cercle sur le côté du parking ; nous fumions et bavardions. De temps à autre, l'un d'entre nous crachait un jet de salive rouge.

Étant lui-même issu des Ténèbres – il avait aussitôt deviné mes origines – le chauffeur aux lèvres dépigmentées me donna un cours sur l'art et la manière de survivre à Delhi et de ne pas être renvoyé dans les Ténèbres sur le toit d'un bus.

« La première chose à savoir sur Delhi est que les routes sont bonnes et les gens mauvais. La police est pourrie jusqu'à la moelle. Si un flic t'aperçoit sans ceinture de sécurité, tu devras lui donner un bakchich de cent roupies. Nos maîtres ne sont pas meilleurs. Quand ils vont à une soirée, pour nous c'est l'enfer. Tu dors dans la voiture et les moustiques te dévorent. Si ce sont des moustiques à malaria, ça va ; tu délires seulement pendant deux semaines. Mais si ce sont des moustiques à dengue, alors tu es vraiment dans la merde ; tu as de grandes chances d'en mourir. À deux heures du matin, ton maître revient et tambourine contre la vitre en gueulant. Il empeste la bière, il rote et il pète dans la voiture pendant tout le trajet de retour. En janvier, il fait très froid. Si tu sais que leur soirée va se prolonger, emporte une couverture pour te tenir chaud. Ça protège aussi des moustiques. Et comme tu t'ennuies à crever à attendre dans la voiture – j'ai connu un chauffeur que l'attente a rendu fou – il te faut un peu de lecture. Tu sais lire, j'espère ? Parfait. Voilà ce que je conseille comme lecture. Il n'y a rien de mieux. »

Il me tendit un magazine à la couverture accrocheuse : une femme en petite tenue, allongée sur un lit, qui se recroqueville devant l'ombre d'un homme.

Murder Weekly
4,50 roupies
Une histoire vraie en exclusivité :
« On ne gaspille jamais un bon cadavre »
Meurtre. Viol. Vengeance.

Laissez-moi vous parler de cet hebdomadaire à sensation, car notre Premier ministre ne vous en dira sûrement pas un mot. Il est vendu dans les kiosques à journaux de la ville, à côté des romans bon marché, et il est très apprécié de tous les domestiques, qu'ils soient cuisiniers, bonnes d'enfants, jardiniers. Ou chauffeurs. Chaque semaine, quand un nouveau numéro paraît, avec en couverture l'image d'une femme reculant devant son assassin supposé, un chauffeur l'achète aussitôt et le fait circuler parmi ses collègues.

Mais que cela ne vous inquiète pas, monsieur le Premier

ministre : il n'y a aucune raison de laisser la sueur perler sur votre jaune front. Le fait que les chauffeurs et les cuisiniers de Delhi lisent *Murder Weekly* ne signifie pas que tous s'apprêtent à trancher la gorge de leur maître. Évidemment, ça leur plairait. Évidemment, un milliard de serviteurs rêvent secrètement d'étrangler leur patron. C'est la raison pour laquelle le gouvernement indien publie ce magazine et le vend dans les rues pour la modique somme de quatre roupies cinquante afin que même les pauvres puissent l'acheter. Voyez-vous, l'assassin y est présenté comme un être tellement perturbé, mentalement et sexuellement, que personne ne souhaite lui ressembler. Et il finit toujours par se faire prendre par un officier de police honnête et travailleur (ha !), ou bien il devient fou et se pend à l'aide d'un drap après avoir écrit une lettre affectueuse à sa mère ou à son instituteur d'école primaire, ou encore il est pourchassé, battu, sodomisé et étranglé par le frère de la femme qu'il a liquidée. Donc, si votre chauffeur feuillette les pages de *Murder Weekly*, détendez-vous. Vous ne courez aucun danger. Au contraire.

C'est lorsque votre chauffeur lit des textes sur Gandhi ou le Bouddha qu'il faut commencer à mouiller votre culotte, M. Jiabao.

«Vitiligo», l'homme aux lèvres roses, referma le magazine et le lança au milieu du cercle des chauffeurs, lesquels se ruèrent dessus comme des chiens sur un os. Il bâilla et me regarda.

«Comment il gagne sa vie, ton patron, Rat-des-Champs?

– Je ne sais pas.

– Tu es loyal ou stupide? D'où il vient?

– Dhanbad.

– Donc, il est dans le charbon. Et probablement venu à Delhi pour soudoyer quelques ministres. C'est un secteur pourri, le charbon.» Il bâilla à nouveau. «J'ai été chauffeur d'un type qui vendait du charbon. Sale business. Mon patron actuel est dans l'acier. À côté de lui, les marchands de charbon ont l'air de petits saints. Où il habite?»

Je lui indiquai le nom de notre résidence.

«Mon maître aussi habite là! Nous sommes voisins, Rat-des-Champs!»

Il se glissa vers moi. Sans m'écarter – ce qui aurait été grossier – je pivotai autant que possible pour m'éloigner de ses lèvres.

«Dis donc, Rat-des-Champs, est-ce que...» Il jeta un regard circulaire et baissa la voix. «Est-ce que ton patron a besoin de quelque chose?

– C'est-à-dire?

– Est-ce qu'il aime le vin étranger? J'ai un ami qui travaille comme chauffeur dans une ambassade. Il a des contacts. Tu connais l'arnaque du vin de l'ambassade?»

Je secouai la tête.

«Je t'explique la combine. À cause des taxes, le vin d'importation est très cher à Delhi. Mais les ambassades le reçoivent gratuitement. Et, au lieu de le boire, le personnel le revend au marché noir. Je peux lui procurer d'autres articles. Ça lui plairait des balles de golf? Je connais quelqu'un au consulat américain qui peut m'en fourguer. Des femmes? Je peux lui en trouver aussi. S'il préfère les garçons, pas de problème.

– Mon maître n'aime pas ce genre de choses. C'est un homme bien.»

Les lèvres roses esquissèrent un sourire.

«Ils le sont tous, non?»

Il se mit à siffloter une mélodie de film hindi. L'un des chauffeurs avait commencé à lire à voix haute un article du magazine. Les autres se taisaient.

J'observai un moment la galerie marchande. Puis je me tournai vers le chauffeur au vitiligo :

« J'ai une question à te poser.

– Pose-la. Tu sais que je ferais n'importe quoi pour toi, Rat-des-Champs.

– Cet immeuble, qu'ils appellent un "mall", celui avec les affiches montrant des femmes, c'est pour le shopping, hein ?

– Oui.

– Et celui-là ? » Je lui indiquai un immeuble tout en verre à notre gauche. « C'est aussi une galerie marchande ?

– Non, Rat-des-Champs. C'est un immeuble de bureaux. De là, ils passent des appels téléphoniques en Amérique.

– Quel genre d'appels téléphoniques ?

– Je ne sais pas. La fille de mon patron travaille dans un de ces immeubles. Je la dépose à huit heures du soir et elle en sort à deux heures du matin. Je sais qu'elle gagne plein de fric parce qu'elle passe ses journées à faire du shopping. » Il se rapprocha, ses lèvres roses à quelques centimètres de moi. « Entre nous, je trouve ça un peu curieux des filles qui entrent dans des immeubles le soir et qui en sortent à l'aube avec plein d'argent. » Il cligna de l'œil et ajouta : « Une autre question, Rat-des-Champs ? Tu es un drôle de gars. »

Il montra du doigt une jeune fille qui sortait de la galerie marchande.

« Elle te plaît, celle-là, Rat-des-Champs ? »

Je rougis et demandai :

« Dis-moi, est-ce que les femmes des villes ont des poils sous les bras et sur les jambes comme celles de nos villages ? »

Une demi-heure plus tard, Mukesh Sir, M. Ashok et Pinky Madam réapparurent, chargés de sacs. Je me précipitai à leur rencontre pour prendre les emplettes et les mis dans le coffre de la voiture, puis je sautai derrière le volant et les ramenai à leur nou-

velle demeure, au treizième étage d'un immeuble gigantesque :
le Buckingham Towers Bloc B, lequel avait pour voisin le Wind-
sor Manor Bloc A. Des immeubles similaires, flambant neufs et
étincelants, baptisés de grands et nobles noms anglais, il y en avait
à perte de vue. Le Buckingham Towers était l'un des plus beaux,
avec son vaste hall et son ascenseur qui nous hissa au treizième
étage.

Personnellement, je n'aimais pas beaucoup l'appartement, qui
aurait pu tenir tout entier dans la cuisine de la maison de Dhanbad. Le salon était meublé de jolis sofas blancs et moelleux.
Au-dessus des sofas, le mur s'ornait d'une grande photo enca-
drée de Câlin et Caresse. La Cigogne n'avait pas autorisé les
chiens à nous accompagner en ville.

Je ne supportais pas la vue de ces créatures, même en photo,
et je gardais les yeux baissés sur la moquette tout le temps que je
restais dans le salon, ce qui avait l'avantage de me donner l'air
d'un serviteur pucca, traditionnel et stylé.

« Pose les sacs où tu veux, Balram, dit M. Ashok.

– Non, pose-les à côté de la table, rectifia la Mangouste. Ici. »

J'obéis puis me rendis dans la cuisine voir s'il y avait du
ménage à faire ; un domestique était chargé de l'entretien de l'appartement, mais c'était un garçon négligé et, comme je l'ai déjà
dit, je n'étais pas un chauffeur mais un serviteur conduisant la
voiture à l'occasion. Je savais, sans qu'on m'en donne l'ordre, que
je devais aussi m'occuper de l'appartement. Je fis ce qu'il y avait
à faire, puis allai me poster près de la porte, bras croisés, et
attendis que Mukesh Sir me libère.

« Tu peux t'en aller, maintenant. Tiens-toi prêt à huit heures
demain matin. Et pas de bêtises sous prétexte que nous sommes
en ville, compris ? »

Je pris l'ascenseur, sortis de l'immeuble et descendis l'escalier qui menait aux quartiers des domestiques, au sous-sol.

Je ne sais pas comment les édifices sont conçus dans votre pays, mais en Inde, chaque immeuble d'habitation, chaque maison, chaque hôtel, possède un logement réservé au personnel – parfois à l'arrière, parfois (comme c'était le cas au Buckingham Towers) en sous-sol –, un labyrinthe de pièces communicantes où tous les chauffeurs, cuisinières, balayeurs, bonnes et chefs peuvent se reposer, dormir et attendre. Lorsque nos maîtres avaient besoin de nous, une cloche électrique retentissait, et chacun se précipitait vers le tableau d'appel où un voyant rouge clignotait à côté du numéro de l'appartement demandeur.

Je descendis deux volées de marches et poussai la porte.

Mon entrée fut accueillie par des hurlements de rire.

Le chauffeur au vitiligo était là. De tous, c'était lui qui riait le plus fort. Il leur avait répété la question que je lui avais posée et ils n'arrivaient pas à surmonter leur hilarité. Chacun à son tour s'approcha de moi pour m'ébouriffer les cheveux, me traiter d'idiot du village et m'assener de grandes claques dans le dos.

Les domestiques adorent maltraiter leurs congénères. Nous sommes dressés pour cela, comme les bergers allemands pour attaquer les étrangers.

À partir de ce jour, je décidai de ne plus rien confier de mes pensées à quiconque. Surtout pas à un collègue.

Les railleries me poursuivirent toute la soirée, et même la nuit, dans le dortoir. Quelque chose dans mon visage, mon nez, mes dents, je ne sais quoi, leur tapait sur les nerfs. Ils se moquaient aussi de mon uniforme. Voyez-vous, en ville, les chauffeurs ne portent pas d'uniforme. Ils disaient que j'avais l'air d'un singe. Je troquai donc mon uniforme contre une chemise sale et un pantalon identiques aux leurs, mais les moqueries persistèrent.

Le matin, je demandai à un de mes voisins du dortoir :

«Il n'y a pas un endroit où on peut dormir seul?

— Si. Il y a une chambre vide, tout au fond, mais personne n'en veut. Qui a envie de vivre seul?»

La pièce était affreuse. Le sol était brut et les murs enduits d'un plâtre de mauvaise qualité où apparaissaient les traces de la main qui l'avait appliqué. Il y avait un petit lit branlant, tout juste assez grand pour moi, avec une moustiquaire posée dessus.

Cela ferait l'affaire.

Dès la deuxième nuit, je désertai le dortoir pour m'installer dans la chambre. Je balayai le sol, fixai la moustiquaire au mur avec quatre clous, et m'endormis. Au milieu de la nuit, je compris pourquoi la moustiquaire était restée là. Des bruits me réveillèrent. Le mur était couvert de cafards venus se nourrir des minéraux ou du calcaire contenus dans le plâtre ; leur mastication produisait un son continu, et leurs antennes vibraient. Certains atterrissaient sur le haut de la moustiquaire ; de l'intérieur, je distinguais leurs corps noirs se dessinant sur le tulle blanc. Je repliai un endroit du tissu pour en écraser un. Les autres n'y prêtèrent aucune attention ; ils continuèrent de s'échouer sur la moustiquaire et de se faire écraser. L'idée me vint que toutes les personnes qui vivent en ville devenaient peut-être aussi lentes et stupides que ces cancrelats. Je souris et me rendormis.

«La nuit a été bonne avec les cafards?» plaisantèrent les autres lorsque j'allai dans les toilettes collectives.

Toute velléité de réintégrer le dortoir me quitta d'un coup. La pièce était peuplée de blattes, mais elle était à moi et personne ne m'y narguait. Il y avait cependant un inconvénient : la sonnerie ne parvenait pas jusqu'à ma chambre, mais je ne tardai pas à découvrir que c'était plutôt un avantage.

Le matin, après avoir attendu mon tour aux toilettes communes, au lavabo commun, puis à la salle de bains commune, je montai quelques marches et poussai la porte du garage pour rejoindre l'emplacement réservé de la Honda City. La voiture avait besoin d'être nettoyée avec un chiffon doux et humide, à l'intérieur comme à l'extérieur, et il fallait placer un bâton d'encens sur le tableau de bord devant la statuette de Lakshmi, la déesse de la fortune : l'encens offrait le double avantage de chasser les moustiques qui s'étaient infiltrés pendant la nuit et de diffuser une senteur de religion. J'essuyai les sièges recouverts d'un cuir somptueux, les cadrans, les trois autocollants représentant la déesse Kali, que j'avais fixés sur le tableau de bord pour remplacer ceux de Ram Persad, et enlevai les tapis de sol pour en secouer la poussière. Il y avait, suspendu au rétroviseur par une chaînette, un petit ogre en peluche tirant une langue rouge, qui était censé porter bonheur ; la Cigogne aimait le voir se balancer pendant que nous roulions. Je boxai l'ogre avant de l'épousseter. Ensuite, je vérifiai la boîte de mouchoirs en papier située à l'arrière : le coffret était sculpté et doré, à la manière d'un luxueux objet royal, bien qu'il fût en simple carton. Je m'assurai qu'il était suffisamment rempli. Pinky Madam en usait des dizaines à chaque sortie, à cause de la pollution de Delhi, disait-elle. Et j'enlevai les mouchoirs usagés, froissés en boule à côté de la boîte.

Le haut-parleur du garage grésilla, et une voix provenant du hall annonça : «Chauffeur Balram. Veuillez vous présenter à l'entrée principale avec la voiture.»

Je sautai aussitôt au volant de la Honda City, gravis la rampe du garage, et découvris le soleil pour la première fois de la journée.

Les deux frères, vêtus de costumes élégants, bavardaient

devant l'entrée de l'immeuble. En prenant place dans la voiture, la Mangouste me lança :

« Au siège du parti du Congrès, Balram. Nous y sommes allés l'autre jour, j'espère que tu te souviens du chemin. »

Je serai à la hauteur aujourd'hui, monsieur, répondis-je en silence.

Heure de pointe à Delhi : voitures, scooters, autorickshaws et taxis noirs se disputent la chaussée. La pollution est telle que les hommes à moto ou à scooter portent un tissu sur le bas du visage : chaque fois que vous stoppez à un feu rouge, vous voyez une rangée de personnages dissimulés derrière des lunettes et un masque noirs. On dirait qu'un hold-up a lieu dans toute la ville.

Les masques ont leur utilité ; l'air est paraît-il si pollué à Delhi qu'il réduit de dix ans la vie d'un homme. Bien sûr, ceux qui roulent en voiture n'ont pas à respirer la puanteur extérieure : nous avons droit à un air frais, propre et conditionné. Avec leurs vitres teintées, les automobiles des riches ressemblent à des œufs noirs. De temps à autre, un œuf se fissure : une main de femme, tout étincelante de bracelets d'or, en surgit pour jeter une bouteille d'eau minérale vide sur la chaussée – puis la vitre remonte et l'œuf se referme.

Je roulais au volant de mon propre œuf noir dans le cœur de la ville. À ma gauche : les dômes du palais présidentiel, où se traitent toutes les affaires importantes du pays. Quand la pollution est à son comble, le bâtiment est invisible de l'avenue. Mais, ce jour-là, il resplendissait.

En dix minutes, j'atteignis le siège du parti du Congrès. L'endroit est facile à trouver grâce aux deux ou trois affiches géantes de Sonia Gandhi placardées devant en permanence.

J'arrêtai la voiture et bondis pour ouvrir la portière de M. Ashok et de la Mangouste. En descendant, M. Ashok me dit :

« Nous serons de retour dans une demi-heure. »

Cela me troubla. À Dhanbad, jamais ils ne me disaient quand ils reviendraient. Bien entendu, cela ne signifiait rien. Leur absence pouvait durer deux ou trois heures. Mais c'était une forme de courtoisie qu'ils semblaient se faire un devoir de respecter depuis leur arrivée à Delhi.

Un groupe de paysans approcha du siège du parti. On les refoula. Quelques cris fusèrent, puis le groupe s'en alla. Peu après, une camionnette de la télévision se présenta à son tour devant la grille et klaxonna. On la laissa aussitôt entrer.

Je bâillai. Je donnai un coup de poing en plein dans la gueule rouge du petit ogre noir, qui oscilla d'avant en arrière. Je tournai la tête à droite, à gauche.

J'examinai l'affiche de Sonia Gandhi. Sur la photo, elle levait la main. On aurait dit qu'elle me saluait. Je répondis d'un geste à son salut.

Je bâillai, fermai les yeux, m'affaissai sur mon siège. J'entrouvris un œil, contemplai l'autocollant de la déesse Kali : une déesse féroce à la peau noire, tenant un cimeterre et une guirlande de crânes humains. Je me promis de changer l'autocollant. Kali ressemblait trop à ma grand-mère.

Deux heures plus tard, les frères revinrent.

« Au palais présidentiel, Balram. En haut de la colline. Tu connais l'endroit ?

– Oui, monsieur. Je sais où c'est. »

J'avais maintenant vu la plupart des sites célèbres de Delhi – le Parlement, le Jantar Mantar, le minaret du Qutab – mais je n'étais encore jamais allé au plus important de tous, le palais présidentiel. Je pris la direction de Raisina Hill, gravis la colline jusqu'au sommet, faisant halte chaque fois qu'un garde levait la main pour vérifier l'intérieur du véhicule, et m'arrêtai devant l'un des édifices coiffés d'un immense dôme.

« Attends dans la voiture, Balram. Nous serons de retour dans trente minutes. »

Pendant la première demi-heure, je fus bien trop effrayé pour oser sortir de la Honda. Enfin, j'ouvris la portière, descendis, et jetai un regard circulaire. Quelque part à l'intérieur de ces dômes et de ces tours, les grands personnages du pays – le Premier ministre, le président, les ministres d'État et les hauts fonctionnaires – discutaient de sujets importants, les consignaient, apposaient des tampons sur les documents. L'un d'eux s'exclamait : « Voilà cinq cents millions de roupies pour le barrage ! » et un autre : « Parfait, alors attaquons le Pakistan ! »

J'avais envie de sautiller en criant : « Balram est là, lui aussi ! Balram est au palais présidentiel ! »

Je rentrai dans la voiture pour éviter de commettre un acte stupide et de me faire arrêter.

Le soir tombait quand les frères réapparurent. Un gros homme les accompagnait. Il leur parla un moment près de la voiture, puis leur serra la main et nous adressa des signes d'adieu.

M. Ashok avait la mine sombre et maussade. La Mangouste m'ordonna de regagner directement l'appartement.

« Et sans te tromper, compris ?

– Oui, monsieur. »

Leur silence me déconcertait. Moi, si j'avais été reçu dans le palais présidentiel, j'aurais baissé ma vitre pour le crier à la terre entière !

« Regarde, Mukesh, dit M. Ashok.

– Quoi ?

– La statue. »

C'était une grande statue de bronze figurant un groupe

d'hommes : une statue très connue, que l'on vous montrera certainement, monsieur Jiabao. Elle représente le Mahatma Gandhi, sa canne à la main, menant le peuple de l'Inde des ténèbres vers la lumière.

La Mangouste lorgna la statue.

« Quoi ? Je la connais.

– Nous passons devant Gandhi alors que nous venons à l'instant de soudoyer un ministre. Une belle saloperie, tu ne trouves pas ?

– On croirait entendre ta femme. Je n'aime pas les grossièretés. Ce n'est pas dans nos traditions. »

Mais M. Ashok était trop enflammé pour se calmer.

« Notre système politique est une putain de fumisterie, et je continuerai de le dire aussi longtemps que je vivrai.

– Les choses sont compliquées en Inde, Ashok. Ce n'est pas comme en Amérique. Réserve ton jugement, je t'en prie. »

Il y avait un embouteillage monstrueux sur le chemin de Gurgaon. Toutes les cinq minutes, le flot frémissait, nous avancions d'un pas, l'espoir naissait, puis les feux arrière des voitures s'allumaient et le flot se figeait à nouveau. Tout le monde klaxonnait. De temps à autre, les timbres différents des klaxons se fondaient en un gémissement continu qui évoquait un veau arraché à sa mère. Les vapeurs d'essence gorgeaient l'atmosphère. Les volutes bleutées des gaz d'échappement vibraient devant les phares ; la couche devenait si dense qu'elle ne parvenait pas à s'échapper et flottait à l'horizontale, stagnante et luisante comme une nappe de brume. Et les conducteurs d'autorickshaws, grillant cigarette sur cigarette, ajoutaient le tabac au gaz carbonique.

Un homme menant un char à bœufs s'était immobilisé devant nous : un amoncellement de bidons d'huile de moteur vides de plus de quatre mètres était ficelé sur le char. Pauvre buffle! Tirer toute cette charge en respirant cet air vicié!

Le conducteur d'un autorickshaw qui stationnait à côté de moi fut pris d'une violente quinte de toux : il tourna la tête et cracha trois fois de suite. Un peu de salive dégoulina sur la carrosserie de la Honda City. Je le foudroyai du regard et brandis le poing. Il eut un mouvement de recul et s'inclina en signe d'excuse.

«On se croirait dans un concert de crachats!» s'exclama M. Ashok.

Je réprimai l'envie de lui répondre que, s'il respirait cette infection, lui aussi aurait besoin de cracher.

Le flot de voitures s'ébranla de nouveau, gagna trois mètres, s'arrêta.

«Il paraît qu'à Pékin ils ont une douzaine de boulevards circulaires. Ici, nous n'en avons qu'un, remarqua M. Ashok. Pas étonnant que la circulation soit bloquée en permanence. Rien n'est planifié. Comment veux-tu que nous rattrapions les Chinois?»

(À ce propos, monsieur Jiabao, est-il vrai que vous ayez douze boulevards circulaires à Pékin? Bravo.)

Les réverbères pâlots éclairaient les trottoirs; dans leur faible lumière orangée, je distinguais des multitudes de petites silhouettes maigres et crasseuses accroupies, qui attendaient qu'un bus les emporte quelque part, ou bien, n'ayant aucun endroit où aller, qui s'apprêtaient à dérouler un matelas pour dormir là. Ces pauvres bougres étaient venus des Ténèbres à Delhi pour trouver un peu de lumière, mais ils restaient confinés dans l'obscurité. Ils semblaient être des centaines, de chaque côté de la route, parfaitement indifférents à la circulation. Avaient-ils même conscience des embouteillages? Nous étions comme deux villes distinctes. L'intérieur et l'extérieur de l'œuf noir. Je savais que j'étais du bon côté, dans la bonne ville. Mon père, lui, s'il vivait encore, serait assis sur ce trottoir, occupé à cuire un peu de gruau de riz pour le dîner, avant de se préparer à passer la nuit sous un réverbère. Je ne pouvais m'empêcher de penser à lui, et de reconnaître ses traits et sa silhouette dans tous les mendiants que j'apercevais. D'une certaine manière, bien qu'assis à l'intérieur de l'œuf, j'étais moi aussi à l'extérieur.

Après une heure de passage forcé à travers l'encombrement, j'arrivai enfin devant le Buckingham Towers. Mais mon supplice n'était pas terminé.

En descendant de la voiture, la Mangouste palpa ses poches, sembla un instant perplexe, et annonça :

« J'ai perdu une roupie. »

Il se tourna vers moi et claqua des doigts.

« Mets-toi à genoux et regarde sur le sol de la voiture. »

J'obéis, reniflant comme un chien entre les tapis à la recherche de cette roupie. En vain.

« Comment ça, elle n'est pas là ? s'écria la Mangouste. N'imagine pas que tu vas pouvoir nous voler parce que nous sommes à Delhi. Je veux cette roupie.

– Mukesh, nous venons de verser un pot-de-vin d'un million de roupies, fit observer M. Ashok. On ne va pas torturer ce garçon pour une malheureuse pièce. Viens, allons boire un scotch.

– C'est ainsi qu'on corrompt les domestiques. Ça commence avec une roupie. Je t'en prie, Ashok, ne rapporte pas tes coutumes américaines ici. »

Où avait disparu cette roupie ? Cela demeure pour moi un mystère aujourd'hui encore, monsieur le Premier ministre. Finalement, je sortis une pièce de ma poche, feignis de la ramasser sous un siège, et la remis à la Mangouste.

« La voici, monsieur. Pardonnez-moi d'avoir mis si longtemps à la trouver ! »

Un air de ravissement enfantin éclaira le visage sombre du maître. Il prit la pièce et émit un bruit de tétée, comme si c'était la meilleure chose de la journée qui lui fût arrivée.

Je pris l'ascenseur avec eux, au cas où il y aurait du travail pour moi dans l'appartement.

Pinky Madam regardait la télévision, assise sur le sofa. Dès notre entrée, elle annonça : « J'ai déjà dîné. » Elle éteignit le poste et disparut dans une autre pièce. La Mangouste déclara qu'il n'avait pas faim. M. Ashok devrait donc dîner seul. Il me demanda de lui réchauffer des légumes.

Avant de me retirer dans la cuisine, je lui jetai un rapide coup d'œil. Il était au bord des larmes.

Quand vous êtes chauffeur, vous ne voyez jamais le tableau en entier. Seulement des éclairs, des aperçus, des bribes, et, juste au moment où vos maîtres abordent le point crucial de la conversation, vous ratez la chute. Toujours.

Un crétin en Jeep blanche manque vous percuter alors que vous essayez de doubler un véhicule placé sur le mauvais côté de la route. Vous faites une embardée, vous lancez un regard noir au crétin, vous le maudissez (en silence), et, lorsque vous pouvez enfin reprendre le fil de votre espionnage, la conversation sur la banquette arrière a évolué et la fin de la phrase vous a échappé.

Je savais que quelque chose n'allait pas, mais je n'avais pas mesuré la gravité de la situation jusqu'au jour où M. Ashok me dit :

« Tu iras déposer M. Mukesh à la gare, Balram.

– Bien, monsieur. »

J'hésitai, me retenant de demander : *Seulement lui ?*

Cela signifiait-il que la Mangouste repartait pour de bon ? Que Pinky Madam, avec ses claquements de portes et ses remarques acerbes, avait réussi à se débarrasser de lui ?

À six heures, le soir, je pris les deux frères devant la porte et les conduisis à la gare. Pinky Madam ne les accompagnait pas.

Je portai les bagages de la Mangouste jusqu'à son compartiment, puis j'allai au buffet acheter un dosa enveloppé dans un papier : sa collation préférée quand il prenait le train. Je défis le papier pour ôter les pommes de terre et les jetai sur les rails ; les patates le faisaient péter et il détestait cela. Un serviteur connaît l'appareil digestif de son maître d'un bout à l'autre, de la bouche à l'anus.

La Mangouste me dit :

« Attends, j'ai des instructions à te donner. »

Je m'accroupis dans un coin du compartiment.

« Balram, tu n'es plus dans les Ténèbres.

– Oui, monsieur.

– Il y a des lois, à Delhi.

– Oui, monsieur.

– Tu connais ces statues en bronze de Gandhi et de Nehru qu'on voit partout ? Eh bien, la police a placé des caméras à l'intérieur pour surveiller les voitures. Ils voient tout ce que tu fais. Tu as compris ?

– Oui, monsieur. »

Il fronça les sourcils, se demandant sans doute comment poursuivre, puis reprit :

« Tu dois couper la climatisation quand tu es seul dans la voiture.

– Oui, monsieur.

– Et ne pas écouter de musique.

— Oui, monsieur.

— À la fin de la journée, indique le kilométrage pour qu'on s'assure que tu ne conduis pas la voiture pour ton propre usage.

— Oui, monsieur. »

La Mangouste se tourna vers M. Ashok et lui toucha le bras. « Sois attentif à cela, Ashok. Surveille-le en mon absence

M. Ashok jouait avec son portable. Il le posa et répondit : « Le chauffeur est honnête, Mukesh. Il est de Laxmangarh. J'ai vu sa famille. »

Et il se remit à tripoter son téléphone.

« Ne parle pas ainsi, rétorqua la Mangouste. Ne te moque pas de ce que je dis. »

Mais M. Ashok ne prêtait aucune attention à son frère. Il continuait de pianoter sur les touches de son portable.

« Une minute, Mukesh. Je suis en train de parler avec un ami de New York. »

Les chauffeurs aiment à dire que certains hommes sont du type « première vitesse ». M. Ashok en était un exemple probant. Il aimait démarrer les choses mais rien ne retenait longtemps son attention.

En l'observant, je fis deux découvertes presque simultanées. Chacune me laissa admiratif. Tout d'abord, il était possible de « parler » avec un correspondant à New York en appuyant sur des boutons. Les merveilles de la science moderne ne cessent jamais de m'étonner !

Ensuite, je pris conscience que cet homme de haute taille et de large carrure, beau, éduqué à l'étranger, qui deviendrait mon unique maître dans quelques minutes, dès que retentirait le long coup de sifflet sonnant le départ du train pour Dhanbad, était un être faible, désarmé, distrait, et totalement dépourvu des instincts habituels qui coulent dans le sang des grands propriétaires.

À Laxmangarh, on l'aurait sans doute surnommé l'Agneau.

« Pourquoi souris-tu comme un âne ? » me jeta la Mangouste d'un ton cassant. Je plongeai littéralement en avant pour m'excuser.

Ce soir-là, à vingt heures, M. Ashok me fit passer un message par un autre domestique : « Sois prêt dans une demi-heure, Balram. Pinky Madam et moi allons sortir. »

Ils sortirent, en effet, mais deux heures et quarante-cinq minutes plus tard.

Dès l'instant où la Mangouste quitta Delhi, les jupes de Pinky Madam raccourcirent un peu plus.

Quand elle était assise sur la banquette arrière, chaque fois que je devais regarder dans le rétroviseur, je voyais la moitié de ses seins jaillir de son corsage.

Cela me mettait dans une situation très fâcheuse, monsieur. D'une part, je bandais, chose naturelle chez un jeune homme. Mais, d'autre part, si mes maîtres sont pour nous un père et une père, comment peut-on être excité par la femme de son maître ?

J'évitai simplement de regarder dans le rétroviseur. S'il devait y avoir un accident, ce ne serait pas ma faute.

Il vous est peut-être arrivé un jour, monsieur le Premier ministre, alors que vous conduisiez, d'arrêter votre voiture à un feu rouge, de baisser la vitre et de respirer le souffle chaud et hoquetant du pot d'échappement du camion arrêté devant vous. Eh bien, essayez d'imaginer un moteur diesel haletant juste devant votre nez

Moi.

Chaque fois qu'elle apparaissait dans sa robe noire, mon sexe se dressait. Je la détestais de porter cette robe ; mais je détestais plus encore mon sexe de réagir ainsi.

À la fin du mois, je montai à l'appartement et trouvai M. Ashok seul, assis sur le sofa sous la photo des loulous de Poméranie.

« Monsieur ?

— Oui ? Qu'y a-t-il, Balram ?

— Ça fait un mois, monsieur.

— Et alors ?

— Heu... mes gages, monsieur.

— Ah oui. Trois mille, c'est ça ? »

Il sortit son portefeuille gonflé de billets et en détacha trois qu'il jeta sur la table. Je les ramassai et saluai. Quelques bribes des recommandations de son frère devaient lui rester en mémoire car il me demanda :

« Tu en envoies bien une partie chez toi, n'est-ce pas, Balram ?

— La totalité, monsieur. Je garde juste de quoi manger et boire ici. Je leur donne le reste.

— Bien, Balram. Bien. C'est important la famille. »

À dix heures, ce soir-là, j'allai jusqu'au marché, au coin du Buckingham Towers. C'était la dernière échoppe de l'allée. Sur l'enseigne, de grosses lettres en hindi indiquaient :

VINS ET SPIRITUEUX ANGLAIS « ACTION »

ALCOOL DE FABRICATION INDIENNE

Il y régnait l'ambiance de guerre civile habituelle à cette heure. Les clients cherchaient à se frayer un passage jusqu'aux vendeurs, les mains tendues et braillant à tue-tête. Les employés n'entendaient pas un mot dans tout ce vacarme et se trompaient dans les commandes, ce qui engendrait encore plus de hurlements et d'échauffourées. Je jouai des coudes, arrivai au comptoir et

abattis mon poing dessus en beuglant : «Whisky! Le moins cher!
Service immédiat... sinon ça va cogner!»

Il me fallut un quart d'heure pour obtenir ma bouteille. Je la
fourrai dans mon pantalon – je n'avais pas le choix – et regagnai
ma chambre.

«Balram, tu as pris ton temps.

– Pardon, madame.

– Tu as mauvaise mine, Balram. Ça va?

– Oui, madame. J'ai mal à la tête. J'ai mal dormi, cette nuit.

– Prépare-moi un thé. J'espère que tu cuisines mieux que tu
ne conduis?

– Oui, madame.

– Alors va.»

Je n'avais aucune idée de ce qu'elle voulait, mais au moins ses
seins étaient couverts, et c'était un soulagement.

Je remplis la bouilloire et commençai à faire le thé. Au
moment où l'eau se mettait à frémir, un parfum envahit la
cuisine. Pinky Madam se tenait sur le seuil et m'observait.

Le whisky de la veille me cognait dans la tête. J'avais mâché
des graines d'anis toute la matinée pour assainir mon haleine,
mais je n'étais pas sûr de moi et je me détournai prudemment
en lavant un morceau de gingembre sous le robinet.

«Que fais-tu? demanda-t-elle.

– Je lave du gingembre, madame.

– Avec ta main droite. Mais avec ta main gauche, que fais-tu?

– Pardon, madame?»

Je baissai les yeux.

«Cesse de te gratter l'aine!

– J'arrête, madame. Ne vous mettez pas en colère.»

Trop tard. Elle était furieuse et vociféra :

« Tu es répugnant ! Regarde-toi ! Regarde tes dents ! Regarde tes vêtements ! Tu as la bouche rouge de bétel et des taches rouges sur ta chemise. C'est dégoûtant ! Va-t'en ! Nettoie le bazar que tu as fait dans la cuisine et fiche le camp ! »

Je rangeai le morceau de gingembre dans le réfrigérateur, éteignis la bouilloire et descendis au sous-sol.

Je me plantai devant le miroir du cabinet de toilette collectif et ouvris la bouche. Mes dents étaient rouges, noircies, cariées par le pâan. Je me rinçai la bouche, mais les lèvres restèrent rouges.

Elle avait raison. Le pâan que je chiquais depuis des années – comme mon père, comme Kishan et toutes les personnes que je connaissais – colorait mes dents et rongeait mes gencives.

Le lendemain soir, M. Ashok et Pinky Madam sortirent de l'immeuble en se disputant, montèrent dans la voiture en se disputant, et continuèrent de se disputer sur l'avenue principale de Gurgaon.

« Nous allons au "mall", monsieur ? » demandai-je dès qu'ils se turent.

Pinky Madam lâcha un rire bref et aigu.

Je m'attendais à ce genre de réaction de sa part à elle, mais pas à lui. Pourtant il joignit son rire au sien.

« On ne prononce pas *maal* mais mall, dit-il. Répète, Balram. »

Impossible. Je continuai de prononcer *maal*, et eux continuaient de me demander de répéter et s'esclaffaient. À la fin, leurs mains s'étreignirent de nouveau. Quelque chose de bon était né de mon humiliation, et cela, au moins, me rendit heureux.

Ils descendirent de la voiture, claquèrent la portière, et s'éloignèrent vers la galerie marchande. Un gardien les salua et les portes vitrées s'ouvrirent pour les avaler.

Je ne quittai pas la Honda. À l'intérieur, je parvenais à mieux me concentrer. Je fermai les yeux.

Mool.

Non, ce n'était pas ça.

Mowl.

Malla.

« Eh ! Rat-des-Champs ! Sors de la voiture et amène-toi ! »

Un petit groupe de chauffeurs étaient accroupis en cercle en bordure du parking. L'un d'eux me hélait en agitant un magazine.

C'était l'homme au vitiligo. J'accrochai un grand sourire sur mes lèvres et le rejoignis.

« Tu as d'autres questions à me poser sur la vie dans la capitale, Rat-des-Champs ? » demanda-t-il, déclenchant l'hilarité générale.

Il posa une main sur mon épaule et chuchota :

« Tu as pensé à ce que j'ai dit, mon poussin ? Ton maître a besoin de quelque chose ? De la ganja ? Des filles ? Des garçons ? Des balles de golf américaines de première qualité hors taxes ?

– C'est trop tôt », intervint un autre. Assis sur ses talons, il faisait osciller le trousseau de clés de la voiture de son maître comme un jeune garçon fait avec un jouet. « Il débarque tout frais de son village. Laisse d'abord la ville le corrompre un peu. »

Il ouvrit *Murder Weekly* et se mit à lire à haute voix. Les bavardages se turent. Tous les chauffeurs se rapprochèrent.

« C'était une nuit pluvieuse. Allongé sur son lit, l'haleine gorgée de whisky, Vishal regardait par la fenêtre. La femme de la maison voisine était rentrée et s'apprêtait à enlever sa... »

Vitiligo s'écria : « Regardez là-bas ! Ça recommence ! »

Agacé par l'interruption, l'homme au magazine poursuivit sa lecture, mais les autres s'étaient levés.

Il venait de se produire un de ces incidents très fréquents au moment du lancement des galeries marchandes. La presse quotidienne les rapportait souvent sous le titre : « Pas de place pour les pauvres dans les centres commerciaux de l'Inde nouvelle. »

Les portes vitrées s'étaient ouvertes, mais l'homme qui voulait entrer en était empêché. Le gardien l'avait arrêté. Il pointait sa matraque vers ses pieds en secouant la tête : l'homme portait des sandales. Comme nous tous. Mais chacun savait que, pour être autorisé à pénétrer dans la galerie marchande, il fallait porter des chaussures.

Au lieu de faire demi-tour et de s'en aller – comme neuf personnes sur dix l'auraient fait – l'homme aux sandales explosa :

« Quoi ! Je ne suis pas un être humain, moi aussi ? »

Il vociférait tellement qu'il en postillonnait ; ses genoux tremblaient. L'un des chauffeurs siffla. Un employé qui balayait l'extérieur de la galerie posa son balai pour observer la scène.

Pendant un moment, l'homme aux sandales parut sur le point de frapper le gardien, puis il se ravisa et tourna les talons.

« Ce type a des couilles, commenta un des chauffeurs. Si nous étions tous comme ça, c'est nous qui dirigerions le pays et eux qui nous cireraient les bottes. »

Le cercle se reforma et la lecture reprit.

Je regardais les clés se balancer au bout de la chaînette du trousseau. Je regardais la fumée des cigarettes s'élever. Je regardais le pâan griffer le sol en diagonales rouges.

Les pires heures de la vie d'un chauffeur sont celles qu'il passe à attendre son employeur. Vous pouvez dépenser ce temps à bavarder et à vous gratter l'entrecuisse. Vous pouvez lire des magazines criminels. Vous pouvez aussi développer la manie du chauffeur – en réalité une sorte de yoga – qui consiste à enfiler un doigt dans une narine et à faire le vide dans son esprit pendant des heures. On devrait appeler cette posture «l'asana du chauffeur qui s'ennuie». Vous pouvez également introduire clandestinement une bouteille d'alcool dans la voiture : l'ennui a rendu alcoolique plus d'un honnête chauffeur.

Mais, si le chauffeur considère son temps libre comme une opportunité, s'il s'en sert pour réfléchir, alors les pires heures de son métier deviennent les meilleures.

Ce soir-là, en reconduisant mes maîtres à leur appartement, je jetai un coup d'œil dans le rétroviseur. M. Ashok portait un tee-shirt.

Ce n'était pas le genre de tee-shirt que j'aurais acheté. Il était tout blanc, avec juste un dessin au centre. J'aurais choisi un modèle très bariolé, avec des tas de motifs et de slogans. Autant en avoir pour son argent.

Quelque temps après, une fois M. Ashok et Pinky Madam montés chez eux pour la nuit, je fis un tour au bazar local. Sous le halo blafard des ampoules jaunes, des hommes accroupis avec des paniers vendaient de la bimbeloterie, des jouets, des foulards, des stylos et des porte-clés. Je m'arrêtai devant le marchand de tee-shirts.

«Non, pas ça. Non.» Je refusai tous ceux qu'il me proposait, jusqu'à ce qu'il m'en montre un tout blanc, avec un petit mot anglais au centre. Après quoi, je cherchai le marchand de chaussures.

Dans la foulée, j'achetai mon premier tube de dentifrice, chez mon fournisseur de pâan habituel ; il faisait un petit commerce parallèle de dentifrices censés annuler les effets du bétel.

PÂTE BLANCHISSANTE SHAKTI

AVEC CHARBON DE BOIS ET CLOUS DE GIROFLE

POUR SE LAVER LES DENTS

UNE ROUPIE ET CINQUANTE PAISES SEULEMENT !

Alors que je me brossais les dents avec l'index de ma main droite, je regardai soudain ce que ma main gauche était en train de faire : elle avait rampé vers mon bas-ventre à mon insu – à la manière d'un lézard escaladant un mur – et s'apprêtait à gratter.

J'attendis. Dès qu'elle se mit en mouvement, je la saisis avec ma main droite.

Je pinçai la peau entre le pouce et l'index, à l'endroit le plus douloureux, pendant une minute entière. Quand je la lâchai, il resta une marbrure violacée.

Voilà.

Ça t'apprendra à te gratter l'entrejambe.

Dans ma bouche, le dentifrice avait formé une mousse épaisse qui commençait à couler sur mon menton. Je crachai.

Frotter. Frotter. Cracher.

Frotter. Frotter. Cracher.

Pourquoi mon père ne m'avait-il jamais dit de ne pas me gratter l'entrejambe ? Pourquoi mon père ne m'avait-il jamais appris à me brosser les dents avec de la pâte moussante ? Pourquoi m'avait-il appris à vivre comme un animal ? Pourquoi tous les pauvres vivent-ils dans la crasse et la laideur ?

Frotter. Frotter. Cracher.

Frotter. Frotter. Cracher.

Si seulement un homme pouvait cracher son passé aussi facilement !

Le lendemain matin, en conduisant Pinky Madam à la galerie marchande, je tâtai le petit paquet de coton posé contre mon pied chaussé de noir. Elle descendit, claqua la portière, et s'éloigna. J'attendis dix minutes avant de me changer.

Cela fait, je me dirigeai vers l'entrée de la galerie, vêtu de mon nouveau tee-shirt blanc. Mais la vue du portier m'arrêta net. Je fis demi-tour et regagnai la Honda. Je boxai le petit ogre trois fois de suite, caressai les autocollants de la déesse Kali pour me porter chance, et me lançai à nouveau à l'assaut. Cette fois, j'empruntai l'entrée de derrière.

J'étais certain que le portier de la porte principale m'aurait interdit de passer, même avec des chaussures noires et un tee-shirt presque entièrement blanc. J'étais certain, jusqu'à la dernière seconde, qu'on allait me démasquer, m'interpeller, me gifler, m'humilier en public.

Je déambulai dans les allées du centre commercial, m'attendant à chaque seconde à entendre une voix s'écrier : *Hé! C'est un simple chauffeur! Que fait-il ici?* Il y avait des vigiles en uniforme gris à tous les niveaux; j'avais l'impression que tous me surveillaient. Ce fut ma première expérience de la vie de fugitif.

J'avais conscience de l'atmosphère parfumée, de l'éclairage doré, de l'air climatisé, des hommes en jeans et tee-shirts qui me jetaient des regards curieux. Je vis une cabine d'ascenseur tout en verre, des magasins avec des cloisons vitrées et des murs couverts d'immenses photos d'hommes et de femmes européens, beaux et séduisants. Si seulement mes collègues chauffeurs me voyaient en ce moment!

La sortie s'avéra aussi délicate que l'entrée, mais personne ne m'inquiéta. Je rejoignis le parking, remontai en voiture, remis ma chemise multicolore, et rangeai le tee-shirt blanc en boule sous mon siège.

Ensuite, je courus rejoindre mes collègues. Aucun d'eux n'avait remarqué mon expédition. Ils étaient bien trop absorbés par autre chose. L'un d'eux – celui qui aimait balancer son porte-clés – faisait admirer son portable.

«Tu peux appeler ta femme avec ça? demandai-je.

— Imbécile, tu ne peux appeler personne. C'est un téléphone qui fonctionne dans un seul sens.

— Alors à quoi ça sert si tu ne peux pas parler avec ta famille?

— C'est pour que mon maître puisse me joindre et me dire où aller le chercher. Je le garde ici en permanence, dans ma poche.»

Il essuya le téléphone avec soin et le rangea dans sa poche de chemise. Jusqu'alors, son statut au sein du cercle des chauffeurs avait été modeste : son employeur n'avait qu'une petite Maruti-Suzuki Zen. À partir de ce jour, il put exercer son autorité. Les chauffeurs se passaient son téléphone de main en main, admiratifs comme des singes excités par un objet brillant. Une odeur d'ammoniaque emplit l'atmosphère. L'un d'eux urinait à quelques pas.

Vitiligo m'observait du coin de l'œil.

«Tu as l'air d'un gars qui veut dire quelque chose, Rat-des-Champs.»

Je secouai la tête.

La circulation devenait plus dense d'heure en heure. Chaque soir, il semblait y avoir davantage de voitures. Et la mauvaise humeur de Pinky Madam empirait en même temps que les encombrements. Un soir, alors que nous descendions au pas M.G. Road vers Gurgaon, ses nerfs craquèrent complètement. Elle se mit à hurler.

«Pourquoi ne rentre-t-on pas, Ashok? Regarde ces putains de bouchons! C'est comme ça tous les jours!

— Je t'en prie, ne recommence pas.

— Pourquoi? Tu m'avais promis, Ashoky. Nous devions passer trois mois à Delhi pour régler quelques affaires, et puis rentrer.

Mais je commence à croire que tu es venu ici juste pour cette histoire d'impôt. Tu me mens depuis le début, n'est-ce pas?»
Ce qui se passait entre eux n'était pas la faute de M. Ashok; je défendrais cela même devant un tribunal. C'était un bon mari, qui cherchait toujours à la rendre heureuse. Le jour de l'anniversaire de Pinky Madam, par exemple, il m'avait déguisé en maharadja, avec un turban rouge, et je leur avais servi le dîner dans ce costume. Et pas n'importe quel repas : un de ces trucs puants qu'on vous livre dans des cartons et dont raffolent les riches.

Pinky Madam fut prise d'un fou rire quand elle me vit m'incliner devant elle, en costume, avec la boîte en carton. Je les servis puis, obéissant aux instructions de M. Ashok, allai me placer les mains croisées sous le portrait de Câlin et Caresse.

«Écoute ça, Ashok, dit Pinky Madam. Quel est le nom de ce que nous mangeons, Balram?»

Je savais que c'était un piège, mais que pouvais-je faire? Je répondis. Ils se tordirent de rire.

«Répète, Balram.»

Nouveaux éclats de rire.

«Ce n'est pas piJJA, c'est piZZa. Prononce correctement.

– Attends, Pinky, tu prononces mal toi aussi. Il y a un T au milieu. PiT Zah.

– Ne corrige pas mon anglais, Ashok. Il n'y a pas de T dans pizza. Regarde sur la boîte.»

Je me retins de respirer par le nez pendant qu'ils mangeaient. Ça sentait vraiment trop mauvais.

«Il a mal coupé la pizza, remarqua Pinky Madam. Je n'arrive pas à croire qu'il soit issu d'une caste de cuisiniers.

– Tu as déjà congédié le cuisinier, Pinky. Ne renvoie pas aussi celui-ci. C'est un garçon honnête.»

Le dîner terminé, j'allai laver la vaisselle. De la fenêtre de la cuisine, on apercevait l'avenue principale de Gurgaon illuminée par les éclairages du centre commercial. Un nouveau centre venait en effet d'ouvrir ses portes au bout de l'avenue et les voitures affluaient.

Je baissai le store de la fenêtre et terminai la vaisselle.

« Pijja. Pzijja. Zippja. Pizja. »

Je rinçai l'évier et éteignis la lumière.

M. Ashok et Pinky Madam s'étaient retirés dans leur chambre. Ils vociféraient. J'approchai sur la pointe des pieds et collai mon oreille contre la porte.

Les cris fusaient de part et d'autre, puis il y eut un hurlement, suivi du bruit d'une claque de main d'homme sur une chair de femme.

Il était grand temps que tu prennes les choses en main, Ô Agneau-né-du-bas-ventre-d'un-grand-propriétaire-terrien.

Je quittai l'appartement et descendis par l'ascenseur.

Une demi-heure plus tard, au moment où je commençais à m'endormir, un de mes compagnons du sous-sol vint m'appeler. La cloche sonnait ! Je renfilai ma tenue de maharadja, fis halte au lavabo collectif pour me laver les mains, et conduisis la voiture devant l'entrée de l'immeuble.

« Emmène-nous dans le centre, Balram.

— Oui, monsieur. À quel endroit ?

— Où veux-tu aller, Pinky ? »

Silence.

« À Connaught Place, Balram », décida-t-il.

Ni l'un ni l'autre ne dirent un mot pendant un long moment. M. Ashok jetait des coups d'œil nerveux à sa femme.

« Tu as raison, Pinky, finit-il par dire d'une voix rauque. Je ne voulais pas te contrarier. Mais tu dois comprendre qu'il y a un seul vrai problème dans ce pays. C'est ce système merdique qu'on appelle démocratie parlementaire. Sinon, nous serions comme la Chine...

— Ashok, je t'en prie. J'ai la migraine.

— Nous allons nous amuser, ce soir. Il y a un très bon restaurant américain, tu verras. Ça va te plaire.»

À Connaught Place, il m'ordonna de m'arrêter devant une immense enseigne au néon rouge.

«Attends-nous ici, Balram. Nous serons de retour dans vingt minutes.»

Ils étaient partis depuis une heure et j'étais toujours assis dans la voiture, admirant les lumières de la place.

Je boxai le petit ogre une douzaine de fois, regardai les autocollants de la déesse Kali tirant sa longue langue rouge, et lui tirai la mienne. Je bâillai.

Il était largement passé minuit et il faisait froid.

J'aurais adoré écouter de la musique pour tuer le temps, mais la Mangouste me l'avait interdit.

J'ouvris la portière. Une odeur âcre flottait dans l'air. Les autres chauffeurs avaient allumé un feu qu'ils alimentaient avec des morceaux de plastique.

Pour survivre à l'hiver, les riches de Delhi utilisent des radiateurs électriques, à gaz, ou brûlent du bois dans leurs cheminées. Quand les sans-abri ou les serviteurs tels que les veilleurs de nuit ou les chauffeurs sont obligés de rester dehors, pour se tenir chaud ils brûlent tout ce qu'ils trouvent. Pour allumer un feu, rien de tel que la cellophane : celle utilisée pour envelopper les fruits, les légumes et les manuels scolaires. Embrasée, elle change de nature et devient un bon combustible. Le seul ennui est que la fumée blanche qu'elle dégage en se consumant vous retourne l'estomac.

Vitiligo jetait des sacs de cellophane dans le feu. De sa main libre, il m'adressa un signe.

«Hé, Rat-des-Champs! Ne reste pas dans ton coin. Ça n'apporte que de mauvaises pensées!»

La chaleur du feu était tentante.

Mais non. Si j'approchais, je ne pourrais pas résister à demander du pâan.

«Regardez ce snobinard! Il est déguisé en maharadja aujourd'hui!

– Viens avec nous, maharadja de Buckingham!»

Fuyant la chaleur et la tentation, je m'aventurai dans les allées de Connaught Place, jusqu'à ce qu'une odeur de terre barattée attire mon attention.

À Delhi, partout où se pose le regard, il y a des travaux. Des squelettes de verre se dressent, annonçant des centres commerciaux ou des immeubles de bureaux. Des rangées de supports de ciment en forme de T géants, tel un alignement d'enclumes, préfigurent de futurs ponts ou échangeurs. D'énormes cratères sont creusés pour bâtir de nouveaux palais destinés aux riches. Et là aussi, au cœur même de Connaught Place, au milieu de la nuit, sous la lumière d'immenses projecteurs, des maçons s'activaient. Un puits géant avait été foré. À l'intérieur, des machines grondaient.

J'avais entendu parler de ce chantier : on construisait un train souterrain à Delhi. Le puits était aussi large que les puits de mines que j'avais vus à Dhanbad. Un autre promeneur observait les travaux en même temps que moi : un homme bien habillé, avec une cravate et un pantalon aux plis nets. Normalement, les hommes de son milieu ne m'adressaient jamais la parole, mais ma tunique de maharadja l'avait trompé.

«Dans cinq ans, la ville ressemblera à Dubai, remarqua-t-il.

– Cinq ans ? m'esclaffai-je. Deux, vous voulez dire !

– Oui. Regardez cette grue, on dirait un monstre.»

C'était bien un monstre. Juché au-dessus du puits, doté d'immenses mâchoires de métal qui engloutissaient puis dégorgeaient de phénoménales quantités de terre. Des hommes portant des auges de terre sur la tête tournaient autour du colosse. On aurait dit des esclaves obligés de lui obéir. Ils n'étaient pas plus gros que des souris. Malgré le froid de la nuit hivernale, la sueur collait leurs chemises à leurs torses noirs et luisants.

J'étais gelé en regagnant la voiture. Mes collègues chauffeurs étaient partis. Et aucun signe de mes maîtres. Je fermai les yeux pour me remémorer mon repas du soir.

Un délicieux curry chaud avec de moelleux morceaux de viande baignant dans une sauce à l'huile rouge.

Un régal.

Ils me réveillèrent en tambourinant contre ma vitre. Je sortis en titubant et leur ouvris la portière. Ils étaient joyeux, parlaient fort, et leur haleine sentait un alcool anglais que je ne connaissais pas encore.

Vous pouvez me croire, ils s'en donnèrent à cœur joie dès que j'eus démarré. Il remontait sa main le long de sa cuisse, et elle gloussait de rire. Je jetai un coup d'œil dans le rétroviseur une seconde de trop. Nos regards se croisèrent.

Je me sentis comme un enfant espionnant ses parents dans leur chambre par un interstice. Je me mis à transpirer : je m'attendais presque à ce qu'il m'empoigne par le col, me jette à terre et me roue de coups de pied, comme j'avais vu son père le faire à des pêcheurs de Laxmangarh.

Mais cet homme, comme je vous l'ai déjà dit, était différent, il était capable de devenir meilleur que son père. Mon regard avait touché sa conscience. Il dit à sa femme :

«Nous ne sommes pas seuls.»

Aussitôt, elle se rembrunit et se détourna vers la fenêtre. Cinq minutes s'écoulèrent dans un silence total. Puis, l'haleine chargée d'alcool, elle se pencha vers moi.

«Passe-moi le volant.

– Non, Pinky, dit M. Ashok. Tu es ivre. Laisse-le conduire...

– Ne te fous pas de moi! Tout le monde dans ce pays boit et conduit. Pourquoi pas moi?

– J'ai horreur de ça, soupira M. Ashok en s'affaissant contre le dossier de son siège. Ne te marie jamais, Balram!

– Il s'arrête au feu rouge? Balram, pourquoi t'arrêtes-tu au feu? Roule!

– C'est un feu de signalisation, Pinky. Laisse-le s'arrêter. Respecte le code de la route, Balram, c'est un ordre.

– Et moi je t'ordonne de rouler, Balram! Grille le feu!»

Désemparé, j'optai pour un compromis. J'arrêtai la voiture cinq mètres après la ligne blanche.

«Tu as vu ce qu'il a fait? s'exclama M. Ashok. Sacrément futé.

– Oui, Ashok. C'est un putain de génie, ce chauffeur.»

Le minuteur placé près du feu rouge indiquait qu'il restait trente secondes avant que le feu passe au vert. Je gardai les yeux fixés dessus. À cet instant, un Bouddha géant se matérialisa soudain à ma droite. Un jeune mendiant s'était approché de la Honda, brandissant une magnifique statue du Bouddha en plâtre. La nuit, à Delhi, il y a toujours des vendeurs à la sauvette au bord des routes; ils vous proposent des livres, des statuettes ou des barquettes de fraises. Je ne sais pourquoi, mes nerfs étaient en si piteux état que j'examinai le Bouddha plus longtemps qu'il n'aurait fallu.

J'eus un infime mouvement de tête, une attention qui dura

peut-être une demi-seconde, mais ce fut suffisant pour que Pinky Madam le remarque.

«Balram apprécie cette statue», dit-elle.

M. Ashok pouffa de rire.

«Bien sûr. C'est un amateur d'art.»

Pinky Madam entrouvrit l'œuf – elle abaissa sa vitre – et dit au mendiant :

«Fais voir.»

Il – ou elle, on ne sait jamais avec les enfants mendiants – approcha la statue.

«Tu veux l'acheter, chauffeur?

– Non, madame. Pardonnez-moi.

– Balram Halwai, pâtissier confiseur, chauffeur et amateur d'art.

– Désolé, madame.»

Plus je m'excusais, plus ils riaient. Enfin, mettant un terme à mon supplice, le feu passa au vert et je m'éloignai du Bouddha aussi vite que je le pus.

Pinky Madam se pencha et me pressa l'épaule.

«Arrête la voiture, Balram.»

Je jetai un coup d'œil dans le rétroviseur. M. Ashok ne réagit pas.

J'obéis.

«Descends, Balram. Nous allons te laisser passer la nuit ici avec ton Bouddha.»

Elle s'assit au volant, mit le contact et démarra, tandis que M. Ashok, ivre mort, pouffait de rire et me faisait des signes d'adieu. S'il n'avait pas été aussi soûl, jamais il ne l'aurait autorisée à me traiter ainsi. J'en suis convaincu. Les gens profitaient toujours de lui. Si nous avions été tous les deux seuls dans la voiture, rien de mal ne serait jamais arrivé à aucun de nous.

Un terre-plein central, planté d'arbres, séparait les deux côtés de la route. Je m'assis sous un arbre.

Il n'y avait pas de circulation. Puis deux voitures passèrent, l'une derrière l'autre. Leurs phares projetaient des ondulations continues sur les feuillages, comme ces miroitements sur les branches des arbres au bord d'un lac. Il y avait des milliers de beautés semblables à admirer à Delhi. À condition d'être libre de s'y promener à sa guise.

Une voiture arrivait dans ma direction, faisant des appels de phares intempestifs et klaxonnant. La Honda City avait fait demi-tour – manœuvre évidemment interdite – et fonçait sur moi. Derrière le volant, j'entrevis Pinky Madam, hilare. M. Ashok s'était glissé à côté d'elle. Il souriait.

Ai-je entrevu un pli d'inquiétude sur le front de M. Ashok? Ai-je vu sa main se tendre vers le volant pour le redresser et éviter qu'elle ne me heurte?

J'aime à le croire.

La Honda s'immobilisa à trente centimètres de moi, dans un strident crissement de pneus. Je fis la grimace en pensant à la torture subie par ces pauvres roues.

Pinky Madam ouvrit la portière et sortit sa tête radieuse.

«Tu as vraiment cru que j'allais t'abandonner, M. Maharadja?

– Non, madame.

– Tu es en colère?

– Pas du tout, madame.» Et j'ajoutai, pour paraître plus crédible : «Les employeurs sont des parents. Comment être en colère contre eux?»

Je m'installai sur le siège arrière. Elle exécuta un nouveau demi-tour et accéléra. Elle roulait à une vitesse folle et grillait tous les feux rouges. Ils n'arrêtaient pas de pousser des cris, de se pincer, de glousser, et moi, impuissant sur la banquette arrière, je ne pouvais qu'assister au spectacle. C'est ainsi que je vis la petite forme noire surgir devant nous. La voiture la percuta et roula dessus.

Au soubresaut des roues, puis à l'absence totale de sons lorsque la voiture se fut enfin arrêtée – pas un gémissement, pas un aboiement –, je compris ce qu'il était advenu de la créature que nous venions de heurter.

Pinky Madam était trop ivre pour freiner tout de suite. Le temps qu'elle réagisse, nous avions déjà parcouru deux ou trois cents mètres. Elle finit par stopper au beau milieu de la route. Elle serrait le volant de ses deux mains, la bouche ouverte.

« Un chien ? me demanda M. Ashok. C'était un chien, n'est-ce pas ? »

Je hochai la tête. L'éclairage des réverbères était trop pâlot, et la chose – une masse noire sur la chaussée – trop éloignée pour qu'on la distingue nettement. Il n'y avait aucun autre véhicule en vue. Aucun être humain vivant.

Comme au ralenti, ses mains quittèrent le volant pour venir couvrir ses oreilles.

« Ce n'était pas un chien ! C'était un… »

Sans échanger un mot, M. Ashok et moi réagîmes comme des coéquipiers. Il empoigna sa femme, plaqua sa main sur sa bouche, et la tira hors du siège du conducteur pour monter avec elle à l'arrière tandis que je bondissais à sa place pour reprendre le volant. Les portières claquèrent en même temps. Je tournai la clé de contact et fonçai vers Gurgaon, pied au plancher.

À mi-parcours, elle se calma, mais, à l'approche du Buckingham Towers, ses nerfs craquèrent à nouveau.

« Il faut retourner là-bas.

— C'est absurde, Pinky. Nous serons chez nous dans quelques minutes. C'est fini.

– Nous avons percuté quelqu'un, Ashoky.» Elle parlait de la plus douce des voix. «Il faut l'emmener à l'hôpital.

– Non.»

Elle ouvrit de nouveau la bouche pour crier. M. Ashok la bâillonna avec sa main. Puis il fit une boule avec des mouchoirs en papier et la fourra entre ses dents. Et, tandis qu'elle essayait de la recracher, il arracha le foulard qu'elle portait au cou et le noua étroitement autour du bas de son visage. Puis il abaissa sa tête sur ses genoux et l'y maintint.

En arrivant, il la traîna jusqu'à l'ascenseur, toujours bâillonnée.

De mon côté, j'allai chercher un seau d'eau pour laver la voiture. Je la nettoyai avec soin, frottant les moindres fragments de tissu et de chair collés autour des roues.

Quand M. Ashok redescendit, je lavais les pneus pour la quatrième fois.

«Alors, Balram?»

Je lui montrai un morceau de tissu vert ensanglanté.

«C'est de l'étoffe bon marché, monsieur, dis-je en la palpant du bout des doigts. C'est ce qu'on met aux enfants.

– Et tu crois que l'enfant...»

Il ne réussit pas à prononcer le mot.

«Il n'y avait aucun son, monsieur. Aucun. Et le corps ne bougeait pas du tout.

– Seigneur, Balram, qu'allons-nous faire maintenant...? Qu'allons-nous...?» Il se claqua brutalement la cuisse. «D'ailleurs, que font les enfants dehors à une heure du matin sans surveillance?»

À peine eut-il terminé sa phrase que son regard s'éclaira.

«Ah, je vois. Il faisait partie de ces...

– Oui, monsieur, je crois. De ces gens qui vivent sous les ponts et au bord des routes.

– Dans ce cas… crois-tu que quelqu'un va la regretter ?

– Je ne pense pas, monsieur. Vous savez comment sont les gens des Ténèbres. Ils ont huit, neuf, dix enfants. Parfois ils ne connaissent même pas leurs noms. Les parents de celui-ci, en supposant même qu'ils soient à Delhi et sachent où il était ce soir, n'iront pas à la police. »

Il posa sa main sur mon épaule, de ce même geste qu'il avait eu pour Pinky Madam un peu plus tôt.

Puis il mit un doigt en travers de ses lèvres.

Je hochai la tête.

« Bien sûr, monsieur. Allez vous reposer. La nuit va être difficile pour vous et Pinky Madam. »

Je regagnai ma chambre, ôtai ma tunique de maharadja et me jetai sur le lit. J'étais à bout de forces. Pourtant, sur mes lèvres, s'étirait le large sourire satisfait de celui qui a accompli son devoir auprès de son maître, même dans le moment le plus difficile.

Le lendemain matin, j'essuyai les sièges de la voiture comme d'habitude, sans omettre les autocollants de Kali et l'ogre, et allumai un bâton d'encens afin qu'un parfum agréable et saint se répande à l'intérieur. Enfin, je lavai les roues une dernière fois pour effacer les traces de sang qui auraient pu m'échapper pendant la nuit.

Cela fait, je retournai attendre dans ma chambre. Le soir, on vint me prévenir que j'étais attendu dans le hall, sans la voiture. La Mangouste était là. Je ne sais pas comment il avait pu arriver si vite à Delhi : il avait dû louer une voiture et rouler toute la nuit. Il m'accueillit avec un grand sourire et me tapota l'épaule. Puis il me fit monter avec lui à l'appartement.

Il s'assit sur la table :

« Installe-toi, Balram. Mets-toi à l'aise. Tu fais partie de la famille. »

Mon cœur se gonfla de fierté. Je m'accroupis, heureux comme un chien. Il alluma une cigarette. C'était la première fois que je le voyais fumer. Il m'observait, les yeux plissés.

« Il est très important que tu restes ici, au Buckingham. Ne va nulle part ailleurs pendant quelques jours, pas même au Bloc A. Et pas un mot à quiconque sur ce qui s'est passé.

– Oui, monsieur. »

Il me dévisagea un moment, en soufflant sa fumée, puis il répéta :

« Tu fais partie de la famille, Balram.

– Oui, monsieur.

– Bien. Maintenant, redescends dans tes quartiers et attends.

– Oui, monsieur. »

Une heure s'écoula, puis on me convoqua de nouveau à l'appartement.

Cette fois, un homme en manteau noir était assis à la table avec la Mangouste. Il lisait en silence un document imprimé en remuant ses lèvres tachées de pâan. M. Ashok parlait au téléphone dans sa chambre. Sa voix me parvenait à travers la porte close. La porte de la chambre de Pinky Madam était également fermée. L'appartement entier était aux mains de la Mangouste.

« Assieds-toi, Balram. Mets-toi à l'aise.

– Oui, monsieur. »

Je m'accroupis.

« Tu veux un peu de pâan, Balram ? proposa la Mangouste.

– Non, monsieur. »

Il sourit.

« Ne sois pas timide, Balram. Tu chiques le bétel, non ? » Il tendit la main vers l'homme en noir. « Donnez-lui de quoi chiquer, je vous prie. »

L'homme en manteau noir plongea la main dans sa poche et

en sortit un petit morceau de pâan vert. Je tendis ma paume ouverte. Il lâcha le morceau dedans sans me toucher.

« Vas-y, Balram. Chique. C'est pour toi.

– Oui, monsieur. C'est très bon. Merci.

– Voyons tout ceci tranquillement et clairement, d'accord ? » dit l'homme en manteau noir.

Le jus rouge coulait aux commissures de ses lèvres quand il parlait.

« D'accord.

– On s'est occupé du juge. Si votre domestique fait ce qu'il faut, nous n'aurons aucun souci.

– Mon domestique fera ce qu'il doit faire. Aucune inquiétude. Il fait partie de la famille. C'est un brave garçon.

– Bien, très bien. »

L'homme en manteau noir me tendit la feuille de papier.

« Tu sais lire ?

– Oui, monsieur. »

Je pris le document et lus :

À QUI DE DROIT,

Moi, Balram Halwai, fils de Vikram Halwai, né à Laxmangarh, district de Gaya, fais la déclaration suivante de ma propre volonté :

Je conduisais la voiture qui a heurté une personne non identifiée, ou plusieurs personnes, ou une personne et des objets, pendant la nuit du 23 janvier de cette année. Pris de panique, je n'ai pas rempli mes obligations en conduisant la ou les personnes blessées au service des urgences de l'hôpital le plus proche. Il n'y avait aucun passager dans la voiture que je conduisais au moment de l'accident. J'étais seul, et suis seul responsable de ce qui s'est passé.

Je jure par Dieu tout-puissant que je fais cette déclaration sans en avoir reçu l'ordre, ni subi de contrainte.

                Signature ou empreinte du pouce :

(Balram Halwai)

        Déposition établie en présence des témoins ci-après :

Kusum Halwai, de Laxmangarh, district de Gaya
Chamanda Varma, avocat à la Haute Cour de Delhi.

Avec un sourire affectueux, la Mangouste me dit :
« Nous avons déjà prévenu ta famille. Ta grand-mère. Quel est son nom, déjà ?
– ...
– Je n'ai pas entendu.
– ... um.
– Oui, c'est ça. Kusum. J'ai fait un saut à Laxmangarh en voiture. La route est mauvaise, hein ? Et j'ai tout expliqué à ta grand-mère. C'est une forte personnalité. »
Il se frictionna les avant-bras avec un grand sourire, et je sus qu'il disait la vérité.
« Ta grand-mère est très fière de ce que tu fais. Elle a accepté volontiers d'être témoin de ta confession. C'est l'empreinte de son pouce que tu vois en bas de la page, juste sous l'endroit où tu vas signer.

– S'il ne sait pas écrire, il peut mettre son pouce, intervint l'homme en manteau noir.

– Il n'est pas analphabète. Sa grand-mère m'a confié qu'il était le premier de la famille à savoir lire et écrire. Elle dit que tu as toujours été un garçon intelligent, Balram. »

Je regardai le papier, feignant de le relire, et la feuille commença à trembler entre mes mains.

Ce que je vous décris ici arrive tous les jours à des chauffeurs, à Delhi. Vous ne me croyez pas, n'est-ce pas, monsieur Jiabao ? Vous pensez que j'invente ?

Lorsque vous serez à Delhi, racontez cette histoire à un homme sérieux et solide de la bonne société. Expliquez-lui que vous avez entendu une histoire féroce, extravagante et impossible de la bouche d'un chauffeur qui a été accusé d'un homicide commis sur la route par son maître. Vous verrez alors le visage de cet homme sérieux et solide de la bonne société blêmir. Observez-le déglutir avec difficulté, se détourner vers la fenêtre et changer aussitôt de sujet.

Les prisons de Delhi sont remplies de chauffeurs qui endossent les crimes de leurs employeurs, personnages sérieux et solides de la bonne société. Nous avons quitté nos villages, mais les maîtres possèdent toujours notre vie, notre corps, notre âme et notre cul.

Oui, c'est vrai : nous vivons tous ensemble dans la plus grande démocratie du monde.

Quelle foutue connerie !

La famille du chauffeur ne proteste-t-elle pas ? Absolument pas. Au contraire, les miens devaient s'en vanter partout. Leur cher Balram s'était dévoué pour son employeur et avait pris sa place à la prison de Tihar. Loyal comme un chien, ce Balram. Le serviteur parfait.

Les juges ne décèlent-ils pas l'imposture d'une confession visiblement forcée? Non. Ils sont dans la combine. Ils touchent un pot-de-vin et ignorent délibérément les incohérences du dossier. Et la vie continue.

Pour tout le monde sauf pour le chauffeur.

C'est tout pour ce soir, monsieur le Premier ministre. Il n'est pas encore trois heures du matin, mais j'ai besoin d'une pause. Le seul fait d'évoquer ces faits me met tellement en colère que je pourrais sortir égorger le premier riche venu.

La cinquième nuit

Monsieur Jiabao

Monsieur,

À votre arrivée ici, on vous expliquera que les Indiens avaient tout inventé, d'Internet aux vaisseaux spatiaux en passant par l'œuf dur, avant que les Britanniques nous dépossèdent de tout. Foutaises ! La plus grande invention de ce pays au cours des dix siècles de son histoire est la Cage à poules.

Faites-vous conduire à Old Delhi, derrière la Jama Masjid, et observez comment est confinée la volaille. Des centaines de poules blanchâtres et de coqs bariolés, parqués dans des cages en treillis, aussi entassés que des vers dans un intestin, se béquettent, se chient dessus et se bousculent pour avoir un peu d'air. Une puanteur horrible se dégage du poulailler : l'odeur de la volaille terrifiée. Sur le comptoir de bois, au-dessus de la cage, un jeune boucher souriant exhibe la chair et les entrailles d'un poulet tout juste évidé et maculé de sang sombre. Dessous, ses congénères sentent l'odeur du sang. Ils voient les boyaux de leur frère. Ils savent que leur tour approche. Pourtant, ils ne se rebellent pas. Ils ne cherchent pas à fuir la cage.

Dans ce pays, on procède de la même manière avec les êtres humains.

Regardez les routes de Delhi, le soir ; tôt ou tard vous verrez un homme pédaler sur un rickshaw, avec un lit immense ou une table attachés sur la remorque. Chaque jour, cet homme livre du mobilier. Un lit coûte cinq ou six mille roupies. En ajoutant les chaises, une table basse, on arrive à quinze mille. Or le livreur qui pédale sur son rickshaw et transporte ce lit, cette table, ces chaises, gagne à peine cinq cents roupies par mois. Il apporte le mobilier et le client lui remet la somme d'argent en liquide : une épaisse liasse de billets de la taille d'une brique. Il met l'argent dans sa poche, ou dans sa chemise, ou dans son slip, et il retourne le donner à son patron sans en prélever une seule roupie ! La somme qu'il a dans les mains représente son salaire de deux ans, pourtant il n'y touche pas.

Chaque jour, dans les rues de Delhi, un chauffeur quelconque conduit une voiture vide avec une grosse valise noire sur la banquette arrière. À l'intérieur de la valise, il y a un ou deux millions de roupies ; beaucoup plus que le chauffeur ne gagnera jamais dans toute sa vie. S'il prenait cet argent, il pourrait aller en Amérique, en Australie, n'importe où, et commencer une nouvelle vie. Il pourrait louer une chambre dans un hôtel cinq-étoiles dont il a toujours rêvé et qu'il n'a vu que de l'extérieur. Il pourrait emmener sa famille à Goa, ou en Angleterre. Pourtant il transporte cette valise à l'adresse indiquée par son maître. Il la dépose là où on lui a dit de la déposer, sans avoir pris une seule roupie. Pourquoi ?

Parce que, comme l'affirme la brochure du Premier ministre, les Indiens sont les êtres les plus honnêtes du monde ?

Non. Parce que 99,9 % des Indiens sont emprisonnés dans la

Cage à poules, comme leurs malheureux camarades à plumes du marché aux volailles.

La Cage à poules ne fonctionne pas toujours aussi efficacement avec les sommes d'argent minimes. Ne mettez pas votre chauffeur à l'épreuve avec une pièce de une ou deux roupies : il risque de vous la voler. Mais laissez un million de dollars devant son nez, il ne touchera pas un cent. Faites l'expérience : abandonnez un sac noir contenant un million de dollars dans un taxi de Bombay. Le chauffeur de taxi préviendra la police et déposera l'argent au commissariat avant la fin de la journée. Je vous le garantis. (Que la police vous rende ou non l'argent est une autre histoire.) Dans ce pays, les employeurs confient des diamants à leurs serviteurs ! C'est la vérité. Chaque soir, dans le train en partance de Surat, centre mondial de la taille du diamant, les employés des négociants transportent des valises pleines de diamants taillés qu'ils doivent convoyer jusqu'à Bombay. Pourquoi l'un d'entre eux ne vole-t-il pas la valise remplie de diamants ? Il n'est pas Gandhi, c'est un être humain ordinaire comme vous et moi. Oui, mais il vit dans la Cage à poules. La fiabilité de la domesticité est le fondement de l'économie nationale tout entière.

La grande Cage à poules indienne. Avez-vous l'équivalent en Chine ? J'en doute, monsieur Jiabao. Sinon, vous n'auriez pas besoin du parti communiste pour éliminer les individus, ni d'une police secrète pour opérer des rafles nocturnes dans les maisons et mettre leurs habitants en prison ; c'est du moins ce qu'on raconte. Ici, en Inde, nous n'avons pas de dictature. Ni de police secrète.

C'est parce que nous avons la Cage à poules.

Jamais auparavant dans l'histoire humaine un nombre aussi restreint de personnes n'a eu une dette aussi importante envers un si grand nombre, monsieur Jiabao. Ici, une poignée d'hommes a entraîné les 99,9 % restants – forts, talentueux et intelligents dans tous les domaines – à vivre dans une servitude perpétuelle; une servitude si forte que, si vous mettez la clé de son émancipation dans la main de quelqu'un, il vous la jettera à la figure en vous maudissant.

Venez vérifier par vous-même. Chaque jour, des millions d'Indiens s'éveillent à l'aube, s'entassent dans des bus crasseux et surchargés pour rejoindre les maisons huppées de leurs maîtres; ils lavent le sol, récurent la vaisselle, désherbent le jardin, nourrissent leurs enfants, massent leurs pieds, tout cela pour une maigre pitance. Je n'envierai jamais les riches d'Amérique ou d'Angleterre, monsieur Jiabao : ils n'ont pas de domestiques. Ils n'imaginent pas ce qu'est réellement la belle vie.

C'est le moment où un homme de votre intelligence, monsieur le Premier ministre, doit se poser deux questions.

Un : pourquoi la Cage à poules fonctionne-t-elle? Comment parvient-elle à enfermer aussi efficacement des millions d'hommes et de femmes?

Deux : un homme peut-il s'évader de la cage? Supposons par exemple qu'un chauffeur dérobe l'argent de son employeur et s'enfuie? Quelle serait sa vie?

Je vais répondre pour vous, monsieur.

La famille, voilà la raison de notre enfermement dans la cage. La famille indienne, fierté et gloire de notre nation, dépositaire de tout notre amour et de tout notre sacrifice, et sujet d'un paragraphe sans doute considérable dans la brochure de notre Premier ministre.

La réponse à la seconde question est que seul un homme prêt à voir sa famille détruite – pourchassée, battue et brûlée vive par ses maîtres – peut s'évader de la cage. Pour cela, il ne faut pas être une personne normale, mais un monstre, un dénaturé.

Pour cela, il faut être un Tigre blanc. C'est l'histoire d'un entrepreneur social qui vous est contée ici, monsieur.

Revenons à mon récit.

Dans le zoo national de Delhi, à côté de la cage du tigre blanc, une pancarte dit : Imaginez-vous à l'intérieur.

Quand j'ai vu cette pancarte, j'ai pensé : *Je peux le faire. Je peux m'imaginer dans la cage sans aucune difficulté.*

Pendant une journée entière, je restai dans ma chambre miteuse, sous la moustiquaire, les genoux relevés sous le menton, trop effrayé pour oser sortir. Personne ne me demanda de conduire la voiture. Personne ne descendit me voir.

Ma vie était écrite. J'irais en prison pour un crime que je n'avais pas commis. Pourtant, malgré ma terreur, pas une fois l'idée de fuir ne me traversa l'esprit. Pas une fois l'idée de dire la vérité au juge ne m'effleura. J'étais pris au piège de la Cage à poules.

À quoi ressemblerait la prison ? C'était la seule pensée qui m'obsédait. Quelles tactiques fallait-il adopter pour ne pas me faire violer par les types baraqués, sales et poilus que je croiserais là-bas ?

Un article de *Murder Weekly* me revint en mémoire : un homme envoyé en prison avait déclaré avoir le sida pour que personne ne le touche. Où était ce magazine ? Si seulement je le retrouvais, je pourrais apprendre par cœur ses paroles exactes ! D'un autre côté, si je prétendais avoir le sida, on me prendrait pour un pédé et on me harcèlerait encore plus.

J'étais coincé. Par les trous de la moustiquaire, je contemplais les traces de la main anonyme qui avait appliqué le plâtre sur les murs.

«Rat-des-Champs!»

Vitiligo apparut sur le seuil de ma chambre.

«Ton patron sonne la cloche comme un dingue.»

J'enfouis ma tête dans l'oreiller.

Il avança et approcha son visage sombre et ses lèvres roses de la moustiquaire.

«Rat-des-Champs? Tu es malade? C'est quoi? La typhoïde? Le choléra? La dengue?

— Non, je vais bien.

— Ravi de l'entendre.»

Après un grand sourire de ses lèvres dépigmentées, il s'en alla.

Je montai au treizième étage comme on monte à l'échafaud.

La Mangouste m'ouvrit la porte. Cette fois, il ne souriait pas, ne laissait rien paraître de ses plans à mon sujet.

«Tu as pris ton temps pour venir! Père est ici. Il veut te voir.»

Mon cœur s'emballa. La Cigogne était à Delhi! Lui me sauverait! Il était plus efficace que ses deux fils. C'était un maître à l'ancienne. Il savait qu'il devait protéger ses serviteurs.

La Cigogne était sur le sofa, ses jambes pâles étendues. Dès qu'il m'aperçut, son visage se fendit d'un grand sourire et je me dis : *Il sourit parce qu'il m'a sauvé!* Mais le vieux maître ne pensait pas du tout à moi. Non, il était préoccupé par des choses bien plus importantes que ma vie.

«Ah, Balram! Enfin! Mes pieds ont besoin d'un bon massage. Le voyage en train a été interminable.»

Ma main tremblait lorsque j'ouvris le robinet d'eau chaude. L'eau tambourina contre le fond de la bassine et m'éclaboussa. En baissant les yeux, je vis que mes genoux s'entrechoquaient presque. Un filet d'urine dégoulinait le long de mes jambes.

Une minute plus tard, souriant de toutes mes dents, je rejoignis la Cigogne et plaçai la bassine devant lui.

«Plongez vos pieds dans l'eau, monsieur.

– Oh!» soupira-t-il d'aise en fermant les yeux.

De sa bouche entrouverte s'échappaient de petits gémissements. Et le son de ces gémissements, monsieur, me conduisit à masser plus fort, toujours plus fort. Et tandis que je massais, mon corps se mit à osciller d'avant en arrière, au point que ma tête heurta le côté de son genou.

Assis devant un écran de télévision, la Mangouste et M. Ashok jouaient à un jeu vidéo.

La porte de la salle de bains s'ouvrit devant Pinky Madam. Elle n'avait pas de maquillage, son visage était défait, des cernes noirs ombraient ses yeux, des rides creusaient son front. Dès qu'elle me vit, elle s'agita.

«Vous lui avez dit?»

La Cigogne ne répondit pas. M. Ashok et la Mangouste continuèrent de jouer.

«Quoi? reprit-elle. Personne ne lui a rien dit? Merde! C'est lui qui devait aller en prison!

– Oui, je suppose qu'on devrait le lui dire, admit M. Ashok en regardant son frère, lequel ne quittait pas l'écran des yeux.

– D'accord», acquiesça la Mangouste.

M. Ashok se tourna vers moi.

«Nous avons un contact dans la police. Il nous a informés qu'il n'y avait aucun témoin de l'accident. Donc, ton aide ne nous sera pas nécessaire, Balram.»

Mon soulagement fut tel que j'eus un mouvement brusque et renversai la bassine d'eau chaude. Je la redressai aussitôt. La Cigogne rouvrit les yeux et me donna une claque sur la tête.

Pinky Madam nous regardait. Son visage avait changé. Elle se précipita dans sa chambre et claqua la porte derrière elle. (Qui aurait imaginé, monsieur Jiabao, que, de toute la famille, la dame aux jupes courtes serait la seule à avoir une conscience?)

« Cette femme est folle, remarqua la Cigogne. Elle voulait retrouver la famille du gosse et les dédommager. C'est absurde. Comme si nous étions tous des assassins.» Il jeta un regard dur à M. Ashok. « Tu ferais bien de dresser ta femme, mon fils. Comme on le fait au village.»

Il me donna une petite tape sur la tête et ajouta :

« L'eau est froide.»

Je lui massai les pieds chaque matin pendant les trois jours suivants. Une fois, il se plaignit de maux d'estomac et la Mangouste m'ordonna de les conduire au Max Hospital, l'un des plus renommés Hôpitaux privés de Delhi. Je restai dehors et suivis des yeux Mukesh Sir et le vieil homme entrer dans le superbe immeuble en verre. Des médecins en blouse blanche, stéthoscope dans la poche, allaient et venaient. Je jetai un coup d'œil par la porte vitrée : le hall était aussi rutilant que celui d'un hôtel cinq-étoiles.

Le lendemain, je raccompagnai la Cigogne et la Mangouste à la gare, leur achetai des dosas pour le voyage, et attendis le départ du train. Après quoi je revins au Buckingham Towers, nettoyai la voiture, et me rendis dans un petit temple local dédié à Hanuman pour adresser des prières de remerciement. Enfin je regagnai ma chambre et me jetai sous la moustiquaire, mort de fatigue.

Quand je m'éveillai, quelqu'un était dans la pièce et faisait clignoter le plafonnier.

Pinky Madam.

« Prépare-toi. J'ai besoin de la voiture.

– Oui, madame, dis-je en me frottant les yeux. Quelle heure est-il?»

Elle posa un doigt sur ses lèvres.

J'enfilai une chemise, allai au garage, sortis la voiture, et la rejoignis devant l'entrée de l'immeuble. Elle tenait un sac de voyage à la main.

« Où allons-nous ? »

Il était deux heures du matin.

« Démarre.

— Monsieur ne vient pas ?

— Roule. »

Je la conduisis à l'aéroport sans plus poser de questions. Quand je la déposai, elle me glissa une grosse enveloppe marron, puis elle claqua la portière et disparut.

C'est ainsi, Votre Excellence, que prit fin le mariage de mon maître.

Certains chauffeurs ont une technique pour faire durer le mariage de leur employeur. L'un d'eux m'a raconté que, chaque fois qu'une dispute s'envenimait, il accélérait pour rentrer à la maison plus vite ; quand l'ambiance était au romantisme, il ralentissait. S'ils s'engueulaient, il les interrompait pour demander l'itinéraire, s'ils s'embrassaient, il augmentait le volume de la musique. Je me sens en partie responsable de leur rupture. Elle s'est produite alors que j'étais à leur service.

Le lendemain matin, M. Ashok me convoqua à l'appartement. À peine eut-il ouvert la porte qu'il m'empoigna par le col et me tira à l'intérieur.

« Pourquoi ne me l'as-tu pas dit ? cria-t-il en m'étranglant presque. Pourquoi n'es-tu pas venu me prévenir tout de suite ?

— Monsieur… monsieur… elle a dit… elle a dit… »

Il me poussa ainsi jusqu'au balcon. Finalement, le propriétaire en lui n'était pas mort.

« Pourquoi l'as-tu emmenée à l'aéroport, espèce d'abruti ? »

Je tournai la tête : derrière moi, j'aperçus les tours étincelantes et la galerie marchande de Gurgaon.

« Tu voulais ruiner la réputation de ma famille ? »

Il m'accula brutalement contre la rambarde, ma tête et mon torse étaient au-dessus du vide. Encore un peu, et, je risquais de basculer. Je remontai le genou pour le repousser de toutes mes forces ; il tituba en arrière et son dos heurta la baie vitrée. Je me laissai glisser sur le sol, le long de la rambarde, et lui s'assit contre la vitre. Nous étions aussi pantelants l'un que l'autre.

« Vous n'avez rien à me reprocher, monsieur ! criai-je. Je ne savais pas qu'une femme pouvait quitter son mari pour de bon ! Je veux dire… à la télévision, oui, mais pas pour de vrai ! Je lui ai obéi, c'est tout. »

Un corbeau vint se poser sur le balcon et croassa.

Sa crise de folie passée, M. Ashok enfouit son visage entre ses mains et éclata en sanglots.

Je descendis en courant dans ma chambre, m'assis sous la moustiquaire, et comptai jusqu'à dix pour être certain qu'il ne m'avait pas suivi. Puis je me penchai sous le lit pour récupérer l'enveloppe marron et l'ouvris.

Elle était remplie de billets de cent roupies.

Quarante-sept en tout.

Je remis l'enveloppe sous le lit. Des pas approchaient. Quatre chauffeurs entrèrent et m'entourèrent.

« Raconte-nous, Rat-des-Champs.

— Raconter quoi ?

— Le concierge de l'immeuble a craché le morceau. Il n'y a pas de secrets, ici. Tu as conduit la femme quelque part en pleine nuit et tu es rentré seul. Elle a plaqué son mari ?

— Je ne vois pas de quoi vous parlez.

— On sait qu'ils se disputaient, Rat-des-Champs. Et tu l'as

emmenée quelque part cette nuit. Où ? À l'aéroport ? Elle est partie pour de bon, hein ? C'est le divorce assuré. De nos jours, tous les riches divorcent. » L'homme retroussa les lèvres en un rictus méprisant, découvrant ses canines cariées et rougies par le pâan. « Ils n'ont aucun respect pour Dieu, pour le mariage, pour la famille... rien.

– Elle voulait juste sortir prendre l'air. Et je l'ai ramenée. Le concierge est bigleux.

– Loyal jusqu'au bout, hein ? Des larbins comme toi, on n'en fait plus. »

J'attendis toute la matinée l'appel de la cloche. En vain. L'après-midi, je montai à l'appartement et sonnai. M. Ashok ouvrit la porte. Il avait les yeux rouges.

« Qu'est-ce que tu veux ?

– Rien, monsieur. Je suis venu... vous préparer à manger.

– Inutile. »

Je pensais qu'il allait s'excuser de m'avoir presque tué, mais il n'en dit pas un mot.

« Il faut vous nourrir, monsieur. Ce n'est pas bon pour la santé de jeûner... Je vous en prie. »

Il poussa un soupir et me laissa entrer.

Maintenant que Pinky Madam n'était plus là, je savais qu'il était de mon devoir d'être comme une femme pour lui. Je devais m'assurer qu'il mangeât bien, qu'il dormît bien et ne maigrît pas. Je préparai le repas, le servis, puis lavai la vaisselle. Après quoi je regagnai mes quartiers et attendis la cloche. À vingt heures, sans signe de lui, je repris l'ascenseur et plaquai mon oreille contre la porte.

Rien. Pas un bruit.

Je sonnai. Pas de réponse. Je savais qu'il n'était pas sorti ; après tout, j'étais son chauffeur. Où pouvait-il aller sans moi ?

La porte n'était pas fermée à clé. J'entrai.

Il était allongé sous la photo des deux loulous de Poméranie, les yeux fermés, une bouteille posée sur la table basse en acajou devant lui.

Je reniflai la bouteille. Whisky. Elle était presque vide. Je bus le peu qui restait.

«Monsieur!»

Pas de réaction. Je le secouai. Le giflai. Il passa la langue sur ses lèvres. Il commençait à émerger. Je le giflai une seconde fois.

(Une tradition très ancienne chez les domestiques : gifler le maître lorsqu'il dort. Comme sauter sur les oreillers pendant son absence. Ou uriner dans ses plantes vertes. Ou donner des coups de pied à ses chiens. Petits plaisirs innocents des serviteurs.)

Je le traînai dans sa chambre, tirai la couverture sur lui, éteignis la lumière et m'en allai. Certain qu'il n'y aurait pas de sortie en voiture ce soir-là, j'allai chez le marchand de spiritueux. J'avais encore dans les narines le whisky de M. Ashok.

Le lendemain, idem.

Le troisième soir, il était ivre mais éveillé.

«Emmène-moi quelque part, Balram. Où tu voudras. Galeries marchandes, hôtels, n'importe où.»

Je fis la tournée des petites galeries marchandes et des hôtels de Gurgaon. Il restait vautré sur la banquette arrière. Et, chose exceptionnelle, il ne téléphona même pas.

Lorsque la vie du maître sombre dans le chaos, celle du serviteur suit le même chemin. Je me disais : *Il en a peut-être assez de Delhi. Il va rentrer à Dhanbad. Que vais-je devenir?* J'en avais tellement mal au ventre que j'aurais pu chier là, sur mon siège, sur le levier de vitesse.

«Arrête la voiture, Balram.»

Il ouvrit la portière, une main pressée sur son estomac, se plia en deux, et vomit. J'essuyai sa bouche avec ma main et l'aidai à s'asseoir sur le bas-côté. Les voitures nous dépassaient en rugissant. Je lui tapotai le dos.

« Vous buvez trop, monsieur.

– Pourquoi les hommes boivent-ils, Balram ?

– Je ne sais pas, monsieur.

– Bien sûr. Dans ta caste, vous êtes sobres. Laisse-moi t'expliquer. Les hommes boivent parce qu'ils sont las de la vie. Je pensais que les castes et les religions n'avaient plus aucune importance de nos jours. Mon père m'avait dit : "Ne l'épouse pas. Elle est d'une autre..." je... »

M. Ashok tourna la tête sur le côté. Je lui massai le dos, croyant qu'il allait vomir encore, mais le spasme passa.

« Parfois je me demande, Balram... je me demande à quoi sert de vivre. Réellement... »

À quoi sert de vivre ? Mon cœur se mit à cogner très fort. *Ça me sert à moi. Si vous mourez, qui me paiera trois mille roupies par mois ?*

« Il faut croire en Dieu, monsieur. Accrochez-vous. Ma grand-mère dit que, si vous croyez en Dieu, il vous arrivera de bonnes choses.

– C'est vrai, sanglota-t-il. C'est vrai. Il faut croire.

– Il y avait une fois un homme qui cessa de croire en Dieu. Vous savez ce qui arriva ?

– Quoi ?

– Son buffle mourut.

– Je vois, dit-il en souriant. Je vois.

– Si, monsieur. C'est la vérité. Le lendemain, l'homme s'excusa. "Pardonne-moi, Dieu. Je crois en toi." Et vous savez ce qui arriva ?

– Son buffle ressuscita ?

– Exactement!»

Il pouffa de rire. Je lui racontai une autre histoire, qui le fit rire aussi.

A-t-il jamais existé une relation maître-serviteur comme celle-ci? Il était si vulnérable, si perdu, que mon cœur fondait. La colère qui m'avait envahie quand il avait essayé de me faire endosser l'accident avec délit de fuite s'envola. C'était sa faute à elle. M. Ashok n'y était pour rien. Je lui pardonnai tout.

Je fis appel à la sagesse paysanne, répétant des formules que prononçait autrefois ma grand-mère, et en inventant d'autres de toutes pièces. Il écoutait en hochant la tête. La scène me rappela un passage de la Bhagavad-Gîta, quand notre Lord Krishna – autre chauffeur célèbre de l'histoire – arrête son char et donne à son passager de judicieux conseils sur la vie et la mort. Tel Krishna, je philosophai, plaisantai, et chantai même une chanson, pour aider M. Ashok à se sentir mieux.

Alors que je massais son dos agité de spasmes et qu'il vomissait de nouveau, je songeai : *Tu n'es qu'un grand bébé pathétique.*

Je lui essuyai la bouche en lui susurrant des paroles apaisantes. Cela m'affligeait de le voir souffrir ainsi. Mais où s'achevait mon intérêt sincère et où commençait mon égoïsme, je ne saurais le dire. Aucun serviteur ne connaît les vraies motivations de son cœur.

Haïssons-nous nos maîtres derrière une façade d'amour, ou les aimons-nous derrière une façade de haine?

La Cage à poules dans laquelle nous sommes emprisonnés nous rend mystérieux à nous-mêmes.

Le lendemain, je m'arrêtai dans un temple au bord de la route à Gurgaon. Je déposai une roupie devant les deux paires de culs divins des lieux, et priai pour que Pinky Madam et M. Ashok se réconcilient et vivent une longue vie ensemble à Delhi.

Une semaine s'écoula ainsi. Puis la Mangouste revint de Dhanbad et j'accompagnai M. Ashok à la gare pour l'accueillir. Dès son arrivée, tout changea pour moi. Ce fut la fin de mon intimité avec M. Ashok.

Je redevins simple chauffeur. Celui qui épie les conversations. « Je lui ai parlé au téléphone, hier soir. Elle ne reviendra pas en Inde. Ses parents se réjouissent de la situation. Il n'y a qu'une issue possible.

– Ne t'inquiète pas de ça, Ashok. Tout se passera bien. Et ne l'appelle plus. Je réglerai tout de Dhanbad. Si elle fait du tapage pour obtenir de l'argent, je lui rappellerai discrètement l'histoire de l'accident et du délit de fuite.

– Ce n'est pas une question d'argent, Mukesh.

– Je sais, je sais. »

La Mangouste posa une main sur l'épaule de M. Ashok, comme Kishan avait si souvent posé sa main sur la mienne.

La route longeait un taudis : un ramassis d'abris de fortune où vivaient les ouvriers d'un chantier de construction. La Mangouste continua de parler mais M. Ashok ne l'écoutait pas. Il regardait par la vitre.

Mon regard suivit le sien. J'aperçus les silhouettes des habitants du taudis serrées sous les abris ; on pouvait distinguer une famille – mari, femme, enfants – blottie autour d'un fourneau dans une tente éclairée par une lampe jaune. Leur intimité paraissait absolue, totale. Je devinai l'émotion de M. Ashok.

Il leva la main. Je me préparai à la sentir se poser sur mon épaule, mais il enlaça celle de son frère.

« Quand j'étais en Amérique, je considérais la famille comme un fardeau. Je ne le nie pas. Quand père et toi avez essayé de m'empêcher d'épouser Pinky, sous prétexte qu'elle n'était pas hindoue, j'étais furieux contre vous. Je ne le nie pas. Mais, sans famille, un homme n'est rien. Absolument rien. Depuis cinq jours, je n'avais personne d'autre que ce chauffeur pour compagnie. Au moins, maintenant, j'ai quelqu'un de réel à mes côtés, toi. »

Je montai avec eux à l'appartement. La Mangouste voulait dîner. Je préparai un dâl, des chappattis et un plat de gombos. Je les servis à table, puis lavai la vaisselle.

Au cours du repas, j'entendis la Mangouste dire :

« Si tu es déprimé, Ashok, pourquoi n'essaies-tu pas le yoga et la méditation ? Il y a un maître yogi qui passe à la télé. Il est très bon. Chaque matin, pendant son émission, il fait ça. » Il ferma les yeux, inspira profondément, puis expira lentement : « Ooooooooom. »

Peu après, au moment où je sortais de la cuisine pour m'en aller, essuyant mes mains mouillées sur mon pantalon, la Mangouste m'arrêta :

« Attends ! »

Il sortit un papier de sa poche et le balança devant mes yeux avec un grand sourire, comme si c'était une récompense.

« Tu as une lettre de ta grand-mère. Comment s'appelle-t-elle, déjà ? »

Il commença à ouvrir l'enveloppe avec un doigt épais.

« Kusum, monsieur.

— Une femme remarquable, dit-il en se frottant les avant-bras.

— Ne vous donnez pas la peine, monsieur. Je sais lire. »

Il déplia la lettre.

M. Ashok lui glissa quelques mots en anglais. Sans doute pour lui dire que j'avais le droit de lire mes propres lettres.

Son frère lui répondit également en anglais, et je devinai,

plutôt que je ne compris, le sens de sa réponse : « Ça lui est égal. L'intimité et le privé ne signifient rien pour eux. Dans les villages, ils n'ont pas de pièces séparées. Ils dorment tous ensemble et baisent devant les autres. Crois-moi, il s'en moque. »

Il orienta la feuille de papier vers la lumière et lut à voix haute :

« Cher petit-fils. Cette lettre est écrite par M. Krishna, le maître d'école. Il a gardé un bon souvenir de toi et t'appelle par ton ancien surnom, le Tigre blanc. La vie est devenue difficile ici. On a manqué de pluie. Peux-tu demander à ton employeur un peu d'argent pour ta famille ? Et n'oublie pas d'envoyer ta paye à la maison. »

La Mangouste baissa la lettre.

« Ils ne cherchent que ça. L'argent, l'argent, l'argent. Ils sont soi-disant là pour te servir, mais au fond ils ne font que te sucer le sang. »

Il poursuivit sa lecture.

« Avec ton frère Kishan, j'ai dit : "Il est temps", et il a obéi. Il s'est marié. Avec toi, je ne commande pas. Tu es différent des autres. Tu es sérieux et profond, comme ta mère. Enfant, déjà, tu étais comme ça. Tu restais devant l'étang et tu contemplais le Fort noir, la bouche ouverte, le matin, l'après-midi et le soir. Alors je ne t'ordonne pas de te marier. Mais j'essaie de te tenter avec les joies du mariage. C'est bon pour la communauté. Chaque fois qu'il y a un mariage, il y a plus de pluie dans le village. Les buf-flonnes deviennent plus grasses et donnent plus de lait. C'est bien connu. Nous sommes très fiers de toi, maintenant que tu travailles dans la grande ville. Mais tu dois arrêter de ne penser qu'à toi, et penser aussi à nous. D'abord, tu dois nous rendre visite et man-ger mon curry de poulet. Ta grand-mère qui t'aime. Kusum. »

La Mangouste s'apprêtait à me donner enfin la lettre, mais M. Ashok la prit au passage pour la relire.

«Ces villageois s'expriment de façon si émouvante parfois», conclut-il, avant de jeter la lettre sur la table.

Dans la matinée, je conduisis la Mangouste à la gare, allai lui chercher son dosa préféré – après en avoir ôté les pommes de terre que je jetai sur les rails –, descendis sur le quai, et attendis le départ du train. Il en croqua une bouchée. Entre les rails, une souris grignotait les patates.

Je revins à Gurgaon, rangeai la voiture, et montai au treizième étage. La porte était ouverte.

«Monsieur! m'écriai-je en entrant dans le salon. C'est de la folie, monsieur!»

Assis sur le sofa, M. Ashok avait mis ses pieds dans une bassine d'eau chaude et se massait lui-même.

«Il fallait me le dire! Je vous aurais massé!»

Je me jetai à genoux devant lui.

Il poussa un cri perçant.

«Non!

– Si, monsieur. S'il vous plaît. Je manque à mon devoir si je vous laisse faire!»

Je plongeai mes mains dans l'eau sale pour lui pétrir les pieds.

«Non!»

Il renversa la bassine et l'eau se répandit sur le sol du salon.

«Ce que vous pouvez être stupides, tous! hurla-t-il en montrant la porte. Fiche le camp! Tu peux me laisser seul au moins cinq minutes dans la journée? Tu crois pouvoir y arriver?»

Le soir, je dus le conduire de nouveau à la galerie marchande. En l'attendant, je préférai rester dans la voiture et ne pas me mêler aux autres chauffeurs.

Même la nuit, l'activité règne sur les chantiers de construction de Gurgaon. De gros projecteurs illuminent le site du haut des tours, la poussière monte des excavations, des échafaudages s'élèvent, des hommes et des bêtes, arrachés à leur sommeil, larmoyants et insomniaques, vont et viennent sous leur fardeau de briques ou de gravats.

Un ouvrier menait un âne ; celui-ci avait une selle rouge vif et, sur celle-ci, deux récipients en fer remplis de déblais. Derrière l'âne en venaient deux autres, plus petits, portant le même chargement. Ces deux-là marchaient plus lentement, et l'âne de tête s'arrêtait souvent pour se tourner vers eux. On aurait dit leur mère.

Tout à coup, je compris ce qui me perturbait.

Je ne voulais pas obéir à Kusum, ni céder à son chantage. Je savais pourquoi elle m'avait adressé la lettre par l'intermédiaire de la Mangouste. Si je refusais de me marier, elle me dénoncerait. Elle dirait à M. Ashok que je ne lui envoyais pas mon salaire.

Cela faisait longtemps que je n'avais pas planté mon dard, monsieur, et la pression montait. La jeune fille qu'on me donnerait pour épouse serait très jeune, seize ou dix-sept ans, et vous savez quel goût ont les filles à cet âge. Ce sont des pastèques. N'importe quelle maladie, du corps ou de l'esprit, se guérit lorsque vous pénétrez une vierge. C'est bien connu. Et puis il y avait la dot que Kusum extorquerait à la famille de la mariée. Or vingt-quatre carats et billets tout neufs sortis de la banque. Au moins, il m'en reviendrait une part. Tous ces arguments plaidaient en faveur du mariage.

Mais il y avait le revers de la médaille.

J'étais comme cet âne. Tout ce que je pourrais faire, si j'avais des enfants, serait de leur apprendre à devenir des ânes comme moi, et à trimballer les gravats des riches.

Mes mains étranglèrent le volant.

Avec quelle précipitation je m'étais rué sur la bassine où trempaient les pieds de M. Ashok, alors qu'il ne me l'avait même pas demandé ! Pourquoi avais-je le sentiment qu'il me fallait rester au ras de ses pieds, les toucher, les masser, leur donner du plaisir ? Pourquoi ? Parce qu'on avait ancré en moi le désir de servir : on me l'avait martelé dans le crâne, clou après clou, on l'avait versé dans mon sang comme on verse les eaux usées et le poison industriel dans le Gange.

J'eus la vision d'un pied pâle se rétractant dans un brasier.

« Non », dis-je.

Je croisai mes jambes sur le siège dans la position du lotus et commençai à répéter inlassablement : « Om. » Combien de temps je demeurai ainsi dans la voiture, les yeux fermés et les jambes repliées comme le Bouddha ? je l'ignore, mais des gloussements de rire et un grattement à la vitre me firent sursauter. Les autres chauffeurs s'étaient rassemblés autour de la Honda ; l'un d'eux griffait ma vitre du bout des ongles. Ils me dévisageaient comme un animal dans un zoo.

Je dépliai aussitôt mes jambes, leur fis un large sourire, et sortis de la voiture sous une volée de bourrades, de tapes et de hurlements de rire, que j'accueillis docilement en murmurant : « J'essayais juste une posture de yoga. Ils la montrent à la télé, vous n'avez pas vu ? »

La Cage à poules remplissait sa fonction. Les serviteurs doivent empêcher les autres serviteurs de devenir des innovateurs, des expérimentateurs, ou des entrepreneurs.

Eh oui, c'est la triste vérité, monsieur le Premier ministre.

La cage est gardée de l'intérieur.

Excusez-moi, Votre Excellence, le téléphone sonne. Je reviens vers vous dans une minute.

Hélas, je vais devoir interrompre mon récit. Il n'est que 1 h 32 du matin, je sais, mais il vient de se produire quelque chose. Une urgence. Je reviendrai, faites-moi confiance.

Le sixième matin

Pardon pour ce long intermède, Votre Excellence. Il est 6 h 30 du matin. Je me suis absenté cinq heures. Il s'est produit un incident malheureux qui menaçait de compromettre la réputation d'une firme avec laquelle je travaille.

Un incident très sérieux, monsieur. Quelqu'un y a perdu la vie. (Non, ne vous méprenez pas. Je n'ai rien à voir dans sa mort ! Je vous expliquerai plus tard.)

Excusez-moi une minute, le temps que j'allume le ventilateur : je suis trempé de sueur, monsieur. Je vais m'asseoir sur le sol et regarder les hélices hacher la lumière du lustre.

Le reste du récit d'aujourd'hui traitera principalement de la manière attristante dont un doux et innocent idiot de village est devenu un citadin débauché, dépravé et dur.

Si ces changements se sont opérés en moi, c'est qu'ils avaient d'abord affecté mon maître. M. Ashok était revenu d'Amérique pur et sans tache, mais la vie à Delhi l'avait perverti, et, une fois le propriétaire de la Honda City perverti, comment le chauffeur pouvait-il demeurer intact ?

Je pensais connaître M. Ashok, monsieur. Mais c'est une pensée présomptueuse de la part d'un serviteur.

Sitôt son frère reparti pour Dhanbad, M. Ashok se métamorphosa. Il commença par revêtir une chemise noire à col ouvert et changea de parfum.

« Au "mall", monsieur ?

– Oui.

– Lequel, monsieur ? Celui où madame allait d'habitude ? »

M. Ashok ne mordit pas à l'hameçon. Il pianotait sur les touches de son téléphone et marmonna :

« Le Sahara Mall, Balram.

– C'était le préféré de madame, monsieur.

– Cesse de parler de madame à tout propos. »

En l'attendant dehors, je me demandai ce qu'il était allé faire. Une lumière rouge clignotait au dernier étage, et j'en déduisis qu'il s'agissait d'une discothèque. Des files de jeunes gens, hommes et femmes, faisaient la queue devant l'entrée de la galerie commerciale pour monter vers cette lumière rouge. Je frémis à la vue des tenues que portaient les jeunes filles.

M. Ashok ne resta pas très longtemps et revint seul. J'en fus soulagé.

« Nous rentrons, monsieur ?

– Pas encore. Conduis-moi à l'hôtel Sheraton. »

En parcourant la ville, je remarquai combien Delhi semblait différente la nuit.

Quoi ! N'avais-je jamais vu toutes ces femmes peinturlurées le long des avenues ? N'avais-je jamais vu tous ces hommes arrêter leur voiture au milieu de la circulation pour négocier un tarif avec elles ?

Je fermai les yeux et secouai la tête. *Que t'arrive-t-il, ce soir ?*

À ce stade, il se produisit un événement mineur qui éclaira ma confusion mais s'avéra très embarrassant pour moi comme pour M. Ashok. Je m'étais arrêté à un feu rouge et une jeune fille commença à traverser la rue ; moulés dans un tee-shirt, ses seins sautillaient comme trois kilos d'aubergines dans un sac. Je jetai machinalement un coup d'œil dans le rétroviseur et interceptai le regard de M. Ashok qui, lui aussi, sautillait.

Ah ah! Je t'ai vu, polisson!

Ses yeux brillèrent car lui aussi avait vu mes yeux, et il se faisait exactement la même réflexion : *Ah ah! Je t'ai vu, polisson!* Nous nous étions réciproquement pris sur le fait.

(A-t-on jamais remarqué à quel point ce petit miroir rectangulaire dans l'habitacle de la voiture peut être embarrassant? Comment, de temps à autre, quand les regards du maître et du chauffeur s'y croisent, il s'ouvre comme une porte de vestiaire et leur dévoile leur nudité?)

Je me sentis rougir. Par chance, le feu passa au vert et je démarrai.

À cet instant, je jurai de ne plus jamais regarder dans le rétroviseur. Je savais maintenant pourquoi la ville me paraissait si différente et pourquoi je bandais en conduisant.

Parce que mon maître était excité. Et dans l'espace clos de la voiture, maître et chauffeur ne formaient, cette nuit-là, qu'un seul corps.

J'éprouvai un immense soulagement lorsque la Honda franchit le portail du Maurya Sheraton Hotel, mettant un terme à cette pénible promenade.

Delhi regorge de grands hôtels. Pour les boulevards circulaires et les égouts, vous possédez peut-être une nette avance sur nous, à Pékin, mais, sur le plan du faste et de la splendeur, Delhi est inégalable. Nous avons le Sheraton, l'Imperial, le Taj Palace, le Taj Mansingh, l'Oberoi, l'Intercontinental, et bien d'autres. Les cinq-étoiles de Bangalore, je les connais comme ma poche pour y avoir dépensé des milliers de roupies en brochettes de poulet, de mouton et de bœuf dans leurs restaurants, et levé des putes de toutes les nationalités dans leurs bars, mais les cinq-étoiles de Delhi sont pour moi un mystère. Je les connais tous, mais de l'extérieur. Je n'ai jamais franchi la porte d'un seul. Nous n'en avons pas le droit. Il y a généralement un gros portier à l'entrée principale, un homme à la barbe et à la moustache lustrées, qui porte sur la tête un turban rouge ridicule et se croit important parce que les touristes américains adorent se faire photographier avec lui. S'il aperçoit un chauffeur approcher de l'hôtel, il fronce les sourcils et agite l'index dans sa direction à la manière d'un instituteur.

Tel est le destin du chauffeur de maître. Tous les autres serviteurs se croient autorisés à le mener à la baguette.

Dans les cinq-étoiles, les chauffeurs sont tenus à des règles strictes sur le stationnement des véhicules pendant que leurs maîtres sont dans l'établissement. Parfois, ils vous mettent dans un parking souterrain. Parfois, derrière l'hôtel. Parfois, devant, près des arbres. Et vous restez là une heure, deux heures, trois heures, à bayer aux corneilles, jusqu'à ce que le portier au turban rouge marmonne dans un micro : « Chauffeur untel ! Avancez la voiture devant la porte vitrée. Votre maître vous attend. »

Les chauffeurs s'étaient regroupés près du parking de l'hôtel. Accroupis en cercle et jacassant comme des singes, ils procédaient à leurs rituels habituels : balancement de trousseau de clés, masticage de pâan, ragots, évacuation d'ammoniaque.

Vitiligo se tenait un peu à l'écart, plongé dans un magazine. Sur la couverture du numéro de la semaine s'étalait la photo d'une femme couchée sur un lit, les vêtements en désordre ; debout à côté d'elle, son amant brandissait un couteau.

Murder Weekly
4,50 roupies
Une histoire vraie en exclusivité :
« Il désirait la femme de son maître »
Amour. Viol. Vengeance.

« Tu as pensé à ce que je t'ai dit, Rat-des-Champs ? demanda Vitiligo en feuilletant le magazine. À propos des goûts de ton maître. Haschich, filles ou balles de golf ? En provenance directe du consulat américain, les balles de golf.

– Ce n'est pas son genre. »

Les lèvres roses se tordirent en un sourire.

« Tu veux que je te confie un secret ? Mon maître aime les actrices de cinéma. Il les emmène dans un hôtel à Jangpura. Un hôtel avec un grand T lumineux sur le toit. Et il les tringle là-bas. »

Il nomma trois actrices célèbres de Bombay que son maître avait « tringlées ».

« Pourtant il a l'air d'un petit garçon modèle. Mais moi, je sais qu'ils sont tous pareils. Un jour tu finiras par me croire. Approche, viens lire avec moi. »

Au bout de la troisième histoire de meurtre, que nous lûmes dans un silence total, je me dirigeai vers un bosquet d'arbres pour une pause ammoniaque. Vitiligo m'accompagna.

Nos jets d'urine éclaboussèrent l'écorce à quelques centimètres d'écart.

« J'ai une question, dis-je.

– Sur les filles de la ville ?

– Non. Sur l'avenir des vieux chauffeurs.

– Hein ?

– Que deviendrai-je dans quelques années ? Est-ce que je

gagnerai assez d'argent pour acheter une maison et me mettre à mon compte?

— Un chauffeur est en bon état jusqu'à cinquante ou cinquante-trois ans. Ensuite, il ne voit plus clair et on le fiche à la porte. Tu as donc une trentaine d'années devant toi, Rat-des-Champs. Si tu économises dès maintenant, tu auras assez pour acheter une petite maison dans un bidonville. Si tu es finaud et que tu arrives à gagner des petits extras sur le côté, tu auras assez pour mettre ton fils dans une bonne école. Il apprendra l'anglais et pourra aller à l'université. C'est le meilleur scénario. Une baraque dans un bidonville et un fils à l'université.

— Le meilleur?

— Oui, car tu peux aussi choper la typhoïde en buvant de l'eau croupie, te faire virer sans raison par ton patron, ou avoir un accident. Il y a toutes sortes de mauvais scénarios. »

Je n'avais pas fini de pisser, mais il posa la main sur mon épaule.

« J'ai un truc à te demander, Rat-des-Champs. Est-ce que tu te sens bien? »

Je lui jetai un coup d'œil en biais.

« Oui, très bien. Pourquoi?

— Excuse-moi de te dire ça, mais certains chauffeurs en parlent ouvertement. Tu passes ton temps assis dans la voiture de ton maître et tu parles tout seul. Tu sais de quoi tu as besoin? D'une femme. Tu as fait un tour dans le taudis derrière les galeries marchandes? Elles ne sont pas moches, plutôt jolies et bien en chair. Certains d'entre nous y vont une fois par semaine. Tu pourrais venir aussi. »

« CHAUFFEUR BALRAM ! CHAUFFEUR BALRAM ! »

L'appel venait du portier de l'hôtel. M. Turban parlait dans son micro d'une voix prétentieuse et sévère.

«CHAUFFEUR BALRAM, PRÉSENTEZ-VOUS IMMÉDIATEMENT DEVANT L'ENTRÉE. VOTRE MAÎTRE VOUS RÉCLAME.»

Je fermai ma braguette et courus en essuyant mes mains humides sur l'arrière de mon pantalon.

Lorsque j'arrivai avec la voiture, M. Ashok sortait de l'hôtel avec une fille qu'il serrait contre lui. Elle avait les yeux bridés, la peau jaune. Une étrangère. Une Népalaise. Ni de sa caste ni même de son milieu. Elle renifla les sièges – que j'avais lustrés – et sauta dessus.

M. Ashok posa la main sur ses épaules nues. Je détournai les yeux du rétroviseur.

Je n'ai jamais approuvé la débauche en voiture, monsieur Jiabao.

Je sentis leurs parfums se mélanger et je savais exactement ce qui se passait derrière moi.

Je pensais qu'il allait me demander de rentrer à l'appartement. Mais non, la fête n'était pas finie. Il voulait faire un tour au PVR Saket.

Le PVR Saket est un cinéma multisalles, où l'on projette dix ou douze films en même temps ; la place y coûte plus de cent cinquante roupies. Oui, oui, j'ai bien dit cent cinquante roupies le ticket pour un film. En plus des salles de cinéma, il y a aussi des tas d'endroits où l'on peut boire de la bière, danser, lever des filles, ce genre de choses. Un petit lopin d'Amérique en Inde.

Au-delà de la dernière enseigne lumineuse commence le second PVR. Tous les centres de commerce et de loisirs de Delhi en comptent, en réalité, deux en un. Il existe toujours une copie du premier, plus réduite, plus glauque, cachée dans une rue adjacente.

C'est la zone des petites gens. Je traversai la rue pour rejoindre ce second PVR : une rangée de restaurants puants, de bars à thé, d'échoppes où l'on faisait frire du pain à l'huile dans de gigantesques poêles. Les employés des cinémas, les hommes de ménage, viennent y manger. Les mendiants y ont élu domicile.

J'achetai un thé et un vada de pomme de terre, et allai m'asseoir sous un banian.

« Donne-moi trois roupies, petit frère. » Une vieille femme maigre et misérable tendait la main vers moi.

« Je ne suis pas riche, la vieille... Va mendier de l'autre côté.

– Petit frère...

– Laisse-moi manger, d'accord ? Fiche-moi la paix ! »

Elle s'éloigna. Un rémouleur vint installer son matériel juste à côté de mon arbre. Deux couteaux dans la main, il s'assit sur sa machine – c'était une de ces meules à aiguiser que l'on actionne avec une pédale – et commença à pédaler. Des étincelles fusèrent à quelques centimètres de moi.

« Eh, tu es vraiment obligé de travailler juste à cet endroit ? Tu ne vois pas qu'un être humain essaie de manger ? »

Il cessa de pédaler, cligna des yeux, puis posa de nouveau les lames des deux couteaux sur la meule sifflante comme s'il n'avait pas entendu un mot de ce que j'avais dit.

Je jetai le vada à ses pieds.

« Jusqu'où va votre bêtise, par ici ? »

La vieille mendiante traversa la rue en même temps que moi vers l'autre PVR. Elle remonta son sari, prit sa respiration, et recommença son numéro. « Petite sœur, trois roupies s'il te plaît. Je n'ai rien mangé depuis ce matin... »

Une pile géante de vieux livres était posée au centre du marché, arrangée en un large carré à la manière des mandalas réalisés à l'occasion des mariages pour contenir le feu sacré. Un petit homme était assis en tailleur sur un tas de magazines, au centre du carré, tel le prêtre responsable de ce mandala de papier imprimé. Les livres m'attiraient comme un puissant aimant. Dès qu'il m'aperçut, le petit homme assis sur sa pile de magazines me lança :

« Tous les livres sont en anglais !

– Et alors ?

– Tu sais lire l'anglais ? aboya-t-il.

– Et toi, tu sais lire l'anglais ? » répliquai-je.

Et voilà. Cela suffit. Jusque-là, il s'était adressé à moi sur un ton de serviteur à serviteur. Maintenant, c'était d'homme à homme. Il s'immobilisa et me toisa de haut en bas.

« Non, dit-il avec un sourire, comme s'il appréciait mon courage.

– Alors comment peux-tu vendre des livres écrits en anglais si tu ne sais pas les lire ?

– Je les reconnais à leur couverture. Celui-ci, c'est Harry Potter, dit-il en me le montrant. Celui-là, James Hadley Chase. Et voilà Khalil Gibran, Adolf Hitler, Desmond Bagley, *Les Joies du sexe* d'Alex Comfort. Une fois, l'éditeur a changé la couverture du Hitler et je l'ai confondu avec Harry Potter. Pendant une semaine, ça a été l'enfer.

– J'ai juste envie de traîner près des livres. J'en ai eu un, autrefois. Quand j'étais petit.

– Installe-toi à ton aise. »

Je m'attardai donc auprès du grand carré de livres. Leur proximité, même dans une langue étrangère, émet des sortes d'ondes électriques, Votre Excellence. Cela se produit tout naturellement, de la même manière qu'on bande en voyant une fille en jean moulant.

Sauf que, dans ce cas, c'est votre esprit qui se met à vibrer.

Quatre mille sept cents roupies. Il y avait quatre mille sept cents roupies dans l'enveloppe marron, sous mon lit.

Curieuse somme, n'est-ce pas? Une énigme. Réfléchissons. Au départ, Pinky Madam avait peut-être eu l'intention de m'en donner cinq mille. Ensuite, un peu radine comme tous les riches – rappelez-vous quand la Mangouste m'avait fait chercher une roupie à quatre pattes dans la voiture –, elle en avait ôté trois cents.

Mais non, pauvre idiot, ce n'est pas ainsi que raisonnent les riches. Tu ne l'as pas encore compris?

Bon. Au début, elle avait dû fixer la somme à dix mille. L'avait divisée par deux, puis prélevé encore cent roupies, puis cent et encore cent. C'est typique de leur pingrerie.

Cela signifie donc qu'ils te devaient dix mille. Mais si elle a pensé qu'elle te devait dix mille, alors c'est qu'elle en devait réellement... quoi... dix fois plus?

«Non. Cent fois plus.»

J'avais parlé à voix haute.

Le petit homme posa son journal et leva les yeux sur moi.

«Tu as dit quelque chose?

– Non.

– Hé! Qu'est-ce que tu fais?»

Je tenais un volant imaginaire et effectuai un virage à cent quatre-vingts degrés.

«J'aurais dû m'en douter, dit le petit homme. Les chauffeurs sont des malins. Ils entendent des tas de choses intéressantes, pas vrai?

– Certains chauffeurs, peut-être. Moi, dans la voiture, je suis sourd.

– C'est ça! Dis donc, tu dois connaître l'anglais. À force, ça te rentre dans la cervelle.

– Je te l'ai dit, je n'écoute pas. Comment ça pourrait entrer?

– Que veut dire ce mot, là, dans le journal? *In-ti-mi-té.* »

Je le lui expliquai et il eut un sourire reconnaissant.

« Nous venions juste d'entamer l'alphabet anglais quand ma famille m'a retiré de l'école », expliqua-t-il.

Encore un type pas fini. À demi cuit. Ma caste.

« Hé ! me cria-t-il à nouveau. Tu veux lire ça ? » Il brandissait une revue avec une Américaine en photo de couverture. Le genre de magazine apprécié par les jeunes gens riches. « C'est du bon ! »

Je feuilletai le magazine. Il avait raison, c'était du bon.

« Ça coûte combien ?

– Soixante roupies. Tu te rends compte ? Soixante roupies pour un magazine d'occasion. Et je connais un gars dans Kahn Market qui vend des journaux importés d'Angleterre à cinq cent huit roupies le numéro ! C'est fou, non ? »

Je levai la tête vers le ciel et sifflai.

« Oui, c'est fou l'argent qu'ils peuvent avoir, dis-je à mi-voix, comme si je me parlais à moi-même. Pourtant ils nous traitent comme des animaux. »

À sa réaction, on aurait pu croire que j'avais délibérément cherché à le perturber. Il leva et abaissa son journal à plusieurs reprises, puis s'approcha du bord du mandala et, masquant en partie son visage derrière le journal, il me chuchota quelque chose.

Je mis ma main en coupe autour de mon oreille.

« Tu veux répéter ? »

Il jeta un regard circulaire et reprit, un peu plus fort :

« Ça ne durera pas éternellement. La situation actuelle.

– Pourquoi ?

– Tu as entendu parler des Naxalites ? dit-il à voix basse. Ils ont des armes. Une armée entière. Ils sont de plus en plus forts.

– Vraiment ?

– Lis les journaux. Les Chinois veulent une guerre civile en

Inde, tu comprends ? Les bombes chinoises arrivent en Birmanie, puis au Bangladesh, et enfin à Calcutta. Ensuite elles descendent dans l'Andhra Pradesh et remontent dans les Ténèbres. Le moment venu, l'Inde entière sera...»

Il ouvrit ses paumes de mains.

Notre conversation se poursuivit ainsi un moment, mais notre amitié s'arrêta comme s'arrêtent toutes les amitiés entre serviteurs : par l'appel impératif de nos maîtres respectifs. Un groupe de jeunes gens riches voulaient un magazine américain cochon, et M. Ashok sortit du bar avec la Népalaise. Ils empestaient l'alcool.

Sur le chemin du retour, ils bavardèrent bruyamment avant de passer aux baisers et au pelotage. Lui qui était encore légalement marié à une autre femme ! J'étais tellement furieux que je grillai quatre feux rouges et faillis percuter un char à bœufs chargé de bidons de kérosène. Ils ne s'en rendirent même pas compte.

« Bonne nuit, Balram, cria M. Ashok en s'éloignant avec la fille.

– Bonne nuit, Balram ! » cria-t-elle à son tour.

Ils coururent vers le hall et appuyèrent fébrilement sur le bouton d'appel de l'ascenseur à tour de rôle.

Arrivé dans ma chambre, je passai la main sous le lit. La tunique de maharadja était toujours là, avec le turban et les lunettes noires.

Peu après, je quittai le garage au volant de la Honda City déguisé en maharadja, les lunettes sur le nez. Je n'avais aucun but précis. Je fis simplement le tour des galeries marchandes. Chaque fois que j'apercevais une jolie fille, je la klaxonnais.

J'écoutai la musique. Je branchai la clim à fond.

Puis je revins au Buckingham, garai la voiture, fourrai les lunettes dans ma poche et ôtai la tunique.

Après quoi, je crachai sur les sièges de cuir et les essuyai.

Le lendemain matin, M. Ashok ne me fit pas appeler. Je pris l'ascenseur et me plantai devant la porte. Je me sentais coupable de mon escapade de la veille au soir. Je me demandais si je devais tout avouer. Plusieurs fois je faillis sonner, et renonçai. Des bruits légers me parvinrent de l'intérieur. Je plaquai l'oreille contre le bois.

« J'ai changé, je t'assure !

– Arrête de t'excuser.

– Je me suis plus amusé en une seule soirée avec toi qu'en quatre ans de mariage.

– Quand tu es parti pour New York, j'ai pensé ne jamais te revoir. Et tu es là. Pour moi, c'est le principal. »

Je m'écartai de la porte en me frappant le front. Ma culpabilité atteignit des sommets. *Cette femme est son ancienne petite amie, imbécile ! Pas une pute !*

Bien sûr. Jamais il ne serait allé chercher une prostituée. J'avais toujours su que c'était un homme bien. Il valait mieux que moi.

En guise de punition, je me pinçai férocement la main.

Et collai de nouveau mon oreille contre la porte.

Le téléphone sonna. Après un moment de silence, la voix de M. Ashok dit : « Lui, c'est Câlin, et lui Caresse. Tu te souviens d'eux ? Ils aboient toujours après moi. Tiens, prends le téléphone. Écoute... »

Après quelques minutes, sa voix à elle :

« Mauvaises nouvelles ? Tu as l'air contrarié.

– Je dois aller voir un ministre. J'ai horreur de ça. Ils sont tellement obséquieux. Je déteste ce business. C'est trop moche. Je voudrais faire autre chose. Quelque chose de propre. De la sous-traitance, par exemple. Chaque jour j'ai envie de changer.

– Qu'est-ce qui t'en empêche ? Tu réagis de la même façon que le jour où ils t'ont dit de ne pas m'épouser. Tu n'as pas été capable de leur dire non.

– Ce n'est pas aussi simple, Uma. Ce sont mon père et mon frère.

– Je doute que tu aies vraiment changé, Ashok. Un seul coup de fil de Dhanbad et le naturel reprend le dessus.

– Ne nous disputons pas. Je vais te faire reconduire en voiture.

– Non. Je ne rentre pas avec ton chauffeur. Je connais la mentalité villageoise. Ils pensent que toute femme non mariée est une putain. Et il me prend probablement pour une Népalaise, à cause de mes yeux. Tu sais ce que ça signifie pour lui. Je préfère rentrer par mes propres moyens.

– Balram est un garçon bien. Il fait partie de la famille.

– Ne sois pas aussi confiant, Ashok. À Delhi, tous les chauffeurs sont corrompus. Ils fourguent de la drogue, des prostituées, et Dieu sait quoi d'autre.

– Pas lui. Il est bête mais honnête. Il va te reconduire.

– Non, Ashok. Je prendrai un taxi. Je t'appelle ce soir ? »

Comprenant soudain qu'elle approchait de la porte, je décampai sur la pointe des pieds.

Je n'eus aucune autre nouvelle de lui avant la fin de l'après-midi. Il me demanda de le conduire d'une banque à une autre. Sans bouger les mains du volant, je le surveillais du coin de l'œil. Il collecta de l'argent dans quatre distributeurs automatiques différents. Après quoi il me dit :

« Dans le centre, Balram. Tu te souviens de la grande maison sur Ashoka Road, où nous sommes allés une fois avec Mukesh Sir ?

– Oui, monsieur. Je m'en souviens. Ils ont deux gros bergers allemands à l'entrée.

– Exact. Tu as bonne mémoire, Balram.»

Dans le rétroviseur espion, je vis M. Ashok pianoter sur les touches de son portable. Il annonçait probablement sa visite, avec le cash, à l'adjoint du ministre. Je comprenais enfin quelles affaires traitait mon maître quand je le promenais dans Delhi.

«J'en ai pour vingt minutes, Balram», dit-il lorsque je le déposai devant la résidence du ministre.

Il sortit avec le sac rouge et claqua la portière.

Le vigile armé qui montait la garde dans une guérite métallique sur le mur d'enceinte rouge me surveillait avec attention. Les deux bergers allemands parcouraient les jardins en aboyant de temps à autre.

Le soleil se couchait. Les oiseaux de la ville commençaient à faire du tapage en regagnant leurs nids. Delhi est une grande métropole, monsieur le Premier ministre, cependant il y a encore des espaces sauvages – de grands parcs, des forêts protégées, des terrains vagues – et il arrive que des choses étonnantes surgissent. Alors que je contemplais le mur rouge de la maison du ministre, un paon vint se percher sur la guérite du vigile; pendant un instant, son cou bleu profond et sa longue queue se teintèrent d'or dans les rayons du soleil rasant. Puis il disparut.

Peu après, la nuit tomba.

Les chiens jappèrent. Le portail s'ouvrit. M. Ashok sortit en compagnie d'un gros homme : le même qui l'avait escorté devant le palais présidentiel. Je supposai qu'il était l'adjoint du ministre. Ils s'arrêtèrent devant la voiture pour discuter.

Le gros homme serra la main de M. Ashok, lequel était visiblement pressé de le quitter. Mais il n'est pas si facile de se débarrasser d'un politicien, ni même de l'adjoint d'un politicien. Je descendis de la voiture et fis semblant de vérifier les pneus.

« Ne vous inquiétez pas, Ashok. Je vais m'assurer que le ministre appelle votre père dès demain.

— Merci. Ma famille apprécie votre aide.

— Que faites-vous, maintenant ?

— Rien de spécial. Je rentre à Gurgaon.

— Un homme jeune comme vous ? Sortons plutôt faire la fête !

— Vous ne devez pas travailler sur les élections ?

— Les élections ? C'est plié. Une victoire écrasante. Le ministre l'a dit ce matin. Vous savez, mon ami, en Inde, les élections se contrôlent. Nous ne sommes pas en Amérique. »

Écartant d'un geste les objections de M. Ashok, le gros homme monta dans la voiture. À peine avions-vous démarré qu'il demanda :

« Offrez-moi un whisky, Ashok.

— Ici ? Dans la voiture ? Il n'y en a pas. »

Le gros homme parut très étonné.

« À Delhi, tout le monde a une bouteille de whisky dans sa voiture, mon cher Ashok. Vous ne le saviez pas ? »

Il m'ordonna de retourner à la résidence du ministre. Quelques minutes plus tard, il en ressortit avec deux verres et une bouteille. Il se rassit, tout essoufflé, et déclara :

« Maintenant, cette voiture est parfaitement équipée. »

M. Ashok prit la bouteille pour le servir, mais le gros homme claqua la langue dans une moue agacée.

« Pas vous, voyons. Le chauffeur. C'est à lui de nous servir. »

Je me retournai aussitôt pour me transformer en barman.

« Vous avez un chauffeur très talentueux, remarqua le gros homme. Souvent, ils en renversent partout en servant un verre.

— On ne devinerait jamais qu'il est d'une caste qui ne boit jamais d'alcool, n'est-ce pas ? »

Je remis le bouchon et calai la bouteille contre le levier

de vitesses. Derrière moi, les verres tintèrent et deux voix se souhaitèrent : «À la vôtre!»

«Allons au Sheraton, suggéra l'acolyte du ministre. Au Sheraton, chauffeur! Il y a un excellent restaurant au sous-sol, Ashok. Très tranquille. On pourra s'amuser un peu.»

Je mis le contact et conduisis l'œuf noir de la Honda City à travers les rues de New Delhi.

«La voiture d'un homme est son palais, reprit le gros homme. Je n'arrive pas à croire que vous n'ayez jamais fait ça.

– Boire en voiture? En Amérique, on ne s'y risquerait jamais.

– C'est l'avantage de vivre à Delhi, mon cher!» Il lui assena une claque sur la cuisse, but une lampée et reprit : «Quelle est votre situation, Ashok?

– En ce moment, je m'occupe de charbon. Les gens pensent à tort que seules les nouvelles technologies sont en pleine expansion. Les médias ne parlent jamais du charbon. Mais les Chinois en consomment des quantités considérables et les prix augmentent. Des millionnaires naissent un peu partout.

– Oui, oui, bien sûr. Le fameux effet chinois. Mais ce n'est pas ce à quoi je pensais en parlant de votre situation, mon jeune ami! En fait, je vous demandais qui s'occupe de vous… ici.»

Il désigna la partie inférieure du corps de M. Ashok, qui ne concernait en rien les affaires.

«Je suis séparé. En train de divorcer.

– Navré de l'apprendre. Le mariage est une bonne institution. Décidément, tout tombe en lambeaux dans ce pays. La famille, le mariage, tout.» Il sirota un peu de son whisky avant de poursuivre : «Dites-moi, Ashok, à votre avis, nous allons avoir une guerre civile?

– Pourquoi dites-vous cela?

– Il y a quatre jours, je me trouvais dans un tribunal à Ghaziabad. Le juge a pris une décision qui n'a pas plu aux avocats et ils ont tout simplement refusé de l'appliquer. Ils sont devenus fous. Ils ont tiré le juge hors de son fauteuil et l'ont tabassé. Dans sa propre salle d'audience ! L'incident n'a pas été relaté dans la presse. Mais j'y ai assisté. Si les gens commencent à frapper les juges à l'intérieur même du tribunal, où va notre pays ? »

Un objet glacé toucha ma nuque. Le gros homme me frottait le cou avec son verre.

« Un autre, chauffeur.

– Oui, monsieur. »

Avez-vous jamais assisté à ce tour de passe-passe, Votre Excellence ? Un homme tenant un volant d'une main et, de l'autre, soulevant une bouteille par-dessus son épaule pour servir du whisky dans un verre sans en perdre une goutte ! Quels talents on exige d'un chauffeur indien ! Non seulement il doit avoir des réflexes parfaits, une bonne vision nocturne, une patience infinie, mais il doit aussi être un barman accompli !

« Encore un peu, monsieur ? »

Je jetai un rapide coup d'œil dans le rétroviseur au corpulent adjoint du ministre ; des replis de chair putrides dégoulinaient sous son menton.

« Sers aussi ton maître.

– Non, ça me suffit. Je ne bois pas beaucoup.

– Ne soyez pas idiot, Ashok. J'insiste. Ressers ton maître, chauffeur. »

Il me fallut donc répéter le même numéro une-main-sur-le-volant-l'autre-main-servant-le-whisky.

Le gros homme se calma après le deuxième verre. Il s'essuya les lèvres.

« En Amérique, vous avez dû avoir des tas de femmes ? Je veux dire… des locales.

– Non.

– Comment ça, non ?

– J'étais fidèle à Pinky, ma femme.

– Ça alors ! Quelle idée ! Un mari fidèle. Pas étonnant que cela se termine par un divorce. Vraiment jamais ?

– Je vous l'ai dit.

– Bon sang. Pourquoi faut-il que ce soit toujours ceux qui ne le méritent pas qui vont à l'étranger ? Dites, vous en voulez une maintenant ? Une Européenne ?

– Maintenant ?

– Oui. Une Russe. Elle ressemble à une actrice américaine. » Il mentionna un nom. « Ça vous tente ?

– Une prostituée ?

– Une amie, répondit le gros en souriant. Une amie magique. Alors ?

– Non. Merci. Je vois quelqu'un. Je viens juste de retrouver une… »

Le gros homme avait déjà sorti son portable et composait un numéro. La lumière de l'appareil jetait une lueur bleutée sur son visage.

« Elle est là, dit-il. Allons la voir. C'est une fille superbe, je vous le certifie. Vous avez trente mille roupies sur vous ?

– Non. Écoutez, je vous ai dit que je fréquente quelqu'un. Je ne suis pas…

– Aucun problème. Je paierai pour vous. Vous me rembourserez plus tard. Vous ajouterez ça dans la prochaine enveloppe du ministre. »

Il posa la main sur celle de M. Ashok et lui fit un clin d'œil. Puis il se pencha pour me donner ses instructions. Je lançai à M. Ashok, via le rétroviseur, le regard le plus dur dont j'étais capable.

Une prostituée? C'est pour les hommes comme moi, monsieur.
Vous êtes certain d'en avoir envie?

J'aurais aimé pouvoir le lui dire ouvertement. Mais qui étais-je? Juste le chauffeur.

Je suivis donc les ordres du gros. M. Ashok ne fit aucune objection. Il se contenta de siroter son whisky comme un petit garçon son soda. Il pensait peut-être que c'était une blague, ou alors il avait trop peur de l'adjoint du ministre pour refuser.

Malgré cela je défendrai son honneur jusque sur mon lit de mort. Ce sont eux qui l'ont corrompu.

L'adjoint du ministre m'indiqua une adresse à Greater Kailash, autre quartier huppé de Delhi où vivent les gens de qualité. Pour m'indiquer où tourner, il me touchait la nuque avec son verre. La maison était aussi vaste qu'un petit palais, avec d'imposantes colonnes de marbre en façade. À en juger par l'amoncellement d'ordures ménagères devant le mur d'enceinte, il était évident que c'était une demeure de riches.

Le gros homme maintint la portière ouverte tout en parlant au téléphone. Cinq minutes plus tard, il referma la portière. J'éternuai. Un parfum bizarre avait envahi la voiture.

«Arrête d'éternuer et conduis-nous à Jangpura, chauffeur.

– Pardon, monsieur.»

Le gros homme sourit. Il se tourna vers la fille qui était montée dans la voiture et dit :

«Parle en hindi avec mon ami, s'il te plaît.»

Je jetai un coup d'œil furtif dans le rétroviseur et l'aperçus pour la première fois.

C'était vrai qu'elle ressemblait à une actrice. J'avais vu sa photo quelque part, mais je ne me souvenais plus de son nom. Il m'est revenu en mémoire à Bangalore, bien plus tard, quand j'ai su me servir d'Internet – après deux leçons seulement ! – et reconnu son visage et son nom sur Google.

Kim Basinger.

C'était bien le nom qu'avait mentionné l'adjoint du ministre. Et il n'avait pas exagéré. Cette fille ressemblait comme deux gouttes d'eau à Kim Basinger. Elle était grande, belle, mais son attrait majeur était sa chevelure, dorée et brillante comme dans les publicités pour shampoings.

« Comment allez-vous, Ashok ? » dit-elle dans un hindi parfait.

Elle lui serra la main.

L'adjoint du ministre gloussa.

« Vous voyez ? L'Inde a fait des progrès, n'est-ce pas ? Elle parle hindi. »

Il lui donna une claque sur la cuisse.

« Ton hindi s'est amélioré, chérie. »

M. Ashok se pencha pour parler au gros homme par-dessus l'épaule de la jeune femme.

« Elle est russe ?

– Posez-lui la question, Ashok. Ne soyez pas timide. C'est une amie.

– Ukrainienne, rectifia la femme. Je suis venue d'Ukraine pour faire mes études en Inde. »

Je me promis de retenir le nom de ce pays et de faire un tour là-bas un jour.

« Allez-y, Ashok. Touchez ses cheveux. C'est naturel. N'ayez pas peur. C'est une amie, je vous dis. » Il pouffa. « Vous voyez, ça ne fait pas mal ! Dis quelque chose en hindi à M. Ashok, chérie. Il a encore un peu peur de toi.

– Vous êtes un bel homme, dit la fille. Vous n'avez pas à avoir peur de moi.

– Chauffeur! fit le gros en se penchant pour me toucher de nouveau la nuque avec son verre. On est bientôt à Jangpura?

– Oui, monsieur.

– En arrivant à Masjid Road, tu verras un hôtel avec un immense T au néon. C'est là que nous allons. »

Je les y déposai dix minutes plus tard. On ne risquait pas de le manquer. L'énorme T brillait dans la nuit comme un phare.

L'adjoint du ministre escorta la femme aux cheveux d'or dans le hall de l'hôtel, où le directeur les accueillit chaleureusement. M. Ashok marchait derrière eux, jetant des coups d'œil à droite et à gauche comme un petit garçon honteux prêt à commettre une grosse bêtise.

Une demi-heure s'écoula. Je ne quittai pas mon siège. Je serrai les poings. Je boxai un peu le petit ogre et commençai à ronger le volant.

Je continuais d'espérer qu'il allait sortir en courant, les bras au ciel et criant : «Balram, j'ai failli faire une bêtise! Sauve-moi! Emmène-moi loin d'ici!»

Une heure plus tard, M. Ashok sortit de l'hôtel, seul, l'air malade.

«La réunion est terminée, Balram, soupira-t-il en laissant glisser sa tête contre le dossier. Rentrons à la maison.»

Je ne démarrai pas tout de suite. Ma main s'attarda un instant sur la clé de contact.

«Balram! À la maison je t'ai dit!

– Oui, monsieur.»

Arrivé au Buckingham Towers, je le regardai se diriger en titubant vers l'ascenseur. Je restai dans la voiture, patientai cinq minutes, puis retournai à Jangpura, devant l'hôtel illuminé par un grand T.

Je me garai dans un coin et surveillai la porte de l'hôtel. J'attendais qu'elle sorte.

Un rickshaw vint se ranger près de la Honda. Petit, pas rasé, maigre comme un jonc, l'air épuisé, le conducteur s'essuya le visage et les jambes avec un chiffon, puis s'allongea sur le sol pour dormir. Sur la selle de son rickshaw était collé un macaron publicitaire blanc :

L'EXCÈS DE POIDS VOUS POSE UN PROBLÈME ?

APPELEZ JIMMY SINGH À METRO GYM

98 11 79 92 89

La mascotte de la salle de gymnastique – un Américain aux muscles énormes – souriait au-dessus de la réclame. Le ronflement du conducteur de rickshaw faisait un fond sonore.

Dans l'hôtel, quelqu'un avait dû m'apercevoir. La porte du hall s'ouvrit bientôt et un policier apparut sur le seuil, braqua ses yeux sur moi et commença à descendre les marches.

Je démarrai aussitôt et rentrai à Gurgaon.

Depuis, il m'est souvent arrivé de conduire dans Bangalore la nuit, mais jamais je n'ai ressenti la même impression qu'à Delhi : cette sensation que, si quelque chose brûle à l'intérieur de moi pendant que je roule, la ville le saura et brûlera pour la même raison.

Cette nuit-là, j'étais amer. La ville le sentit. Sous le faible halo orangé des réverbères, sa propre amertume était palpable.

Parle-moi de guerre civile, lui murmurai-je.

Je t'en parlerai, répondit-elle.

Une vasque de fleurs était renversée sur un terre-plein, au milieu de la route ; à côté, trois hommes étaient assis, bouche bée.

Un vieillard avec une barbe et un turban blanc leur parlait, un doigt levé. Les voitures filaient près de lui avec leurs phares aveuglants, et le vacarme étouffait ses paroles. Il ressemblait à un prophète au milieu de la ville, un prophète que seuls écoutaient ces trois apôtres. Ils deviendront ses trois généraux. La vasque renversée est une sorte de symbole.

Parle-moi de sang coulant dans les rues, murmurai-je à Delhi.

Je le ferai.

J'aperçus d'autres hommes qui discutaient et lisaient dans la nuit, seuls ou en groupe au pied des réverbères. Cette nuit-là, dans l'éclairage blafard de la ville, sous les arbres, aux intersections, sur les bancs, j'entrevis des centaines de personnes qui lisaient en plissant les yeux, des journaux, des livres pieux, des revues, des tracts du parti communiste. Que lisaient-ils? De quoi parlaient-ils?

De quoi? sinon de la fin du monde.

Et si le sang coule dans les rues, me promets-tu qu'il sera le premier à mourir, le gros homme avec des plis de graisse sous le menton? demandai-je à la ville.

Un mendiant assis au bord de la route, presque nu, crasseux, ses cheveux hirsutes emmêlés en longues torsades pareilles à des serpents, me regarda dans les yeux :

Promis.

Des morceaux de verre colorés étaient enchâssés dans le faîte du mur d'enceinte du Buckingham Towers pour éloigner les voleurs. Sous le faisceau des phares, les éclats de verre luisaient et le mur se transformait en un monstre doté d'une crête en technicolor.

Le portier me jeta un regard appuyé.

C'était la deuxième fois qu'il me voyait sortir et revenir seul.

Dans le garage, je descendis de voiture, ouvris la porte arrière et passai les mains le long de la banquette de cuir, jusqu'à ce que je trouve ce que je cherchais.

Quelques cheveux blonds!

Je les portai à la lumière.

Je les ai conservés dans un tiroir de mon bureau jusqu'à ce jour.

La sixième nuit

Les rêves des riches ne coïncident jamais avec ceux des pauvres, n'est-ce pas?

Toute leur vie, ces derniers rêvent d'avoir assez à manger et de ressembler aux riches. Et de quoi rêvent les riches?

De perdre du poids et de ressembler aux pauvres.

Chaque matin, la petite esplanade entourant le Buckingham Towers se transforme en terrain de sport. Des hommes gras et bedonnants, et des femmes encore plus grasses et bedonnantes, les aisselles marquées par de larges auréoles de transpiration, effectuent leur jogging du soir.

Il faut comprendre que, avec toutes ces fêtes, cette abondance d'alcool et de nourriture, les riches de Delhi tendent à grossir. Donc ils courent pour maigrir.

Mais où les êtres humains devraient-ils normalement courir?

Dans la nature : au bord d'une rivière, dans un parc ou une forêt.

Or, montrant là leur génie habituel pour l'urbanisme, les riches de Delhi ont construit ce quartier de Gurgaon sans parc, sans pelouse et sans terrain de jeux. Uniquement des immeubles, des centres commerciaux, des hôtels, et encore des immeubles. Il y avait bien un trottoir, mais les pauvres y avaient élu domicile.

Donc, si vous vouliez faire un peu d'exercice physique, il fallait vous contenter du pourtour bétonné de votre résidence.

Et, tandis qu'ils couraient autour du Buckingham Towers, les gros lards obligeaient leurs serviteurs – chauffeurs, pour la plupart – à se poster à différents points du parcours avec des bouteilles d'eau minérale et des serviettes-éponges propres. Chaque fois qu'ils achevaient un tour du circuit, ils faisaient halte devant lui, saisissaient la bouteille – hop, une gorgée –, saisissaient la serviette – hop, un coup sur le visage –, avant de s'élancer pour le deuxième round.

Vitiligo se tenait dans un angle, avec la bouteille et la serviette imbibée de sueur de son maître. Il ne cessait de se tourner vers moi, le regard pétillant de malice – son patron, l'homme de l'acier, encore chauve deux semaines plus tôt, arborait à présent une épaisse chevelure noire – postiche hors de prix qu'il était allé chercher tout spécialement en Angleterre. Ce postiche était le principal sujet de conversation du moment parmi le cercle des singes. Les chauffeurs avaient même proposé dix roupies à Vitiligo pour qu'il expérimente les vieilles astuces consistant à donner des coups de frein impromptus ou à rouler à toute vitesse sur un nid-de-poule afin de faire gicler la perruque de son maître au moins une fois.

Chaque soir, le cercle des singes étalait et disséquait les secrets des employeurs, mais personne ne s'avisait d'aborder le sujet du divorce, sachant qu'il aurait affaire à moi. Je ne tolérai aucune atteinte à l'intimité de M. Ashok.

Je me tenais à quelques pas de Vitiligo, la bouteille d'eau minérale dans une main et la serviette-éponge sur l'épaule.

M. Ashok s'apprêtait à achever son circuit : je sentais à distance l'odeur de sa transpiration. C'était son troisième tour. Il prit la bouteille, la vida, s'essuya le visage avec la serviette, et la remit sur mon épaule.

« Je n'en peux plus, Balram. Tu remonteras la bouteille et la serviette.

– Oui, monsieur. »

Je le regardai entrer dans le hall. Il faisait de l'exercice une ou deux fois par semaine, mais cela ne suffisait visiblement pas à compenser ses nuits de débauche. Son tee-shirt était collé sur sa bedaine avachie et moite. Il était devenu répugnant.

Je fis un petit signe à Vitiligo avant de descendre au garage.

Deux minutes plus tard, un bruit de pas et l'odeur de sueur de l'homme d'acier me parvinrent : Vitiligo. Je le hélai. La Honda City était désormais le seul endroit au monde où je me sentais vraiment en sécurité.

« Qu'est-ce qui se passe, Rat-des-Champs? Tu veux un autre magazine?

– Non. Autre chose. »

Je m'accroupis à côté d'un des pneus de la voiture, grattant les rainures du bout de l'ongle. Vitiligo s'accroupit près de moi.

Je lui montrai les quelques cheveux dorés que je gardais enroulés autour de mon poignet comme un bracelet. Il l'attira sous son nez pour les renifler.

« Pas de problème, dit-il avec un clin d'œil. Je t'avais bien dit que ton maître finirait par se sentir seul.

– Je t'interdis de parler de lui! »

Je lui saisis le cou. Il me repoussa.

« Tu es dingue! Tu as failli m'étrangler! »

Je recommençai à gratter les sillons du pneu.

« Ça coûtera combien?

– Première ou deuxième qualité? Vierge ou dévergondée? Ça dépend.

– Je m'en moque, du moment qu'elle a les cheveux dorés, comme dans les publicités pour shampoings.

– Le moins cher, c'est dix, douze mille.

– C'est trop. Il ne paiera pas plus de quatre mille sept cents.

– Six mille cinq, Rat-des-Champs. C'est le minimum. La peau blanche a un prix.

– D'accord.

– Il la veut pour quand?

– Je te le dirai. Bientôt. Ce n'est pas tout. Je voudrais savoir autre chose.»

Je pris ma respiration à fond et humai l'odeur du pneu. J'avais besoin de forces.

« Il y a combien de façons, pour un chauffeur, d'arnaquer son maître?»

Je sais, monsieur Jiabao, qu'il est très courant de trouver des encadrés insérés dans les chapitres des manuels de gestion et de marketing enveloppés de cellophane. À ce stade de l'histoire, et pour soulager un peu votre ennui, j'aimerais moi aussi en placer un dans cette chronique de la naissance et du développement de l'entrepreneur moderne.

COMMENT GAGNER QUELQUES EXTRAS
QUAND ON EST UN CHAUFFEUR ENTREPRENANT

---

1. En l'absence de son maître, le chauffeur peut siphonner l'essence de la voiture, puis revendre le carburant.

2. Quand son maître lui ordonne de porter la voiture à réparer, il peut s'adresser à un mécanicien corrompu. Celui-ci gonfle la facture et le chauffeur touche une commission. Voici une liste de quelques mécaniciens entreprenants qui aident les chauffeurs entreprenants :
Lucky Mécanique, Lado Serai, près du Qutab Minar
R.V. Réparations, Greater Kailash Part II
Nilofar Mécanique, DLF Phase I, Gurgaon.

3. Le chauffeur doit étudier les habitudes de son maître, puis se poser la question suivante : « Mon maître est-il insouciant ? » Et, dans ce cas, « quels sont les moyens à ma disposition pour tirer profit de son insouciance » ?
Par exemple, si le maître laisse des bouteilles d'alcool anglais vides dans la voiture, il peut les revendre à des bootleggers. La bouteille de Johnnie Walker Carte noire est la plus prisée.

4. En acquérant de l'expérience, de l'assurance et de l'audace, le chauffeur peut prendre le risque de transformer la voiture de son maître en taxi free lance. Le trajet qui relie Gurgaon à Delhi est très propice : des tas de Roméo viennent voir leurs petites amies qui travaillent dans les centres d'appel. Une fois certain que son maître ne remarquera pas l'absence de la voiture – et qu'aucun ami de son maître ne risque de se trouver sur cette route à cette heure –, le chauffeur entreprenant peut marauder dans le secteur pendant son temps libre pour prendre des passagers payants.

La nuit, étendu sous la moustiquaire dans la lumière de l'ampoule nue de ma chambre, j'observais les cafards noirs qui rampaient sur le tulle ; leurs antennes vibraient autant que mes nerfs. J'étais trop agité pour essayer de les écraser. Un cafard atterrit juste au-dessus de ma tête.

Tu aurais dû leur demander de l'argent quand ils t'ont fait signer ce papier. Assez pour coucher avec vingt Blanches. Le cafard s'envola. Un autre prit sa place.

Vingt ?

Cent ! Deux cents. Trois cents, mille, dix mille putains aux cheveux d'or. Même cela n'aurait pas suffi. Cela ne serait pas suffisant.

Au cours des deux semaines suivantes, je fis des choses que j'ai encore honte d'avouer : j'escroquai mon employeur. Je siphonnai son essence, conduisis sa voiture chez un mécanicien qui factura une réparation inutile, et trois fois, en revenant au Buckingham Towers, je ramenai un passager payant.

Le plus étrange est que, chaque fois que je regardais l'argent que j'avais gagné en le dupant, savez-vous ce que j'éprouvais ? De la culpabilité ? Non.

De la rage.

Plus je le volais, plus je mesurais combien il m'avait, lui, volé.

Pour revenir à l'analogie employée plus haut en vous décrivant la politique indienne, je prenais enfin du ventre.

Puis, un dimanche après-midi, M. Ashok m'ayant prévenu qu'il n'aurait plus besoin de moi, j'avalai deux grands verres de whisky pour me donner du courage et me rendis dans le dortoir des domestiques. Vitiligo était assis sous le poster d'une actrice de cinéma – chaque fois que son maître « tringlait » une actrice, il mettait son poster au mur – et jouait aux cartes avec ses collègues.

« Tu peux raconter ce que tu veux, mais ces rigolos ne vont pas être réélus », disait-il.

Il leva les yeux et m'aperçut.

« Regardez qui est là ! Le yogi nous rend une de ses rares visites. Bienvenue, honoré collègue. »

Ils me sourirent. Je leur souris.

« Nous discutions des élections, Rat-des-Champs. Tu sais, on n'est pas dans les Ténèbres, ici. Les résultats ne sont pas truqués. Tu vas aller voter ? »

Je lui fis signe de venir me rejoindre.

« Plus tard, Rat-des-Champs. J'adore parler politique. »

J'agitai l'enveloppe marron en l'air. Il posa aussitôt ses cartes. J'insistai pour aller dans le garage. Une fois à l'abri de la Honda City, il compta l'argent.

« Parfait, Rat-des-Champs. Le compte y est. Où est ton maître ? C'est toi qui le conduis là-bas ?

– Je suis mon propre maître. »

Il mit une minute avant de comprendre. Puis sa mâchoire tomba, il fit un bond vers moi et me serra dans ses bras.

« Rat-des-Champs ! Mon héros ! »

Lui aussi venait des Ténèbres, et l'on éprouve de la fierté à voir un de ses semblables montrer quelque ambition dans la vie.

Il me conduisit à l'hôtel dans la Qualis de son maître, m'expliquant en route qu'il faisait le taxi quand ce dernier s'absentait.

L'hôtel était situé à South Extension, Part II, l'un des meilleurs quartiers commerçants de Delhi. Vitiligo verrouilla les portières de la Qualis, se fendit d'un sourire rassurant, et m'accompagna à la réception de l'hôtel. Un homme en chemise blanche et nœud papillon noir était occupé à pointer de l'index les entrées sur un long registre ; laissant son doigt sur une ligne, il m'examina pendant que mon collègue lui glissait quelques mots à l'oreille.

Le directeur de l'hôtel secoua la tête.

« Une blonde pour lui ? »

Il mit ses mains à plat sur le guichet et se pencha pour m'examiner de la tête aux pieds.

« Pour lui ? répéta-t-il.

— Écoutez, poursuivit Vitiligo avec un sourire. Les riches de Delhi ont toutes les blondes qu'ils désirent. Qui sait ce qu'ils voudront ensuite ? Des filles tombées de la lune avec des cheveux verts, peut-être. Bientôt, ce sera la classe ouvrière qui fera la queue pour les Blanches. Ce garçon est l'avenir de votre business, croyez-moi. Vous avez intérêt à bien le traiter. »

Après un instant d'hésitation, le directeur ferma son registre d'un coup sec et me tendit sa main ouverte.

« Je veux cinq cents roupies de plus, dit-il en grimaçant. Il y a une surtaxe pour le prolétariat.

— Je ne les ai pas !

— C'est à prendre ou à laisser. »

Je sortis les trois cents roupies qui me restaient. Il prit les billets, redressa son nœud papillon et se dirigea vers l'escalier.

Vitiligo me tapota l'épaule.

« Bonne chance, Rat-des-Champs ! Fais-le pour nous tous ! »

Je montai l'escalier en courant.

Chambre 114 A. Le directeur était devant la porte, l'oreille collée contre le battant. Il chuchota :

« Anastasia ? » Il toqua doucement, colla de nouveau son oreille. « Anastasia, tu es là ? »

Il ouvrit la porte. Un lustre, une fenêtre, un lit vert, une fille aux cheveux dorés assise sur le lit.

Je poussai un soupir. Cette fille ne ressemblait pas du tout à Kim Basinger. Elle n'était même pas moitié aussi jolie. Une évidence me frappa soudain, comme jamais auparavant : les riches ont toujours le meilleur de la vie, nous n'avons que leurs restes.

Le directeur leva ses deux paumes ouvertes devant mes yeux, les ferma et les rouvrit deux fois de suite.

Vingt minutes.

Ensuite il mima un coup de poing, suivi d'un coup de pied de sa bottine noire vernie.

« Pigé ? »

Il montrait ce qui m'arriverait si je dépassais les vingt minutes.

« Oui. »

Il claqua la porte en sortant. La fille aux cheveux dorés ne me regardait toujours pas.

J'avais enfin réuni assez de courage pour m'asseoir à côté d'elle sur le lit lorsqu'on frappa bruyamment à la porte.

« Quand tu entendras ça, ce sera l'heure ! O.K. ? dit la voix du directeur.

– D'accord ! »

Je me rapprochai de la femme. Elle ne résista pas, ni ne m'encouragea. Je touchai une de ses boucles et la tirai doucement pour faire pivoter son visage vers moi. Elle avait l'air fatiguée, lasse, des contusions ombraient le tour de ses yeux.

Elle sourit. Je connaissais bien ce sourire : c'était celui d'un serviteur à son maître.

« Tu t'appelles comment ? » me demanda-t-elle en hindi.

Elle aussi ! Il devait y avoir une école pour apprendre la langue hindi en Ukraine !

« Munna.

– Ce n'est pas un vrai nom. Ça signifie "garçon".

– Exact, mais c'est mon nom. Mes parents ne m'en ont pas donné d'autre. »

Elle se mit à rire. Un rire clair, argenté, qui faisait sauter ses boucles blondes. Mon cœur bondit comme celui d'un cheval. Son parfum me monta au cerveau.

« Tu sais, reprit-elle, quand j'étais petite, moi aussi on m'a donné un nom qui voulait simplement dire "fille". Mes parents ont fait comme les tiens !

– Ça alors ! »

Je relevai mes jambes sur le lit.

Et une conversation s'engagea. Elle me dit qu'elle détestait les moustiques et le directeur de l'hôtel. J'acquiesçai. Au bout d'un moment, elle ajouta : « Tu n'es pas vilain garçon et tu es gentil. » Et passa un doigt dans mes cheveux.

Je sautai d'un bond du lit en m'écriant :

« Pourquoi es-tu ici ? Si tu as envie de quitter cet hôtel, pars donc ! Ne t'inquiète pas pour le directeur. Je te protégerai. Je suis ton frère ! Balram Halwai ! »

Parfaitement, c'est ce que je lui dis. Dans le film qu'ils tourneront sur ma vie.

« Sept mille précieuses roupies pour vingt minutes ! Il est temps de s'y mettre ! »

Ça, ce sont les paroles que je prononçai réellement.

Je grimpai sur elle et, d'une main, lui maintins les bras derrière la tête. Le temps de planter mon dard en elle. De mon autre main, je caressai ses boucles dorées.

Et là, je poussai un cri. Je n'aurais pas hurlé plus fort si j'avais vu un lézard.

« Qu'y a-t-il, Munna ? » demanda-t-elle.

Je sautai du lit et la giflai.

Croyez-moi, ces étrangères ont de la voix quand elles crient.

Aussitôt – on aurait cru qu'il avait passé tout ce temps à nous espionner – la porte s'ouvrit brutalement devant le directeur.

« Ça ! braillai-je en tirant la fille par les cheveux. Ce n'est pas du vrai blond ! »

Les racines étaient noires. Elle avait les cheveux teints !

Il haussa les épaules.

«Tu t'attendais à quoi, pour sept mille? Pour de l'authentique, le tarif est de quarante ou cinquante.»

Je bondis sur lui, empoignai son menton, et lui cognai violemment la tête contre la porte.

«Je veux mon argent!»

Derrière moi, la fille poussa un cri. Je tournai la tête. Ce fut une erreur. J'aurais achevé le directeur sur place.

Dix minutes plus tard, le visage tuméfié, je dévalai le perron et atterris en vrac sur le sol.

Vitiligo n'avait pas attendu. Je dus rentrer en bus. Pendant tout le trajet, je me massai la tête. Sept mille roupies! J'en aurais pleuré. Je sentais les doigts de grand-mère me tordre les oreilles. *Sais-tu combien de buffles tu aurais pu acheter pour ce prix-là?*

De retour au Buckingham Towers, après une heure de trajet sur la route encombrée, je lavai ma blessure à la tête dans l'évier collectif et crachai une douzaine de fois. J'avais envie de tout envoyer au diable. Je me grattai l'entrejambe. J'en avais besoin. Je regagnai ma chambre d'un pas traînant, fermai la porte du pied, et me figeai net.

Il y avait quelqu'un sous la moustiquaire. Je distinguai une silhouette dans la position du lotus.

«Ne t'inquiète pas, Balram. Je sais où tu étais.»

Une voix d'homme. Au moins, ce n'était pas grand-mère. Ce fut ma première pensée.

M. Ashok souleva un coin de la moustiquaire et me regarda avec un léger sourire narquois.

«Je sais ce que tu faisais.

— Ah?

— Je t'ai fait appeler et tu ne répondais pas. Alors je suis descendu voir. Je sais tout... l'autre chauffeur, celui qui a les lèvres roses, m'a expliqué.»

Mon cœur se mit à tambouriner. Je baissai les yeux.

«Il m'a dit que tu étais allé au temple prier pour ma santé.

— Oui, monsieur.» De soulagement, la sueur se mit à ruisseler sur mon visage.

«C'est vrai, monsieur.

— Viens sous la moustiquaire, Balram», dit-il d'une voix douce. J'allai m'asseoir à côté de lui. Il observa les cafards qui crapahutaient au-dessus de nos têtes.

«Tu vis dans un trou, Balram. Je ne savais pas. Je suis désolé.

— Ce n'est rien, monsieur. J'ai l'habitude.

— Je vais te donner de l'argent. Tu t'installeras dans un meilleur logement demain. D'accord?» Il prit ma main et la retourna. «Quelles sont ces marques rouges sur ta paume? Tu t'es pincé?

— Non, monsieur. C'est... une maladie de peau. J'en ai aussi derrière l'oreille. Vous voyez ces points rouges?»

Il s'approcha et son parfum envahit mes narines. Il replia doucement mon oreille pour mieux voir.

«Ah oui. Je n'avais jamais remarqué. Je suis assis derrière toi toute la journée et je n'ai jamais...

— Beaucoup de gens ont cette maladie, monsieur. Beaucoup de gens pauvres.

— Vraiment? Je l'ignorais. Il existe un traitement?

— Non, monsieur. Les maladies de pauvres ne guérissent pas. Mon père avait la tuberculose, ça l'a tué.

— Nous sommes au XXIᵉ siècle, Balram. Tout se soigne. Va dans un hôpital et on te traitera. Tu m'enverras la note.

— Merci, monsieur. Monsieur... vous voulez que je vous conduise quelque part?»

Il ouvrit la bouche et la referma sans émettre un son. Il fit cela deux ou trois fois de suite, avant de réussir à dire :

«Ma façon de vivre est déplorable, Balram. Je le sais, mais je n'ai pas le courage d'en changer. Je n'en ai pas les… couilles.

— N'exagérez pas, monsieur. Allons là-haut, je vous en prie. Ce n'est pas un endroit pour un homme de votre qualité.

— Je laisse les autres m'exploiter, Balram. Je n'ai jamais fait ce que j'avais envie de faire. De toute ma vie, je…»

Il baissa la tête. Son corps entier semblait vidé, sans force.

«Vous devriez manger quelque chose, monsieur. Vous avez l'air fatigué.»

Il esquissa un sourire confiant de bébé.

«Tu veilles toujours sur moi, Balram. Oui, j'ai faim. Mais je ne veux pas aller dans un hôtel. J'en ai assez des hôtels. Emmène-moi dans un des endroits que tu fréquentes d'habitude.

— Vous êtes sérieux, monsieur ?

— Je suis écœuré de la nourriture que je mange, Balram. Je suis écœuré de la vie que je mène. Nous, les riches, nous nous sommes perdus. Je veux devenir un homme aux goûts simples, comme toi.

— Oui, monsieur.»

Je l'emmenai dans un tea-shop de l'autre côté de l'avenue.

«Commande pour nous deux, Balram. Choisis ce que tu prends d'habitude.»

Je commandai de l'okla, du chou-fleur, des radis, des épinards, et un dâl. De quoi nourrir une famille entière. Ou un homme riche.

Il mangea, rota, mangea encore.

«C'était délicieux. On peut vraiment se régaler pour pas cher ! Vingt-cinq roupies seulement !»

Lorsqu'il eut terminé, je commandai un lassi. Il en but une gorgée et sourit.

« J'adore votre cuisine ! »

Je souris en pensant également : *Moi aussi, j'adore votre cuisine.*

« Les papiers du divorce ne tarderont pas à arriver, d'après l'avocat.

— Bien.

— Est-ce qu'on commence à chercher ?

— Quoi ? Un autre avocat ?

— Non. Une autre femme.

— C'est trop tôt, Mukesh. Il y a seulement trois mois qu'elle est partie. »

J'avais de nouveau conduit M. Ashok à la gare pour aller chercher la Mangouste et nous revenions à l'appartement.

« D'accord. Prends ton temps. Mais tu dois te remarier. Les gens ne respectent pas un homme divorcé. Ils ne nous respecteront plus. C'est ainsi que la société fonctionne. Écoute-moi, Ashok. La dernière fois, tu n'as rien voulu entendre. Tu t'es marié avec une femme qui n'était pas de notre caste, ni de notre religion. Tu as même refusé la dot qu'offraient ses parents. Cette fois, c'est nous qui la choisirons. »

M. Ashok ne répondit rien. Je savais qu'il serrait les dents.

« Je vois que tu t'énerves, reprit la Mangouste. Nous en reparlerons plus tard. Pour l'instant, prends ça. »

Il lui tendit le sac rouge qu'il avait apporté de Dhanbad. M. Ashok l'ouvrit pour y jeter un coup d'œil, mais la Mangouste le referma d'un geste brusque.

« Tu es fou ? Ne l'ouvre pas dans la voiture. C'est pour le gros Mukeshan, l'adjoint du ministre. Tu le connais ?

– Oui, je le connais.» M. Ashok haussa les épaules. «Je croyais que nous avions déjà payé ces charognards.

– Le ministre en veut plus. Ce sont bientôt les élections. Chaque fois qu'il y a des élections, nous donnons de l'argent. Aux deux partis, en général. Mais, cette fois, le gouvernement va l'emporter. C'est sûr. L'opposition est en pleine déconfiture. Donc, nous ne payons que le gouvernement. C'est plus avantageux pour nous. Je viendrai avec toi la première fois. Comme c'est une grosse somme, il faudra effectuer le versement en trois temps. Il y aura aussi quelques bureaucrates à arroser. Tu as compris?

– Facile. C'est mon unique occupation à Delhi. Sortir de l'argent de la banque et distribuer des pots-de-vin. C'est pour ça que je suis revenu en Inde, non?

– Ne sois pas sarcastique, Ashok. Et n'oublie pas de récupérer le sac chaque fois. C'est un très beau sac italien. Inutile de leur faire des cadeaux supplémentaires. D'accord? Oh, merde. Encore un embouteillage.

– Balram, mets-nous le CD de Sting. Il n'y a rien de mieux dans les encombrements.

– Le chauffeur connaît Sting?

– Évidemment. Il sait que c'est mon CD préféré. Montre-nous le CD de Sting, Balram. Tu vois! Il connaît!»

Je mis le CD dans le lecteur.

Dix minutes passèrent. La file de voitures n'avait pas progressé d'un centimètre. Je remplaçai Sting par Enya. Puis Enya par Eminem. Des marchands ambulants venaient proposer des oranges, des fraises dans des barquettes en plastique, des journaux, des romans anglais. Les mendiants aussi montaient à l'assaut des véhicules immobilisés. L'un d'eux portait un compère sur ses épaules, lequel avait les jambes coupées sous les genoux.

Ils allaient de voiture en voiture. Le cul-de-jatte gémissait et grognait, l'autre grattait et tapait aux vitres.

Sans réfléchir, j'entrouvris l'œuf.

J'abaissai la vitre et tendis une roupie ; l'homme aux moignons prit la pièce et me salua. Je remontai la vitre, scellant l'œuf.

Sur la banquette arrière, la conversation s'était subitement interrompue.

« Qui t'a dit de faire ça ?

– Pardonnez-moi, monsieur.

– Pourquoi diable as-tu donné une roupie à ce mendiant ? Quel culot ! Éteins la musique ! »

J'eus droit à une belle engueulade. En général, quand ils parlaient entre eux, les deux frères mêlaient le hindi et l'anglais, mais, pour moi, à titre exceptionnel, ils adoptèrent un hindi authentique.

« Est-ce que nous ne donnons pas de l'argent chaque fois que nous allons au temple ? attaqua l'aîné. Nous versons aussi des dons chaque année à l'Institut de recherche sur le cancer. Et j'achète régulièrement des tickets de tombola aux élèves des écoles.

– L'autre jour, renchérit le cadet, notre comptable m'a dit : "Attention, monsieur, vous n'aurez bientôt plus d'argent en banque." As-tu la moindre idée du montant des impôts dans ce pays ? Si nous faisions l'aumône à tort et à travers, que nous resterait-il pour vivre ? »

À cet instant, je compris qu'il n'y avait aucune différence entre Mukesh et Ashok. Ils étaient l'un et l'autre de la même semence.

Pendant le reste du trajet, la Mangouste ne quitta pas le rétroviseur des yeux. Il avait l'air de quelqu'un qui a reniflé une odeur bizarre.

En arrivant, il me dit :

« Monte avec nous, Balram.

– Oui, monsieur. »

Dès qu'il eut ouvert la porte de l'appartement, il désigna le plancher et me lança :

« Installe-toi. »

Je m'accroupis sous la photo de Câlin et Caresse, les mains entre mes genoux. Il s'assit sur une chaise en face de moi, le menton dans le creux de sa paume, et me regarda fixement.

Il avait le front plissé. Je voyais une pensée prendre forme dans son esprit.

Il se releva pour s'approcher de moi, mit un genou à terre, et fronça le nez en humant l'air.

« Ton haleine sent l'anis.

– Oui, monsieur.

– Les gens mâchent de l'anis pour masquer l'odeur de l'alcool. Tu as bu ?

– Non, monsieur. Dans ma caste, nous ne buvons pas d'alcool. »

Il continua de renifler, de plus en plus près.

Je respirai à fond, stockai l'air dans mon ventre, et le lui éructai en pleine figure.

« Tu es répugnant, Balram ! » s'écria-t-il, horrifié.

Il se releva aussitôt et recula de deux pas.

« Pardon, monsieur.

– Sors d'ici ! »

Je sortis. Je suais à grosses gouttes.

Le jour suivant, je les conduisis au domicile d'un ministre ou d'un bureaucrate quelconque à New Delhi. Ils entrèrent chez lui avec le sac rouge. Ensuite, je les déposai devant un hôtel, où ils déjeunèrent. Je communiquai les instructions d'usage au personnel du restaurant : pas de pommes de terre au menu. Après quoi je ramenai la Mangouste à la gare.

Il m'infligea ses recommandations habituelles : pas d'air conditionné quand j'étais seul, pas de musique, pas de gaspillage d'essence, et cetera et cetera. J'attendis sur le quai jusqu'au départ. Quand le train eut démarré, j'esquissai un pas de danse en claquant des mains. Deux gamins me dévisagèrent puis éclatèrent de rire. L'un d'eux entonna une chanson d'un film hindi récent, et nous dansâmes tous les trois sur le quai.

Le lendemain matin, j'étais dans l'appartement quand M. Ashok s'apprêta pour sortir. Il tripotait le sac rouge. Au moment où nous allions partir, le téléphone sonna.

«Je vais descendre le sac, monsieur, proposai-je. Je vous attendrai dans la voiture.»

Il marqua un temps d'hésitation avant de me le tendre.

«Je te rejoins dans une minute.»

Je fermai la porte de l'appartement et appelai l'ascenseur. Le sac était lourd. Je le changeai de main.

Le cadran indiqua que l'ascenseur atteignait le quatrième étage.

Je jetai un coup d'œil par la fenêtre du palier. Même en plein jour, les lumières des galeries marchandes de Gurgaon brillaient. Un nouveau centre commercial avait été inauguré la semaine précédente. Un autre se construisait. La ville s'agrandissait.

L'ascenseur montait rapidement. Il allait atteindre le onzième étage.

Je tournai les talons et courus.

D'un coup de pied, je poussai la porte de l'escalier de secours, descendis quatre à quatre deux volées de marches, et ouvris le sac rouge.

La cage d'escalier s'illumina soudain, d'un éclat que seul l'argent peut produire.

Vingt-cinq minutes plus tard, quand M. Ashok sortit de l'immeuble en pianotant sur son portable, il trouva le sac déposé sur son siège. J'attendis qu'il eut fermé sa portière et levai un petit disque argenté.

« Sting, monsieur ? »

Pendant le trajet, je dus faire un effort pour ne pas regarder le sac sur le siège arrière : c'était pour moi un supplice, comme lorsque Pinky Madam s'asseyait avec ses jupes très courtes.

À un feu rouge, je levai les yeux sur le rétroviseur. Je vis ma moustache épaisse et ma mâchoire. Je touchai le miroir. L'angle de vue changea. À présent, je voyais de longs et beaux sourcils s'incurvant sur les arcades sourcilières puissantes, et les yeux noirs qui étincelaient dessous. Les yeux d'un chat guettant sa proie.

Vas-y, Balram, regarde le sac rouge, ce n'est pas du vol.

Je secouai la tête.

Et même si tu le volais, Baltram, ce ne serait pas du vol. Comment ça ? Je fixai l'autre, dans le miroir.

Eh bien, M. Ashok verse de l'argent à des tas de politiciens à Delhi pour être dispensé d'impôts. Mais, au bout du compte, à qui devraient profiter ces impôts ? À la population de ce pays, à toi !

« Tu as dit quelque chose, Balram ? »

Je tapotai le rétroviseur. Ma moustache réapparut en plein cadre, les yeux disparurent. Seul mon visage me regardait à nouveau.

« Je grommelais, monsieur. Le conducteur devant nous conduit imprudemment.

– Garde ton calme, Balram. Tu es un bon chauffeur. Ne perds pas ton sang-froid à cause de mauvais automobilistes. »

La ville connaissait mon secret. Un matin, le palais présidentiel disparut dans le brouillard ; on aurait dit qu'il n'y avait plus, ce jour-là, de gouvernement à Delhi. Et le nuage de pollution qui masquait le Premier ministre, tous les ministres et les bureaucrates, me souffla :

Ils ne te verront pas. Je m'en charge.

Je longeai l'enceinte rouge du Parlement. Un garde armé me surveillait de son poste de guet sur le mur. Dès qu'il me vit, il baissa son arme.

Pourquoi t'arrêterais-je ? Si je pouvais, je le ferais aussi.

Le soir, j'aperçus une femme marchant avec un sac de cellophane à la main ; mes phares accrochèrent le sac, qui devint transparent. Il contenait quatre gros fruits sombres, et chaque fruit me disait : *Tu l'as déjà fait. Dans ta tête, tu l'as déjà pris.* Les phares glissèrent, la cellophane redevint opaque et les quatre fruits s'évanouirent.

Même la route – la chaussée lisse et lustrée de Delhi, qui est la plus belle de toute l'Inde – connaissait mon secret.

Un jour, à un feu rouge, le conducteur de la voiture voisine abaissa sa vitre et cracha. Comme il chiquait du bétel, un glaviot rouge vif s'écrasa sur la chaussée brûlante de midi et suppura comme une matière vivante, s'étala, grésilla. Une seconde plus tard, il cracha de nouveau et un second glaviot se déploya sur le bitume. Je fixai les deux flaques rouges qui s'élargissaient. Alors…

LE CRACHAT DE GAUCHE SEMBLAIT DIRE :	MAIS LE CRACHAT DE DROITE SEMBLAIT DIRE :
Ton père voulait que tu sois un honnête homme.	Ton père voulait que tu sois un homme.
M. Ashok ne te bat pas comme d'autres ont battu ton père.	M. Ashok a voulu te faire endosser la mort de l'enfant écrasé par sa femme.
M. Ashok te paie bien : 4 000 roupies par mois. Il a augmenté ton salaire sans que tu le lui demandes.	Tu touches un salaire de misère. Tu vis en ville. Que peux-tu épargner ? Rien.
Souviens-toi de ce que le Buffle a infligé à la famille de son serviteur. M. Ashok demandera à son père de faire la même chose à la tienne si tu t'enfuis.	Le fait même que M. Ashok menace ta famille te met en rage !

Je détournai les yeux des flaques rouges. Et les portai sur le sac rouge qui occupait le centre de mon rétroviseur, cœur à nu de la Honda City.

Ce jour-là, je déposai M. Ashok à l'hôtel Imperial.

« J'en ai pour vingt minutes, Balram. »

Au lieu de ranger la voiture, j'allai jusqu'à la gare située à Pahar Ganj, non loin de là.

Des gens étaient couchés sur le sol de la gare. Des chiens flairaient les détritus épars. Il régnait une atmosphère putride.

Alors voilà comment ce sera, pensai-je.

Les destinations des trains s'affichaient sur un tableau noir.

Bénarès.

Jammu.

Amritsar.

Bombay.

Ranchi.

Quelle serait ma destination si je devais venir ici avec le sac rouge ?

En guise de réponse, des rouages étincelants et des lumières colorées fusèrent soudain dans la semi-pénombre.

S'il vous arrive de visiter une gare indienne, vous remarquerez, en attendant votre train, une rangée de machines d'allure bizarre, avec des ampoules rouges, des rouages kaléidoscopiques et des cercles jaunes tourbillonnants. Ces machines, qui vous disent votre poids et votre avenir pour une roupie, se dressent sur tous les quais de gare du pays.

Voici comment elles fonctionnent. Vous posez votre sac à côté, vous montez sur le plateau et vous insérez une pièce dans la fente.

La machine s'anime. À l'intérieur, des leviers se mettent en branle, des mécanismes cliquettent, des voyants lumineux s'affolent. Ensuite retentit un grand bruit, et l'engin crache un petit bulletin en carton de couleur, vert ou jaune. Les lumières et le bruit se calment. Sur le petit bulletin de carton figurent votre poids en kilogrammes et votre avenir.

Deux types de personnes utilisent ces appareils : les enfants de riches et les adultes des classes pauvres qui restent enfants toute leur vie.

J'observais les machines comme un homme sans cervelle. Il y

en avait six, étincelantes, qui scintillaient pour moi : les ampoules vertes et jaunes, les kaléidoscopes or et noir qui tournoyaient. J'approchai de l'une d'elles et sacrifiai une roupie. La machine avala ma pièce, cliqueta, clignota, et délivra un bulletin.

BALANCES LUNNA CO.
NEW DELHI 110 055
VOTRE POIDS :
59
« Respecter la loi est le premier commandement des dieux. »

Je laissai tomber le petit carton à terre et éclatai de rire.

Même ici, sur la balance d'une gare ferroviaire, ils essayaient de nous duper. Sur le seuil de la liberté, juste avant qu'un homme m'embarque à bord d'un train vers une nouvelle vie, ces machines lumineuses à prédire l'avenir sont l'ultime sonnerie d'alarme de la Cage à poules.

Les sirènes de la cage hurlaient, ses rouages tournaient, ses lumières rouges clignotaient ! Un poulet allait s'échapper de la cage ! Une main jaillissait : j'étais rattrapé par le cou et renvoyé derrière le grillage.

Je ramassai le bulletin pour le relire.

Mon cœur se mit à transpirer. Je m'assis par terre.

Réfléchis, Balram. Pense à ce que le Buffle a fait subir à la famille de son serviteur.

Un battement d'ailes claqua au-dessus de moi. Des pigeons étaient juchés sur les poutrelles du toit ; deux d'entre eux avaient quitté leur perchoir et descendaient droit sur moi, comme au ralenti, leurs deux paires de serres rouges rétractées dans leur poitrail.

Non loin de là, je remarquai une femme couchée sur le sol, ses

jolis seins ronds et pleins contenus dans un corsage serré. Elle
ronflait. J'aperçus un billet d'une roupie coincé entre ses seins :
les inscriptions et la couleur étaient visibles au travers de l'étoffe
fine de son corsage vert. Elle n'avait pas de bagage. C'était tout
ce qu'elle possédait au monde. Une roupie. Pourtant elle ronflait
d'un air béat, sans le moindre tracas.

Pourquoi les choses ne pouvaient-elles être aussi simples pour
moi ?

Un grondement rauque m'alerta. Je pivotai et découvris un
chien noir qui tournait sur lui-même. Une plaque de peau rose
– une plaie ouverte – luisait sur son fessier gauche, et le chien
tournait en rond pour essayer de mordre la plaie, hors de portée
de ses dents. La douleur le rendait enragé ; la gueule baveuse, il
cherchait à attaquer la blessure, et il tournait, tournait, en cercles
fous, précis et vains.

Je revins à la femme endormie, à sa poitrine que sa respiration
soulevait. Derrière moi, les grognements continuaient.

Ce dimanche-là, je demandai à M. Ashok la permission de
m'absenter, sous prétexte d'aller au temple, et me rendis en
ville. Je pris un bus jusqu'au Qutab Minar, et, de là, un taxi-Jeep
jusqu'à G.B. Road.

G.B. Road, monsieur le Premier ministre, est le quartier chaud
de Delhi.

Une heure ici suffirait à chasser toutes les vilaines pensées de
ma tête. Quand vous retenez votre sperme dans la partie inférieure de votre corps, il se produit, dans les fluides de la partie
supérieure, de très néfastes mouvements. Dans les Ténèbres, c'est
un phénomène bien connu.

Il était seulement cinq heures de l'après-midi, mais les femmes
m'attendaient, comme elles attendent tous les hommes, à toutes
les heures du jour.

J'avais déjà fréquenté ce genre de quartier – vous le savez –, pourtant cette fois c'était différent. D'en haut me parvenaient les railleries et les quolibets des femmes retranchées derrière les fenêtres grillagées des bordels, mais je ne supportais pas de lever les yeux pour les regarder.

Un marchand de bétel, assis sur un éventaire de bois devant la porte bleu vif d'un bordel, étalait avec un couteau les épices sur les feuilles humides qu'il sortait d'un bol d'eau, première étape de la préparation du pâan ; dans le petit espace carré situé sous l'éventaire, un autre homme faisait bouillir du lait dans un récipient sur la flamme bleue d'un réchaud à gaz.

« Qu'est-ce qui t'arrive ? Regarde les filles ! »

Le souteneur, un petit homme doté d'un gros nez couvert de verrues rouges, m'avait saisi le poignet.

« Tu as l'air d'avoir les moyens de te payer une étrangère. Offre-toi une Népalaise ! Regarde un peu ces beautés ! »

Il me prit le menton pour m'obliger à lever la tête. Peut-être me croyait-il puceau.

Derrière leur fenêtre grillagée, les Népalaises semblaient vraiment belles, avec leur peau très claire et leurs yeux bridés qui rendent fous les mâles indiens. Je repoussai la main du souteneur.

« Prends-en une ! Prends-les toutes ! Quoi, tu n'es pas de taille ? »

En temps normal, cela aurait suffi à me précipiter dans le bordel.

Mais, parfois, ce qu'il y a de plus animal en l'humain est sa meilleure part. Au-dessous de ma ceinture, rien ne bougea.

Elles sont comme des perroquets en cage. Ce sera juste un coït entre deux bêtes.

« Chique un peu de pâan, ça t'aidera si tu as du mal à bander ! »
me cria le marchand de bétel.

Il secoua une feuille toute fraîche et mouillée, dont les gouttelettes giclèrent sur mon visage.

« Bois du lait chaud ! Ça te donnera des forces ! » ricana le petit
homme recroquevillé sous l'éventaire.

Je baissai les yeux. Le lait bouillonnait et débordait du récipient en fer. Le petit homme sourit. Avec une cuiller, il battit le
lait qui écuma, moussa, siffla de colère.

Je me ruai sur le vendeur de bétel et l'arrachai de son perchoir ;
les feuilles de pâan s'éparpillèrent et l'eau se renversa. Puis je
rouai de coups de pied le marchand de lait. À l'étage, des
cris fusèrent. Les souteneurs se jetèrent sur moi. Je me débattis
farouchement et parvins à fuir.

Cette rue chaude, G.B. Road, se trouve à Old Delhi, dont
j'aimerais vous dire quelques mots. N'oubliez pas, monsieur le
Premier ministre, que Delhi est la capitale non pas d'un pays
mais de deux. Deux Indes. La Lumière et les Ténèbres affluent
ensemble à Delhi. Gurgaon, où résidait M. Ashok, est l'extrémité
étincelante et moderne de la ville. Old Delhi est l'autre extrémité. Remplie de vieilleries que le monde moderne a oubliées :
les rickshaws, les vieilles bâtisses en pierre, les musulmans. Le
dimanche, il y a mieux encore. En vous frayant un passage au
milieu de la foule toujours grouillante, dépassez les hommes qui
nettoient les oreilles d'autres hommes en farfouillant dedans avec
des tiges de métal, puis les marchands qui vendent des petits
poissons dans des bouteilles vertes remplies d'eau salée, traver-
sez ensuite le marché aux chaussures et le marché aux chemises,
et vous arriverez au gigantesque marché de livres d'occasion de
Darya Ganj.

Peut-être avez-vous entendu parler de ce marché, car c'est

l'une des merveilles du monde. Des dizaines de milliers de bouquins crasseux, moisis, noircis, traitant de tous les sujets – technologie, médecine, plaisir sexuel, philosophie, éducation, pays étrangers – s'amoncellent sur le trottoir depuis Delhi Gate jusqu'au marché du Fort rouge. Quelques ouvrages sont tellement vieux qu'ils s'effritent sous la main ; certains ont l'air d'avoir été arrachés à l'eau ou au feu. La plupart des échoppes sont fermées, mais les restaurants sont encore ouverts, et l'odeur de friture se mêle à celle de vieux papier. Des ventilateurs rouillés tournent lentement au plafond des restaurants comme les ailes de grands papillons de nuit.

Je déambulais au milieu des livres en aspirant l'air goulûment. Après la puanteur du bordel, c'était comme de l'oxygène.

Une foule compacte d'amateurs marchandait âprement avec les vendeurs. Feignant d'être un acheteur, je me faufilais, ramassais certains livres au hasard, les feuilletais, lisais des passages, jusqu'à ce que le marchand finisse par me houspiller :

« Vous l'achetez ou vous le lisez sans payer ?

– Il n'est pas bon », répondais-je en reposant le livre pour filer chez le voisin et recommencer le même numéro.

Sans jamais débourser une roupie, je feuilletai toutes sortes d'ouvrages et mis à sac tous les bouquinistes.

Certains livres étaient écrits en ourdou, la langue des musulmans : on aurait dit des griffures et des points sur le papier, comme si un corbeau, après avoir plongé ses pattes dans de l'encre noire, en avait parcouru les pages. J'en examinais un lorsque le bouquiniste m'interpella :

« Tu connais l'ourdou ? »

C'était un vieux musulman, avec un visage noir ruisselant de sueur comme une feuille de bégonia après la pluie, et une longue barbe blanche.

« Et vous, vous lisez l'ourdou ? » répliquai-je.

Il ouvrit un livre, s'éclaircit la voix, et lut :

« *Tu as cherché la clé pendant des années.* Tu as compris ? »

Il me fixa, son front noir plissé de rides profondes.

« Oui, oncle.

– Tais-toi, menteur. Et écoute. »

Il s'éclaircit à nouveau la voix.

« *Tu as cherché la clé pendant des années/Mais la porte était ouverte.* » Il ferma le recueil et ajouta : « Ça s'appelle de la poésie. Maintenant fiche le camp.

– Je vous en prie, oncle, l'implorai-je. Je ne suis que le fils d'un pauvre rickshaw des Ténèbres. Parlez-moi de la poésie. Qui a écrit ce poème ? »

Il secoua la tête, mais j'entrepris de le flatter, le félicitai sur la beauté de sa barbe, la clarté de sa peau (ha !), la distinction de son nez et de son front qui n'étaient de toute évidence pas ceux d'un porcher converti mais d'un musulman pur jus arrivé ici sur un tapis volant en provenance directe de La Mecque. Il grogna de contentement. Il me lut un autre poème, puis un autre, m'expliqua la véritable histoire de la poésie, qui est une sorte de secret, de magie connue seulement des sages. Voyez-vous, monsieur le Premier ministre, dire que l'histoire du monde n'est rien d'autre que l'histoire d'une guerre d'intelligence de dix mille ans entre les riches et les pauvres n'a rien d'original. Chaque camp cherche perpétuellement à duper l'autre, et c'est ainsi depuis la nuit des temps. Les pauvres remportent quelques batailles (en urinant dans les plantes vertes, en filant des coups de pied aux toutous de leurs maîtres, etc.), tandis que les riches, bien entendu, gagnent la guerre depuis dix mille ans. C'est la raison pour laquelle, un jour, par compassion envers les pauvres, quelques hommes sages leur ont laissé des signes et des symboles sous forme de poèmes, lesquels semblent à première vue parler de roses ou de jolies jeunes filles, mais en réalité, lorsqu'on les pénètre, dispensent des secrets qui permettent aux plus miséreux d'achever l'interminable guerre d'intelligence dans des conditions plus favorables pour eux. Les quatre plus illustres de ces grands sages poètes sont Rumi, Iqbal, Mirza Ghalib, et un quatrième dont le nom m'échappe. (Qui était ce quatrième poète? Ça me rend fou de ne pas me rappeler son nom. Si vous le connaissez, envoyez-moi un e-mail.)

«Oncle, dis-je au vieux musulman, j'ai une autre question à vous poser.

— De quoi ai-je l'air? D'un maître d'école? Arrête avec tes questions.

— La dernière, promis. Dites-moi, oncle, est-ce qu'un homme peut se faire disparaître grâce à la poésie?

— Tu veux dire... comme avec la magie noire?» Il me regarda. «Oui, c'est possible. Il y a des livres pour ça. Tu veux en acheter un?

— Non, non. Pas ce genre de disparition. Je veux dire, est-ce qu'un homme peut...»

Le bouquiniste plissa les yeux. Les gouttelettes de sueur avaient grossi sur son immense front noir.

Je lui souris. «Oubliez ma question, oncle.»

Et je me promis de ne plus jamais parler avec ce vieil homme. Il en savait déjà beaucoup trop.

À force de lorgner les livres, mes yeux brûlaient. J'aurais dû faire demi-tour vers Delhi Gate pour sauter dans un bus. J'avais dans la bouche un goût désagréable, comme si j'avais inhalé les particules de vieux papier qui flottaient dans l'air. D'étranges pensées mijotent dans votre cœur lorsque vous passez trop de temps au milieu des livres anciens.

Au lieu de revenir prendre le bus, je m'engageai plus avant dans Old Delhi. Je ne savais pas où j'allais. Sitôt quitté l'avenue principale, tout se calmait. J'aperçus quelques hommes qui chiquaient, assis sur un charpai, d'autres qui dormaient sur le sol. Des aigles planaient au-dessus des maisons. Soudain, le vent me souffla en plein visage une énorme bouffée de buffle.

Chacun sait qu'il existe quelque part dans Old Delhi un quartier de bouchers, mais personne ne l'a jamais vu. C'est l'une des merveilles de la vieille ville : une rangée de hangars ouverts, avec de grands buffles qui vous montrent leur cul, la queue oscillant comme un essuie-glace pour chasser les mouches, les pattes enfoncées dans des pyramides de bouse. Je restai là, à respirer leur odeur animale ; il y avait si longtemps que je n'avais senti un buffle ! Et l'air infect de la ville fut chassé de mes poumons.

Un cliquetis de roues de bois attira mon attention. Un buffle approchait, tirant une grande charrette. Il n'y avait personne à l'intérieur pour manier un fouet ; le buffle connaissait son chemin. Il descendait la rue. Je m'écartai sur son passage et m'aperçus que la charrette était remplie de têtes de buffles morts ; je dis têtes, mais crânes serait plus approprié, car ils étaient entièrement dépecés, à l'exception du petit bout de peau noire du museau, d'où pointaient encore les poils des naseaux, ultimes parcelles rebelles de la personnalité de l'animal défunt. Le reste de la face avait disparu. Même les yeux avaient été évidés.

Le buffle vivant avançait seul, sans maître, tirant son fardeau de mort vers une destination connue de lui.

J'accompagnai un moment la pauvre bête et son chargement de crânes équarris. C'est alors que survint une chose très étrange, Votre Excellence : le buffle tourna la tête vers moi, je vous le jure, et dit d'une voix assez semblable à celle de mon père :

« Ton frère Kishan a été battu à mort. Heureux ? »

C'était comme un cauchemar juste avant le réveil. Vous savez que c'est un rêve mais vous n'arrivez pas à vous en arracher.

« Ta tante Luttu a été violée et battue à mort. Heureux ? Ta grand-mère Kusum est morte, rouée de coups de pied. Heureux ? »

Le buffle me lança un regard furieux.

« Quelle honte ! » ajouta-t-il.

Puis il allongea le pas et la charrette me dépassa avec son chargement. Un bref instant, les crânes me parurent être ceux de ma famille.

Le lendemain matin, M. Ashok s'installa dans la voiture en souriant, le sac rouge à la main.

Je regardai le petit ogre et déglutis péniblement.

« Monsieur...

– Oui, Balram ?

– Monsieur, il y a une chose que je veux vous dire depuis un moment déjà. »

Je lâchai la clé de contact. Je jure que, à cette minute, j'étais prêt à tout lui confesser sur-le-champ. Il suffisait pour cela qu'il prononce le mot qu'il fallait, qu'il me touche l'épaule d'un geste amical.

Mais il ne me regardait pas. Il était bien trop occupé à pianoter sur les touches de son téléphone.

Bip. Bip. Bip-bip.

Être assis à quelques centimètres d'un dément obsédé par des pensées de meurtre et de vol, et ne même pas s'en apercevoir ! Ne rien sentir. De quel aveuglement êtes-vous donc capables ! Vous êtes là, dans vos tours de verre, à discuter au téléphone soir après soir avec des Américains qui se trouvent à des milliers de kilomètres, et vous n'avez pas la moindre idée de ce qui tourmente l'homme qui conduit votre voiture!

Qu'y a-t-il, Balram?

Pas grand-chose, monsieur. J'ai juste envie de vous exploser la tête!

Il se pencha en avant, approcha ses lèvres de mon oreille. J'étais tout près de fondre.

«Je comprends, Balram.»

Je fermai les yeux. C'est à peine si je pouvais parler.

«Vraiment, monsieur?

— Tu veux te marier.

— ...

— Et tu vas avoir besoin d'argent, je suppose.

— Non, monsieur. C'est inutile.

— Attends, Balram. Laisse-moi prendre mon portefeuille. Tu es un brave garçon. Tu fais partie de la famille. Tu ne demandes jamais rien. Je sais que d'autres chauffeurs réclament en permanence des heures supplémentaires et une assurance. Toi, tu ne dis jamais un mot. Tu es un serviteur à l'ancienne. Ça me plaît. Nous prendrons en charge les dépenses du mariage. Tiens, Balram...»

Je le vis sortir un billet de mille roupies de son portefeuille, le remettre en place, sortir un billet de cinq cents, le remettre en place, et sortir un billet de cent.

Qu'il me tendit.

«Voilà pour toi. Je suppose que la noce aura lieu?

— ...

— Il se pourrait que j'y aille aussi. J'aime beaucoup cet endroit. Cette fois, je monterai au fort. À quand remonte notre dernière visite là-bas, Balram? Six mois?

– Plus longtemps, monsieur.» Je comptai sur mes doigts. «Huit mois.»

Il compta de son côté. «Oui, tu as raison.»

Je pliai le billet de cent roupies et le glissai dans ma poche de chemise.

«Merci, monsieur», dis-je en tournant la clé de contact.

Très tôt, le lendemain matin, je sortis à pied du Buckingham Towers. L'immeuble avait beau être tout neuf, il y avait déjà une fuite dans une canalisation et l'écoulement formait une large auréole noire dans la terre à l'extérieur du mur d'enceinte. Trois chiens errants dormaient sur la plaque humide. Un bon moyen de se rafraîchir : l'été avait commencé et les nuits devenaient pénibles.

Les chiens semblaient très à l'aise. Je m'accroupis pour les observer.

Du doigt, je tâtai la terre détrempée et noire. C'était frais et tentant.

L'un des chiens ouvrit l'œil. Il bâilla, découvrant ses crocs, et se leva d'un bond. Les deux autres l'imitèrent. Un grognement s'éleva peu à peu. Ils retroussaient les babines. Visiblement, ils ne voulaient pas de moi dans leur royaume.

Je leur abandonnai la place et me dirigeai vers les galeries marchandes, pas encore ouvertes à cette heure. Je m'assis sur le trottoir.

Je ne savais pas où aller.

C'est alors que je remarquai de petites empreintes sombres sur le trottoir.

Des empreintes de pattes.

Un animal avait marché dessus avant que le ciment ait fini de sécher.

Je me levai et suivis les traces. L'espace entre les pattes s'allongeait. L'animal s'était mis à courir.

Je hâtai le pas.

Les empreintes de l'animal pressé suivaient l'itinéraire de tous les centres commerciaux, puis passaient derrière, avant de disparaître à la lisière du terrain entre le bitume et la terre meuble.

Arrivé là, je dus m'arrêter : à deux mètres de moi, une rangée d'hommes étaient accroupis en ligne droite.

Ils déféquaient.

Je venais d'atteindre la zone.

Vitiligo m'avait parlé de ces taudis où vivaient les ouvriers maçons employés à la construction des gigantesques immeubles résidentiels et des centres commerciaux. Originaires d'un village des Ténèbres, ils n'aimaient pas voir des inconnus débarquer, sauf pour ceux qui avaient affaire après la tombée de la nuit. Les hommes se soulageaient à ciel ouvert et formaient une sorte de mur défensif devant le taudis, une ligne qu'aucun humain respectable ne devait franchir. Le vent portait vers moi la puanteur de leur merde fraîche.

Je trouvai un créneau libre dans la ligne de défense. On aurait dit des statues de pierre.

Ces hommes construisaient des maisons pour les riches, mais ils vivaient sous des tentes de bâche bleue, séparées en rangées par des caniveaux. C'était encore pire qu'à Laxmangarh. Je me frayai un chemin au milieu d'éclats de verre, de fils de fer, de tubes de néon écrasés. La pestilence des fèces céda à celle, plus forte, des vidanges industrielles. Le taudis se terminait devant un égout à ciel ouvert : une petite rivière d'eau noire qui s'écoulait lentement, avec des bulles qui éclataient en petits cercles à la surface. Deux enfants s'ébattaient dans l'eau opaque.

Un billet de cent roupies voleta à la surface et suivit le courant sous l'œil éberlué des gamins. Ils se précipitèrent pour attraper le billet avant qu'il ne disparaisse. L'un d'eux s'en saisit, l'autre le frappa pour le lui prendre, et ils cabriolèrent dans l'eau noire en se battant.

Je revins vers la rangée de défécateurs. L'un d'eux avait terminé et s'éloignait. Un autre lui avait déjà succédé.

Je pris ma place dans la rangée et m'accroupis en souriant. Aussitôt, certains détournèrent les yeux : ils étaient encore des êtres humains. D'autres me dévisagèrent d'un regard vide : ceux-là avaient dépassé le stade de la honte. Puis j'en aperçus un, un type mince à la peau très noire, qui me souriait ; il semblait fier de ce qu'il faisait.

Je me déplaçai sans me relever vers l'endroit où il était accroupi et me campai face à lui, avec le sourire le plus large dont je fus capable. Il me répondit.

Puis il commença à rire, moi aussi, et tous les autres après nous.

« Nous prendrons en charge les dépenses de ton mariage ! criai-je.

– Nous prendrons en charge les dépenses de ton mariage ! cria-t-il.

– Nous baiserons même ta femme pour toi, Balram !

– Nous baiserons même ta femme pour toi, Balram ! »

Il rit de plus belle, si fort qu'il tomba la tête en avant, offrant son cul sale au ciel sale de Delhi.

À mon retour, les galeries marchandes avaient commencé à ouvrir. Je me lavai le visage au lavabo collectif et m'essuyai les mains pour me débarrasser de la crasse du taudis. Ensuite, je me rendis dans le garage, dénichai une clé à molette, m'exerçai à la manier comme une arme et la rapportai dans ma chambre.

Un adolescent m'attendait à côté du lit. Une lettre serrée entre les dents, il rajustait son pantalon. En m'entendant, il se tourna. La lettre tomba à terre. La clé à molette m'échappa en même temps.

« C'est la famille qui m'envoie. J'ai pris le bus, le train, et j'ai demandé mon chemin pour arriver jusqu'ici. » Il cligna des yeux. « Ils disent que tu dois t'occuper de moi et m'apprendre le métier de chauffeur.

— Mais qui es-tu ?

— Dharam. Le quatrième fils de ta tante Luttu. Tu m'as vu à Laxmangarh, à ta dernière visite. J'avais une chemise rouge. Tu m'as embrassé ici. »

Il pointa le haut de sa tête.

Il ramassa la lettre et me la tendit.

Mon cher petit-fils,

Voilà bien longtemps que tu n'es pas venu nous voir, et encore plus longtemps que tu ne nous as pas envoyé d'argent. Onze mois et deux jours exactement. La grande ville a corrompu ton cœur et t'a rendu égoïste, vaniteux et mauvais. J'ai toujours su que cela arriverait, car tu as toujours été un enfant insolent et méchant. À chaque occasion, tu t'admirais dans un miroir, et je te tordais les oreilles pour t'obliger à travailler un peu. Tu es comme ta mère. C'est son caractère que tu as, et non la nature douce de ton père. Jusqu'ici, nous avons supporté patiemment nos souffrances, mais cela suffit. Tu dois nous envoyer de l'argent. Sinon, nous préviendrons ton maître. Nous avons aussi décidé d'arranger ton mariage. Si tu ne viens pas, nous t'enverrons ta femme par le bus. Je dis ces choses non pour te menacer mais par affection. Après tout, je suis ta grand-mère, n'est-ce pas? Souviens-toi du temps où je te gavais de bonbons. C'est aussi ton devoir de veiller sur Dharam et de t'occuper de lui comme de ton propre fils. Prends soin de ta santé et n'oublie pas que je cuisinerai un bon poulet pour toi et te l'enverrai par la poste en même temps que la lettre à ton maître.

Ta grand-mère qui t'aime,

Kusum.

Je pliai la feuille, la mis dans ma poche, puis giflai le garçon si violemment qu'il vacilla en arrière, heurta l'angle du lit, et tomba dessus en emportant du même coup la moustiquaire.

« Lève-toi! Que je te frappe encore! »

Je ramassai la clé à molette et la brandis un instant en l'air, avant de la jeter au sol.

Le visage du garçon avait viré au bleu, sa lèvre fendue saignait. Il n'avait pas émis un son.

Je m'assis sur la moustiquaire, bus une rasade d'une demi-bouteille de whisky que je conservais sous mon lit, et regardai le garçon.

J'avais frôlé le précipice. Son arrivée m'avait retenu de tuer mon maître (et sauvé d'une vie entière en prison).

Ce soir-là, j'expliquai à M. Ashok que ma famille m'avait envoyé un apprenti qui m'aiderait à entretenir la voiture. Au lieu de se mettre en colère comme l'aurait fait n'importe quel employeur en soulignant que ça ferait une nouvelle bouche à nourrir, il me dit : « Il a l'air d'un gentil garçon. Il te ressemble. Qu'a-t-il au visage?

– Raconte, dis-je à Dharam. »

Le garçon cligna des yeux, se croyant perdu.

« Je suis tombé du bus. »

Rusé, le petit.

«Fais attention, à l'avenir, conseilla M. Ashok. Pour toi, c'est parfait, Balram. Tu auras de la compagnie.»

Dharam était un jeune garçon tranquille. Il ne me demandait pas grand-chose, dormait par terre, s'occupait de ses affaires. Un peu coupable de l'accueil que je lui avais réservé, je l'emmenai au tea-shop.

«Qui enseigne à l'école, maintenant? C'est toujours M. Krishna?

– Oui, oncle.

– Est-ce qu'il vole toujours l'argent des uniformes et de la cantine?

– Oui, oncle.

– Le brave homme.

– Je suis allé en classe cinq ans. Après, grand-mère Kusum a décidé que ça suffisait.

– Voyons ce que tu as appris en cinq ans. Tu connais la table de huit?

– Oui, oncle.

– Je t'écoute.

– Huit fois un, huit.

– Facile. Ensuite?

– Huit fois deux, seize.

– Attends.» Je comptai sur mes doigts pour vérifier. «C'est bien. Continue.

– Hé! Commande-moi un thé, tu veux?» nous interrompit Vitiligo en s'asseyant à côté de moi.

Il sourit à Dharam.

«Commande-le toi-même», répondis-je.

Il fit la moue.

«C'est une façon de me parler, héros de la classe laborieuse?» Dharam nous observait avec intérêt.

«Ce garçon est de mon village, expliquai-je à Vitiligo. Mon neveu. Je suis en train de discuter avec lui.

– Trois fois huit, vingt-quatre.

– Je me fous de qui il est, grommela Vitiligo. Commande-moi un thé, héros de la classe ouvrière.»

Il fléchit les cinq doigts d'une main devant mon visage. Cela signifiait : «Je veux cinq cents roupies.»

«Je n'ai rien.

– Quatre fois huit, trente-deux.»

Vitiligo traça une ligne en travers de son cou et sourit. Cela signifiait : «Ton maître saura tout.»

«Comment tu t'appelles, petit?

– Dharam[1].

– Joli nom. Tu sais ce qu'il veut dire?

– Oui, monsieur.

– Et ton oncle, il le sait?

– Tais-toi», lui dis-je.

C'était l'heure où l'on nettoyait le tea-shop. L'une des araignées humaines lâcha une serpillière mouillée sur le sol et entreprit de ramper avec, poussant une vaguelette grossissante d'eau noire et puante. Les clients attablés n'étaient pas épargnés : la flaque les éclaboussait au passage. Des fragments de beedis, des papiers d'emballage en plastique, des tickets de bus poinçonnés, des miettes d'oignons, des brins de coriandre fraîche flottaient à la surface ; le reflet d'une ampoule électrique nue brillait dans la crasse comme une pierre précieuse jaune.

---

1. Dharam est la transcription en hindi du terme sanskrit Dharma, l'ensemble des règles et des phénomènes qui régissent l'ordre du monde et la loi sociale qui en découle, ainsi que le comportement escompté de chacun (variable selon la naissance) pour contribuer à son maintien. Plus généralement : droit, justice, vertu. (N.d.T.)

Tandis que s'écoulait l'eau noire, une voix intérieure me souffla : *Ton cœur est devenu encore plus noir, Munna.*

Cette nuit-là, Dharam fut réveillé en sursaut par mon cri. Il approcha du lit.

« Oncle ? Qu'est-ce qu'il y a ?

— Allume, imbécile ! Allume la lumière ! »

Il obéit et me découvrit paralysé sous la moustiquaire. Je n'étais même pas capable de montrer la chose du doigt. Un gecko gris au corps épais était tombé du mur sur mon lit.

Dharam commença à sourire.

« Je ne plaisante pas, abruti ! Enlève-moi ça ! »

Il glissa la main sous la moustiquaire, saisit le lézard et l'écrasa sous son talon.

« Jette-le ! Loin ! Hors de la pièce ! Dehors ! »

Je vis son expression abasourdie. *Peur d'un lézard, un adulte comme mon oncle !*

Tant mieux, pensai-je lorsqu'il eut éteint la lumière. *Il ne pourra jamais soupçonner mes projets.*

Très vite, mon sourire s'évanouit.

Mes projets ? Quels projets ?

Je me mis à transpirer. Je contemplai les empreintes de mains anonymes sur le mur de plâtre blanc.

Une canne tapotait le ciment : le veilleur de nuit du Buckingham Towers faisait sa ronde. Lorsque le bruit de la canne se fut estompé, il n'y eut plus le moindre murmure dans la chambre, hormis le bourdonnement des cafards qui grignotaient les murs ou voletaient ici et là. La nuit était chaude et moite. Même les cancrelats devaient transpirer. Je pouvais à peine respirer.

Au moment où je croyais ne jamais trouver le sommeil, je commençai à réciter deux vers, encore et encore.

J'ai cherché la clé pendant des années
Mais la porte était ouverte.

Et je m'endormis.

J'aurais dû remarquer les signes peints au pochoir sur les murs montrant deux mains brisant des menottes, j'aurais dû m'arrêter pour écouter les vociférations des jeunes gens juchés sur les camions, un bandeau rouge autour du front, mais j'étais trop absorbé par mes propres ennuis pour prêter attention aux événements importants qui se déroulaient dans mon pays.

Deux jours plus tard, je conduisis M. Ashok aux jardins Lodi avec Mlle Uma. Il passait de plus en plus de temps avec elle. L'idylle s'épanouissait. Mon nez s'accoutumait à son parfum : je n'éternuais plus quand elle bougeait.

« Tu ne l'as toujours pas fait, n'est-ce pas, Ashok ? Tout va recommencer comme la dernière fois ?

– Ce n'est pas aussi simple, Uma. Je me suis déjà heurté avec Mukesh à ton sujet. Mais je vais réagir. Il faut juste que tu me laisses un peu de temps. Je dois en finir avec ce divorce… Balram ! Pourquoi mets-tu la musique aussi fort ?

– J'aime écouter la musique fort, dit Uma. C'est un morceau romantique. Il l'a peut-être fait intentionnellement.

– Fais-moi confiance. J'y arriverai… Balram, pourquoi ne baisses-tu pas la musique ? Ces gens des Ténèbres sont tellement stupides, parfois.

– Je t'avais prévenu, Ashok. »

Elle poursuivit en chuchotant.

Je saisis quelques mots anglais : « remplacé », « chauffeur », « local ».

As-tu pensé à le remplacer par un chauffeur local ?

Il marmonna une réponse.

Je ne l'entendis pas mais ce n'était pas nécessaire.

Je jetai un coup d'œil dans le rétroviseur. Je voulais le défier du regard, d'homme à homme. Mais ses yeux m'évitaient. Il n'osait pas me faire face.

On aurait pu entendre mes dents grincer, je vous assure. Je me disais, ce n'est pas moi qui fais des projets pour lui. C'est lui qui les fait pour moi ! Les riches ont toujours un pas d'avance sur nous, n'est-ce pas ?

Eh bien, non, pas cette fois. Pour chaque pas qu'il ferait, j'en ferais deux.

Dans la rue, un marchand ambulant était assis à côté d'une pyramide de casques de moto enveloppés dans du plastique. On aurait dit des têtes tranchées.

Juste avant d'arriver aux jardins, la rue était bloquée de tous côtés : des camions s'étaient rassemblés en ligne devant nous, bondés d'hommes qui hurlaient :

« Vive le Grand Socialiste ! Vive la voix des pauvres de l'Inde !

— Que se passe-t-il ? demanda M. Ashok.

— Tu n'as pas vu les infos, aujourd'hui ? Ils ont annoncé les résultats.

— Merde, dit-il. Balram, arrête le CD et branche la radio. »

La voix du Grand Socialiste se fit entendre. Il était interviewé par un journaliste.

« Cette élection prouve que l'on ne pourra pas ignorer les pauvres. Les Ténèbres ne resteront pas silencieuses. L'eau ne coule pas de nos robinets, et vous savez ce que Delhi nous donne ? Des portables. Un homme peut-il boire un téléphone quand il a soif ? Les femmes parcourent des kilomètres à pied chaque matin pour trouver un seau d'eau et.…

– Voulez-vous devenir Premier ministre de l'Union indienne ?

– Épargnez-moi ce genre de question. Je n'ai pas d'ambition personnelle. Je suis seulement la voix des pauvres et des individus privés de droit électoral.

– Mais, monsieur, vous êtes sûrement...

– Permettez-moi d'ajouter un dernier mot. Depuis toujours, mon seul souhait est une Inde où n'importe quel garçon de n'importe quel village puisse rêver de devenir Premier ministre. Pour l'instant, comme je le disais, les femmes marchent pendant... »

Selon la radio, le parti au pouvoir avait été battu à plate couture. Une nouvelle coalition de partis l'avait emporté, dont celui du Grand Socialiste. Il avait raflé les suffrages d'une large majorité des Ténèbres. Sur le chemin de Gurgaon, des hordes de supporters affluaient. Ils allaient où ils voulaient, faisaient ce qu'ils voulaient, sifflaient toutes les femmes qu'ils voulaient. Delhi était envahie.

M. Ashok n'eut pas besoin de moi de toute la journée. Le soir, il descendit et me demanda de le conduire à l'hôtel Imperial. Pendant tout le trajet, il pianota sur les touches de son téléphone et passa plusieurs appels. Il hurlait.

« On s'est complètement fait baiser, Uma. C'est pour ça que je déteste ce business. On est à la merci de ces... »

« Ne m'engueule pas, Mukesh ! C'est toi qui as dit que les élections étaient jouées d'avance. Oui, toi ! Maintenant, on n'arrivera jamais à se sortir de cet imbroglio d'impôts... »

« D'accord, père, je vais le faire ! Je le vois dans un instant à l'hôtel Imperial ! »

Il parlait toujours au téléphone quand je le déposai devant l'hôtel. Quarante-deux minutes s'écoulèrent, puis il réapparut en compagnie de deux hommes. Il se pencha à ma vitre et me dit :

« Fais tout ce qu'ils voudront, Balram. Je vais prendre un taxi pour rentrer. Quand tu auras fini, ramène la voiture au Buckingham.

– Oui, monsieur. »

Les deux hommes lui donnèrent des claques dans le dos. Il les salua et leur ouvrit la portière. Pour leur lécher le cul à ce point, c'étaient forcément des politiciens.

Ils prirent place sur la banquette arrière. Mon cœur se mit à battre très vite. L'homme assis à droite était le héros de mon enfance : Vijay, le fils du porcher devenu conducteur de bus, puis politicien à Laxmangarh. Il avait à nouveau changé d'uniforme : aujourd'hui, il portait le costume impeccable et la cravate de l'homme d'affaires indien moderne.

Il m'ordonna de prendre la direction d'Ashoka Road, puis se tourna vers son compagnon :

« Ce connard a fini par me filer sa voiture. »

Le deuxième homme grogna, baissa sa vitre et cracha dehors.

« Il sait qu'il nous doit le respect, maintenant. »

Vijay pouffa de rire et haussa la voix :

« Tu as quelque chose à boire dans la voiture, petit ? »

Je tournai la tête : de grosses pépites d'or étincelaient dans ses molaires noires et cariées.

« Oui, monsieur.

– Voyons. »

J'ouvris la boîte à gants et en sortis la bouteille.

« C'est de la bonne camelote. Johnnie Walker Carte noire. Tu as aussi des verres ?

– Oui, monsieur.

– Des glaçons ?

– Non, monsieur.

– Tant pis. On le boira sec. Sers-nous, petit. »

Ce que je fis, tout en conduisant de la main gauche. Ils burent le whisky aussi facilement que du citron pressé.

« S'il n'a pas préparé ce qu'il faut, préviens-moi. J'enverrai des gars à moi le convaincre.

– Ne te bile pas. Son père a toujours fini par payer. Le fiston est allé en Amérique et il est revenu la tête pleine de conneries. Mais il paiera aussi.

– Combien ?

– Sept. J'étais prêt à conclure pour cinq, mais ce crétin en a lui-même offert six. Il a le cerveau un peu ramollo. J'ai demandé sept et il a accepté. Je l'ai prévenu que, s'il ne payait pas, on les foutrait en l'air, lui, son père, son frère, et toute leur combine de chapardage de charbon et d'évasion fiscale. Il s'est mis à suer à grosses gouttes. Je sais qu'il paiera.

– Tu en es vraiment sûr ? Ça m'aurait plu de lui envoyer quelques gars. J'adore voir un riche se faire malmener. C'est mieux qu'une érection.

– Il y en aura d'autres. Celui-là n'en vaut pas la peine. Il a promis de l'apporter lundi. On fera ça au Sheraton. Il y a un bon restaurant au sous-sol. Très tranquille.

– Parfait. Il nous offrira le dîner en prime.

– Ça va sans dire. Les brochettes sont délicieuses. »

L'un des deux hommes se gargarisa avec le whisky, l'avala, rota, suçota ses dents.

« Tu sais ce qu'il y a de plus important dans cette élection ?

– Quoi ?

– Notre progression dans le Sud. On a même un pied à Bangalore. C'est l'avenir.

– Foutaises ! Je n'en crois pas un mot. Le Sud est rempli de Tamouls. Et tu sais ce que sont les Tamouls ? Des négros. Nous,

nous sommes des descendants d'Aryens. Les Tamouls étaient nos esclaves. Aujourd'hui, ils nous donnent des leçons, ces négros.

— Petit, dit Vijay en se penchant pour me tendre son verre. Un autre. »

Je leur servis le restant de la bouteille.

Vers trois heures du matin, je ramenai la Honda à Gurgaon. Mon cœur battait si fort que je ne quittai pas tout de suite la voiture. Je nettoyai l'intérieur et lavai la carosserie trois fois. La bouteille gisait sur le tapis de sol. Même vide, une bouteille de Johnnie Walker a de la valeur au marché noir. Je la ramassai et me dirigeai vers le dortoir des domestiques.

Pour une bouteille de Johnnie Walker, Vitiligo ne serait pas fâché d'être réveillé.

Tout en marchant, je m'amusai à la faire tourner d'un mouvement de poignet. Bien que vide, elle n'était pas si légère.

Je remarquai que mes pieds ralentissaient et que la bouteille tournait de plus en plus vite.

J'ai cherché la clé pendant des années…

Le fracas de la bouteille résonna dans tout le garage. Le bruit avait dû atteindre le hall et ricocher dans l'immeuble entier, jusqu'au treizième étage.

J'attendis quelques minutes, me préparant à voir quelqu'un descendre en courant.

Personne. J'étais sauvé.

J'enlevai à la lumière ce qui restait de la bouteille. De longs tessons, cruels et acérés comme des griffes.

Parfait.

Avec le pied, je rassemblai en un petit tas les éclats de verre éparpillés, essuyai le sang de ma main, trouvai un balai et nettoyai le secteur. Puis je m'agenouillai pour chercher les morceaux qui auraient pu m'échapper. Le garage résonnait d'un vers de poème répété inlassablement :

... Mais la porte était ouverte.

Dharam dormait sur le sol de la chambre ; des cafards rôdaient autour de sa tête. Je le secouai pour le réveiller et lui dis d'aller s'allonger sous la moustiquaire. Il se coucha sur le lit, tout ensommeillé, et je m'étendis sur le sol, bravant les cancrelats. Il y avait encore un peu de sang sur ma main : trois petites gouttes rouges s'étaient formées sur ma paume, comme des coccinelles sur une feuille. Je suçai ma blessure à la manière d'un enfant et m'endormis.

Le dimanche matin, M. Ashok ne voulut pas sortir. Après avoir lavé la vaisselle et nettoyé le réfrigérateur, je lui demandai la permission de prendre ma matinée.

«Pourquoi ? s'étonna-t-il en abaissant son journal. Tu n'avais encore jamais demandé toute une matinée de congé, jusqu'à présent. Où veux-tu aller ?»

Et vous, vous ne m'aviez encore jamais demandé où j'allais quand je quittais la maison. Que vous a fait Uma ?

«J'aimerais passer un peu de temps avec mon neveu, monsieur. L'emmener au zoo. J'ai pensé que ça lui plairait de voir tous ces animaux.»

M. Ashok sourit.

«C'est bien, Balram. Tu aimes ta famille. Va t'amuser avec le petit.»

Il se replongea dans son journal, mais je surpris une lueur de ruse dans son regard.

Une fois dans la rue, je dis à Dharam de m'attendre et revins sur mes pas pour surveiller l'entrée du Buckingham Towers. Une demi-heure plus tard, M. Ashok apparut dans le hall. Un petit homme à la peau noire – un serviteur – était venu le trouver. Ils discutèrent un moment, après quoi le petit homme s'inclina et sortit. Ils avaient l'air de deux hommes qui ont conclu un marché.

Je rejoignis Dharam qui m'attendait.

« Allons-y ! »

Nous prîmes le bus jusqu'au Vieux Fort, où se trouve le zoo national. Tout le temps, je laissai ma main sur la tête de l'enfant. Il dut prendre cela pour un geste d'affection mais c'était pour empêcher ma main de trembler : elle avait tremblé toute la matinée comme la queue détachée d'un lézard.

Je frapperais le premier. Désormais, tout était en place, rien ne pourrait tourner mal. Mais, comme je vous l'ai dit, je ne suis pas un homme courageux.

Le bus était bondé ; il nous fallut rester debout pendant tout le trajet. Nous transpirions comme des porcs. J'avais oublié à quoi ressemble un bus en plein été. À un feu rouge, une Mercedes-Benz s'arrêta près de nous. Derrière sa vitre fermée, bien au frais dans son œuf, le chauffeur nous adressa un sourire de toutes ses dents rouges.

Une longue file d'attente s'étirait devant le guichet du zoo. Ça, je le comprenais. Ce qui m'intriguait, c'était la présence de si nombreux jeunes gens et jeunes filles, main dans la main, qui gloussaient, se pinçaient, roucoulaient, comme si le zoo était un lieu romantique. Ça n'avait aucun sens.

Chaque jour, monsieur le Premier ministre, des milliers d'étrangers arrivent en avion dans mon pays pour chercher l'illumination. Ils vont dans l'Himalaya, ou à Bénarès, ou à Bodh Gaya. Ils prennent d'étranges poses de yoga, fument du haschich, baisent un ou deux sadhus, et se croient illuminés.

Ha !

Si c'est l'illumination que vous espérez trouver en Inde, oubliez le Gange, oubliez les ashrams, allez tout droit au zoo national, dans le cœur de New Delhi.

Les cigognes à bec doré étaient perchées sur des palmiers au milieu d'un lac artificiel. En survolant l'eau verte du lac, elles nous montraient des traces de rose sur leurs ailes. Dans le fond, en arrière-plan, se dressaient les murailles éboulées du Vieux Fort.

Le grand poète Iqbal avait raison. Dès l'instant où vous reconnaissez ce qui est beau en ce monde, vous cessez d'être un esclave. Au diable les Naxalites et leurs armes venues de Chine. Si vous enseignez l'art de la peinture à tous les garçons pauvres de l'Inde, ce sera la fin des riches.

Je m'assurai que Dharam appréciait la splendide découpe du fort, la façon dont le ciel bleu emplissait les meurtrières, dont les pierres dorées étincelaient au soleil.

Notre promenade, de cage en cage, dura une heure. Le lion et la lionne se tenaient à l'écart l'un de l'autre et ne se parlaient pas : un vrai couple de citadins. L'hippopotame se prélassait dans un immense étang boueux. Dharam voulut imiter les autres visiteurs qui s'amusaient à lui jeter un caillou pour l'obliger à bouger, mais je lui expliquai que c'était cruel. Les hippopotames passent leur temps dans la boue et ne font rien : c'est leur nature.

Quand je lui dis qu'il était temps de partir, il fit la grimace et m'implora :

« Encore cinq minutes, oncle.

— D'accord. Cinq minutes. »

Dans un enclos protégé par de hauts barreaux de bambou, un tigre marchait de long en large.

Pas n'importe quel tigre.

L'espèce dont il naît un seul spécimen par génération dans la jungle.

J'observai ses allées et venues derrière les barreaux. À travers les interstices sombres du bambou, ses rayures noires et sa fourrure blanche luisaient au soleil ; j'avais l'impression de regarder la bobine projetée au ralenti d'un vieux film en noir et blanc. Il se déplaçait sur la même ligne, sans jamais changer de trajectoire, d'une extrémité à l'autre, et faisait demi-tour, à la même allure, comme sous l'effet d'un sortilège.

En marchant ainsi, il s'hypnotisait lui-même. C'était la seule façon pour lui de supporter l'enfermement.

Soudain, l'animal emprisonné tourna sa tête vers la mienne. Ses yeux rencontrèrent mes yeux, comme ceux de mon maître avaient si souvent croisé les miens dans le rétroviseur.

Tout à coup, le tigre disparut.

Un picotement partit de la base de ma colonne vertébrale jusque dans mon bas-ventre. Mes genoux faiblirent, je me sentis tout léger. Près de moi, une voix cria : « Ses yeux se révulsent ! Il va s'évanouir ! » Je voulus lui répondre : « Ce n'est pas vrai, je ne vais pas m'évanouir. » Je voulais leur montrer que j'allais bien, mais mes pieds se dérobaient. Sous mes semelles, le sol tremblait. Quelque chose creusait un passage souterrain vers moi. Des griffes surgirent de terre, se plantèrent dans ma chair et m'attirèrent dans le sol noir.

Avant de sombrer dans la nuit, ma dernière pensée fut : maintenant je comprends ces frissons et ces ravissements, maintenant je comprends pourquoi les amoureux aiment tant venir au zoo.

Ce soir-là, Dharam et moi étions assis sur le sol de ma chambre. J'étalai une feuille de papier à lettres bleue devant lui et glissai un stylo entre ses doigts.

« Je veux voir si tu écris bien, Dharam. Tu vas rédiger une lettre à grand-mère et lui raconter ce qui s'est passé aujourd'hui au zoo.»

Il écrivit de sa belle et lente écriture. Il lui parla des hippopotames, des chimpanzés, du cerf des marais.

«Parle-lui du tigre, Dharam.»

Il hésita, puis nota : *Nous avons vu un tigre blanc dans une cage.*

«Raconte-lui tout.»

Il me regarda et poursuivit : *Oncle Balram s'est évanoui devant le tigre blanc.*

«Mieux que ça. Je vais te dicter.»

Il écrivit sous ma dictée pendant dix minutes, si vite que le stylo devint tout noir et suintant. Il s'arrêta pour essuyer la pointe encrassée par l'encre dans ses cheveux, puis reprit. Quand il eut fini, il relut à voix haute :

J'ai appelé les gens autour de moi et nous avons transporté oncle Balram sous un banian. Quelqu'un lui a versé de l'eau sur la figure. De braves gens l'ont giflé durement pour le réveiller. Ils m'ont dit : «Ton oncle délire. Il dit adieu à ta grand-mère. Il doit penser qu'il est en train de mourir.» Les yeux de mon oncle étaient ouverts, maintenant. «Tu te sens bien?» j'ai demandé. Il a pris ma main et m'a dit : «Je suis désolé, désolé, désolé. – Pourquoi es-tu désolé?» j'ai demandé. Et il m'a répondu : «Je ne peux pas passer le restant de ma vie dans une cage, grand-mère. Je suis désolé.» Nous sommes rentrés en bus à Gurgaon et nous avons déjeuné au tea-shop. Il faisait très chaud et nous transpirions beaucoup. Voilà tout ce qui s'est passé aujourd'hui.

«Maintenant, tu peux ajouter ce que tu veux, Dharam. Tu posteras la lettre demain, dès que je serai parti avec la voiture. Mais pas avant. Compris?»

Il plut toute la matinée; une pluie légère, persistante. Je l'entendais mais je ne la voyais pas. J'allai dans le garage, plaçai le bâton d'encens à l'intérieur de la Honda City, essuyai les sièges et les autocollants, donnai un coup de poing dans la gueule de l'ogre, posai un paquet près de mon siège et fermai les portières à clé.

Cela fait, je reculai de deux pas et, les mains jointes, m'inclinai très bas devant la Honda City.

Ensuite je retournai voir Dharam. Il avait l'air si seul; je fabriquai un petit bateau en papier qu'il alla faire naviguer dans le caniveau devant l'immeuble.

Après le déjeuner, je l'appelai dans ma chambre.

Je posai mes mains sur ses épaules et, lentement, le fis pivoter jusqu'à ce qu'il me tourne le dos. Je lançai une roupie sur le sol.

« Penche-toi et ramasse, Dharam. »

Il obéit. J'observai. Dharam se peignait exactement comme M. Ashok, avec une raie au milieu. Quand on se trouvait au-dessus de lui, on voyait nettement la ligne claire tracée sur son crâne menant au sommet de la tête, là où rayonne l'implantation des cheveux.

« Redresse-toi, Dharam. »

Je le fis tourner sur lui-même, puis laissai de nouveau tomber une roupie.

« Ramasse. »

J'examinai le point au sommet de la tête.

Ensuite, je lui ordonnai d'aller s'asseoir dans un angle de la pièce et de ne pas me quitter des yeux. Je me glissai sous la moustiquaire, croisai les jambes, fermai les yeux, plaçai mes paumes sur mes genoux et inspirai profondément.

J'ignore combien de temps je restai assis comme le Bouddha,

mais cela dura jusqu'à ce qu'un domestique vînt m'avertir qu'on m'attendait à la porte d'entrée de l'immeuble. J'ouvris les yeux. Assis dans son coin, Dharam m'observait.

« Approche », lui dis-je.

Je le serrai dans mes bras et glissai dix roupies dans sa poche. Il en aurait besoin.

« Balram, tu es en retard ! La sonnette n'arrête pas de tinter ! » J'allai au garage chercher la voiture. M. Ashok m'attendait devant l'entrée, avec un parapluie. Il parlait au téléphone. Il entra dans la voiture et claqua la portière.

« Je n'arrive toujours pas à le croire, disait-il à son correspondant. Les gens de ce pays avaient une chance de ramener au pouvoir un parti efficace, au lieu de ça ils ont voté pour la pire bande de voyous qui existe. Nous ne méritons pas... » Il écarta un instant le téléphone de son oreille pour me dire : « Conduis-moi d'abord dans le centre, Balram. Je te dirai où... » Puis il reprit sa conversation.

La chaussée était grasse de boue et de pluie. Je conduisais lentement.

« ... la démocratie parlementaire, père. Jamais nous ne rattraperons la Chine pour cette simple raison ».

Premier arrêt en ville, dans l'une des banques habituelles. Il prit le sac rouge et entra. Je le vis dans la cabine vitrée presser les touches du distributeur automatique. À son retour, j'eus l'impression de sentir le poids alourdi du sac sur la banquette arrière. De banque en banque, son poids ne cessa d'augmenter. Je sentais sa pression croître dans mon dos, comme un rickshaw transportant un client et non comme un chauffeur conduisant une voiture.

Sept cent mille roupies.

C'était suffisant pour une maison. Une moto. Une petite boutique. Une nouvelle vie.

Mes sept cent mille roupies.

«Et maintenant, au Sheraton, Balram.

– Oui, monsieur.»

Je tournai la clé de contact, enclenchai la première, démarrai, changeai de vitesse.

«Mets-moi un peu de musique, Balram. Sting. Pas trop fort.

– Oui, monsieur.»

Je mis le CD. La voix de Sting s'éleva. La voiture prit de la vitesse. On dépassa bientôt la célèbre statue de bronze de Gandhi guidant ses fidèles des ténèbres vers la lumière.

Il y avait très peu de circulation sur cette route. Une pluie fine tombait toujours. En continuant tout droit, on arriverait au plus luxueux de tous les hôtels de la capitale de mon pays, où séjournaient les chefs d'État en visite, comme vous-même. Mais Delhi est une ville où la civilisation peut sembler disparaître en cinq minutes. De chaque côté de la route, à présent, ce n'étaient que terrains vagues et détritus.

Dans le rétroviseur, je vis que M. Ashok ne prêtait attention à rien d'autre qu'à son téléphone. La lueur bleutée de l'appareil éclairait son visage. Sans lever les yeux, il me demanda :

«Qu'y a-t-il, Balram? Pourquoi la voiture est-elle arrêtée?»

Je touchai du doigt les autocollants de la déesse Kali pour me porter chance et ouvris la boîte à gants. Elle était là : la bouteille cassée avec ses griffes de verre.

«Il y a quelque chose d'anormal avec une roue, monsieur. Donnez-moi deux minutes.»

Avant même que je touche la poignée, je vous le jure, la portière s'ouvrit. J'étais sous la bruine.

Tout était détrempé, boueux. J'allai m'accroupir à côté

de la roue arrière gauche, celle qui était cachée de la route par la voiture. Sur le bas-côté se dressait une touffe de buissons, au-delà s'étendait un terrain vague.

Jamais la route n'avait été aussi déserte. On aurait juré que c'était fait exprès.

La seule lumière à l'intérieur de la voiture était la lueur bleue du portable. Je tapotai du doigt contre la fenêtre. Il tourna la tête vers moi sans baisser sa vitre.

J'articulai les mots : « Il y a un problè ›, monsieur. »

Il ne baissait toujours pas sa vitre. Il jouait avec son téléphone, pianotait sur les touches avec un léger sourire. Sans doute envoyait-il un message à Uma.

Pressées contre la vitre mouillée, mes lèvres firent une grimace. Il lâcha son téléphone. Je serrai le poing et tapai contre la vitre. Il ouvrit enfin, avec une expression de déplaisir manifeste. La voix douce de Sting me parvint.

« Qu'y a-t-il, Balram?

— Monsieur, s'il vous plaît, vous voulez bien descendre? Il y a un problème.

— Quel problème? »

Il ne bougeait pas. Le corps savait, mais l'esprit était trop stupide pour comprendre.

« La roue, monsieur. J'ai besoin de votre aide. Elle est embourbée. »

À cet instant, des phares m'épinglèrent. Une voiture approchait. Mon cœur fit un bond. La voiture passa, faisant gicler de l'eau sale jusqu'à mes pieds.

Il posa une main sur la poignée, mais un vague instinct de préservation le retint.

« Il pleut, Balram. Tu ne penses pas qu'on devrait plutôt appeler pour demander du secours? »

Il s'agita, s'écarta de la portière.

« Oh non, monsieur. Faites-moi confiance. Venez. »

Son corps prenait ses distances, s'éloignait de moi autant qu'il le pouvait. *Je le perds,* pensai-je. Et cela m'obligea à faire une chose que je me reprocherais longtemps, des années plus tard, je le savais, et ça me déplaisait. Je ne voulais pas qu'il pense, dans les deux ou trois minutes qui lui restaient à vivre, que j'étais de cette race de chauffeurs qui ont recours au chantage contre leur maître. Mais il ne me laissait pas le choix.

« Il y a un problème depuis le soir où nous sommes allés à cet hôtel de Jangpura. »

Aussitôt son regard quitta le téléphone pour se poser sur moi.

« Vous savez, l'hôtel avec un grand T au néon. Vous vous rappelez, monsieur ? Depuis cette nuit-là, rien ne va plus comme avant avec la voiture. »

Ses lèvres s'entrouvrirent, se refermèrent. Il pensait : *Chantage ou innocente référence au passé ? Ne lui laisse pas le temps de trancher.*

« S'il vous plaît, monsieur, venez m'aider. »

Il posa le téléphone sur la banquette. Pendant une seconde, la lueur bleutée envahit l'intérieur de la voiture puis s'éteignit. Tout était noir.

Il ouvrit la portière la plus éloignée de moi, du côté de la route. Je m'agenouillai, dissimulé derrière la voiture.

« Par ici, monsieur. Le pneu abîmé est de ce côté. »

Il approcha, pataugeant dans la gadoue.

« C'est là, monsieur. Attention à vous, il y a une bouteille cassée par terre. »

Il y avait tellement de détritus sur le bord de la route que ça paraissait parfaitement naturel.

« Attendez, je vais la jeter. Voilà le pneu, monsieur. Regardez, s'il vous plaît. »

Il s'accroupit. Je me relevai, tenant le cul de la bouteille brisée derrière mon dos, le bras fléchi.

Devant moi, son crâne n'était qu'une boule noire. Je distinguais la mince ligne blanche de séparation des cheveux qui menait au sommet.

La boule noire bougea. Grimaçant pour protéger ses yeux de la pluie, il releva son visage.

« À première vue, il n'y a rien d'anormal. »

Je restai immobile, comme un élève surpris par l'instituteur. Je pensai : *Son cerveau de propriétaire a compris. Il va se lever et me gifler.*

Mais à quoi sert de gagner une bataille quand vous ne savez pas qu'il y a la guerre ?

« Enfin, tu t'y connais plus que moi, Balram. J'ai dû mal regarder. »

Il se pencha à nouveau. L'autoroute noire réapparut, avec la ligne blanche au milieu menant au sommet de la tête.

« Si, monsieur, il y a un problème, monsieur. Vous auriez dû le remplacer depuis longtemps.

– D'accord, Balram. Mais je pense réellement que... »

J'abattis le tesson de bouteille. Le verre entama l'os. Je frappai trois fois de suite. Le verre s'enfonça dans la cervelle. C'est du verre solide, Johnnie Walker Carte noire. Ça vaut son prix sur le marché d'occasion.

Le corps assommé s'effondra dans la boue. Un sifflement s'échappa des lèvres, comme l'air d'un pneu.

Je me mis à genoux. Ma main tremblait. Le tesson de bouteille me glissa des doigts. Je dus le ramasser de la main gauche. La chose aux lèvres sifflantes se redressa à quatre pattes et commença à tourner en rond, comme à la recherche d'un protecteur.

Pourquoi ne pas le bâillonner et l'abandonner dans les buissons, assommé et inconscient, où il serait incapable de faire quoi que ce soit pendant des heures, le temps suffisant pour moi de fuir? Bonne question. J'y ai réfléchi plus d'une nuit, assis à mon bureau, les yeux fixés sur le lustre.

La première réponse possible est qu'il risquait de reprendre connaissance, de se libérer de son bâillon, et de prévenir la police. Donc, je devais le tuer.

La deuxième réponse possible est que sa famille allait faire subir des choses si atroces à la mienne que je prenais ma revanche à l'avance.

Je préfère cette seconde explication.

Je posai le pied sur la chose qui rampait devant moi et l'aplatis sur le sol. Puis je m'agenouillai afin d'être à la bonne hauteur pour la suite. Je retournai le corps, face vers moi. Je plaquai un genou sur son torse. Je défis le bouton de col et glissai la main sur sa clavicule pour localiser le point.

Quand j'étais petit, à Laxmangarh, j'aimais m'amuser avec le corps de mon père; mon endroit préféré était la jonction de la nuque et de la poitrine, où les tendons et les veines saillent en relief. Quand je touchais ce point, ce petit creux dans le cou de mon père, j'avais tout pouvoir sur lui. Une simple pression du doigt suffisait à bloquer sa respiration.

Le fils de la Cigogne rouvrit les yeux à l'instant précis où je lui perforai la gorge, et sa vie gicla dans les miens.

J'étais aveugle. J'étais libre.

Quand j'eus essuyé le sang de mes yeux, c'en était fini de M. Ashok. Son sang s'écoulait très vite; je crois que c'est ainsi que les musulmans tuent leurs poulets.

Mais la tuberculose est une mort bien plus pénible, je peux vous l'assurer.

Une fois son corps traîné dans les buissons, je m'aspergeai le visage et les mains d'eau de pluie, et me séchai avec les mouchoirs en papier de la boîte sculptée. Ensuite, je tirai le petit paquet calé sous mon siège, en sortis le tee-shirt de coton blanc – celui avec beaucoup de blanc et juste un mot anglais au milieu – et l'enfilai. Enfin, j'arrachai tous les autocollants de la déesse et les jetai sur le corps de M. Ashok, pour le cas où son âme irait au paradis.

Je remontai dans la voiture, tournai la clé de contact, pressai le pied sur l'accélérateur, et conduisis la Honda City, la meilleure des voitures, la plus loyale des complices, pour son dernier voyage. Comme j'étais seul, sans passager, ma main se tendit machinalement vers la stéréo pour l'éteindre, puis s'arrêta à mi-course et revint tranquillement se poser sur le volant.

Désormais, je pouvais écouter de la musique aussi longtemps que j'en avais envie.

Trente-trois minutes plus tard, les rouages multicolores des balances diseuses de bonne aventure de la gare scintillaient. Je me plantai devant l'une d'elles, hypnotisé par les lumières qui clignotaient et les roues qui tournoyaient, et me demandai : *Dois-je retourner chercher Dharam ?*

Si je le laissais au Buckingham Towers, la police l'arrêterait sans doute pour complicité. Ils le jetteraient en prison avec une bande d'enragés, et chacun sait ce qui arrive à un jeune garçon enfermé dans ce genre de repaires.

D'un autre côté, si je revenais à Gurgaon et qu'on ait découvert le corps... alors tout ça (ma main se crispa sur la poignée du sac rouge) n'aurait servi à rien.

Je m'accroupis, écrasé par l'indécision. Sur la gauche, j'entendis un cri perçant. Un seau tressautait comme une créature vivante. Soudain, le visage radieux d'un tout petit garçon en surgit. Son père et sa mère l'encadraient : des sans-abri crasseux, au regard vide et lointain. Entre ses parents las et épuisés, l'enfant s'amusait comme un fou, barbotant dans l'eau et éclaboussant les passants.

« Ne fais pas ça, petit », lui dis-je.

Il barbota de plus belle, riant de plaisir chaque fois qu'il m'éclaboussait. Je levai la main. Il plongea dans le seau et continua de battre l'eau.

Je fouillai mes poches à la recherche d'une roupie, m'assurai que ce n'était pas une pièce de deux, et la fis rouler vers le seau.

Je me relevai avec un soupir, et, pestant contre moi-même, marchai vers la sortie de la gare.

Ton jour de chance, Dharam.

La septième nuit

Vous entendez ça, monsieur Jiabao ? Je vais monter le son.

« Le ministre de la Santé a annoncé aujourd'hui un plan visant à éliminer la malaria de Bangalore dès la fin de cette année. Il a donné l'ordre à tous les responsables municipaux de travailler sans relâche jusqu'à ce que cette maladie soit vaincue. Quarante-cinq millions de roupies ont été allouées au plan d'éradication de celle-ci.

« De son côté, le ministre en chef de l'état a annoncé aujourd'hui un plan visant à faire disparaître la malnutrition de Bangalore dans les six prochains mois. Il a déclaré qu'il ne voulait plus voir un seul enfant affamé dans la ville d'ici la fin de l'année. Tous les fonctionnaires concernés devront travailler résolument dans ce but, a-t-il insisté. Cinq cents millions de roupies seront allouées à l'éradication de la malnutrition.

« Par ailleurs, le ministre des Finances a déclaré que le budget annuel inclura un programme d'incitations spécifiques visant à transformer nos villages en paradis de haute technologie... »

Voici le genre d'informations dont nous abreuve All India Radio à longueur de nuit, et que commentent les quotidiens du matin. Les gens gobent toutes ces foutaises. Nuit après nuit, jour après jour. Incroyable, non ?

Mais assez de la radio. Je l'éteins. Je préfère chercher l'inspiration dans mon lustre à pampilles.

Wen !

Mon vieil ami !

La nuit qui vient mettra un point final à ce glorieux récit. Tout en faisant mon yoga, ce matin – mais oui, je me lève à onze heures et je débute ma journée par une heure de yoga – je réfléchissais à la progression de mon histoire et je me suis aperçu que la fin approchait. Il me reste à vous raconter comment, de criminel pourchassé par la police, je suis devenu un solide pilier de la société bangalorienne.

Incidemment, puisque je viens d'évoquer mes exercices matinaux, permettez-moi d'ajouter qu'une heure de respiration, de yoga et de méditation chaque matin constitue un préambule idéal à la journée d'un entrepreneur. Je ne sais pas comment je gérerais le stress de ce foutu business sans le yoga. Je vous suggère même de l'inscrire au programme obligatoire de toutes les écoles chinoises.

Mais revenons à notre histoire.

Tout d'abord, je tiens à éclaircir un point sur la vie de fugitif. Un homme en fuite ne vit pas uniquement dans la peur : il a droit aussi à sa part de distraction.

Le soir où je balayai les morceaux de verre de la bouteille de Johnnie Walker dans le garage du Buckingham Towers, j'imaginai un plan pour gagner Bangalore. Pas question de prendre un train direct. Quelqu'un risquait de me reconnaître et la police apprendrait immédiatement ma destination. Je jugeai donc plus judicieux de descendre dans le Sud en zigzag, en me transbordant d'un train à un autre.

Mais mon plan se détraqua dès l'instant où je décidai de passer chercher Dharam. Le jeune garçon dormait sous la moustiquaire et je dus le secouer pour le réveiller. Je lui annonçai que nous partions en vacances. Il m'était difficile de porter le sac rouge d'une main et de traîner Dharam de l'autre (les gares sont des endroits dangereux pour les adolescents ; il y rôde des tas d'individus louches, comme vous le savez), néanmoins je suivis mon idée première de quitter Delhi par étape.

Le troisième jour du périple, nous étions à Hyderabad. Le sac rouge à la main, je faisais la queue devant le buffet de la gare pour acheter un thé avant le départ du train, pendant que Dharam gardait nos sièges dans le compartiment. Un gecko faisait le guet juste au-dessus du buffet et je le surveillais avec inquiétude, espérant qu'il ne bougerait pas avant que j'aie eu mon thé.

Le gecko pivota vers la gauche et fila sur une grande feuille de papier collée au mur. Il fit halte en plein milieu, puis détala sur le côté.

La feuille de papier collée au mur était un avis de recherche de la police. Mon avis de recherche. Il était déjà arrivé à Hyderabad. Je le contemplai avec un sourire de fierté.

Sourire qui ne dura qu'une seconde. Pour une raison bizarre – vous découvrirez à quel point les choses se font n'importe comment en Inde – mon affiche avait été agrafée à une autre qui, elle, concernait deux terroristes cachemiris recherchés pour un attentat à la bombe je ne sais où.

En regardant les deux avis accolés, on pouvait en déduire que j'étais, moi aussi, un terroriste. Ennuyeux.

Soudain, je m'aperçus qu'on m'observait. Un homme, les mains croisées dans le dos, examinait l'affiche, puis moi, avec insistance. Mes genoux faiblirent. Je voulus m'éloigner. Trop tard. Dès qu'il me vit partir, le type me saisit le poignet et me dévisagea.

Puis il me dit :

« Qu'est-ce que ça raconte l'affiche que vous lisiez ?

— Lisez-la vous-même.

— Je ne sais pas. »

Je comprenais maintenant son empressement à me retenir. C'était par désespoir. Le désespoir d'un analphabète cherchant à capter l'attention d'un homme instruit. À son accent, je devinai que lui aussi venait des Ténèbres.

« C'est la liste des personnes recherchées par la police cette semaine, lui expliquai-je. Ces deux-là sont des terroristes du Cachemire.

— Qu'est-ce qu'ils ont fait ?

— Ils ont fait sauter une école et tué huit enfants.

— Et celui-là ? Le type avec la moustache ? »

Il tapota ma photo avec un doigt.

« C'est l'homme qui les a arrêtés.

— Comment il a fait ? »

Pour créer l'illusion, je fis semblant de lire l'avis de recherche en plissant les yeux et en remuant les lèvres.

« C'est un chauffeur. Ils disent qu'il était en stationnement dans sa voiture quand il a vu les deux terroristes s'approcher de lui.

— Et alors ?

— Il a fait mine de ne pas savoir qu'ils étaient terroristes et les a emmenés faire un tour dans Delhi. Ensuite, il s'est arrêté dans un coin discret, il a cassé une bouteille et leur a tranché la gorge avec. »

Joignant le geste à la parole, je tailladai deux gorges avec mon pouce.

« Quel genre de bouteille ?

— De l'alcool anglais. C'est du verre très solide.

— Je sais, dit-il. Avant, j'allais tous les vendredis soir acheter une bouteille pour mon maître. Il aimait la Smirfone.

— Smirnoff, rectifiai-je.»
Mais il ne m'écoutait plus. Il examinait la photo sur l'affiche.
Soudain, il posa la main sur mon épaule.
«Vous savez à qui il ressemble, ce type?
— À qui donc? demandai-je.
— À moi», répondit-il d'un air ravi.
Je l'examinai, regardai la photo, et lui donnai une claque amicale dans le dos.
«C'est vrai, il vous ressemble.»
Je vous l'ai dit. Mon portrait était celui de la moitié des hommes de ce pays.

Après quoi, saisi de compassion pour ce pauvre homme ignare qui venait de subir ce que mon père avait sans doute subi tant de fois dans tant d'autres gares : être ridiculisé et dupé par des étrangers, je lui offris une tasse de thé avant de regagner le train.

Monsieur,

Je ne suis ni un politicien ni un parlementaire. Je n'ai rien de ces hommes extraordinaires capables de tuer et de passer leur chemin comme si de rien n'était. Il me fallut quatre semaines à Bangalore pour retrouver mon calme.

Pendant ces quatre semaines, je répétai indéfiniment la même routine. Chaque matin, à huit heures, je quittais l'hôtel – un bouge miteux près de la gare où j'avais déposé un acompte de cinq cents roupies – je déambulais pendant quatre heures avec le sac rouge rempli d'argent (je n'osais pas le laisser dans la chambre), puis revenais déjeuner avec Dharam.

J'ignore comment il occupait ses matinées, à quoi il jouait, mais il était de bonne humeur. C'étaient les premières vacances de sa vie. Ses sourires me remontaient le moral.

Nous mangions pour quatre roupies le repas. Dans le Sud, on se nourrit pour pas très cher. Mais c'est une cuisine bizarre, avec beaucoup de légumes coupés en dés et servis dans un curry délayé. Après déjeuner, je montais dormir dans la chambre. À quatre heures, je redescendais et commandais un paquet de biscuits Parle Milk avec un thé, parce que je ne savais pas encore boire le café.

J'étais impatient de goûter ce breuvage. Voyez-vous, dans le Nord, les pauvres boivent du thé, dans le Sud les pauvres boivent du café. Qui en a décidé ainsi ? Je l'ignore, mais c'est comme ça. C'était donc la première fois que je sentais l'odeur du café quotidiennement et je mourais d'envie d'essayer. Mais, avant de le boire, il fallait connaître le cérémonial, le rituel qui me fascinait. On le servait dans un verre droit inséré dans une timbale de métal pourvue d'une anse ; il fallait verser une certaine quantité de café dedans et le siroter à une certaine vitesse. Mais en quelle quantité et comment le déguster ? Je l'ignorais. Pendant quelque temps, donc, je me contentai d'observer.

Au bout d'une semaine d'observation, je m'aperçus que chacun procédait d'une manière différente. L'un versait tout d'un coup, un autre n'utilisait pas le verre.

J'en conclus qu'il y avait là beaucoup d'étrangers. Et que tous buvaient du café pour la première fois.

C'était l'un des nombreux attraits de Bangalore. La ville regorgeait de nouveaux venus. Personne ne me remarquerait.

Je passai quatre semaines dans cet hôtel minable près de la gare, à ne rien faire. J'avais des doutes, je l'admets. Aurais-je dû choisir Bombay plutôt que Bangalore ? Non, la police y aurait pensé tout de suite. Dans les films, tous les criminels vont se cacher à Bombay.

Calcutta! Voilà où j'aurais dû aller!

Un matin, Dharam me dit :

«Oncle, tu as l'air triste. Allons nous promener.»

Après avoir traversé un parc, où des ivrognes dormaient sur des bancs au milieu d'herbes folles, nous débouchâmes sur une large avenue, en face d'un immense édifice en pierre surmonté d'un lion doré.

«Quel est cet immeuble, oncle?

– Je ne sais pas, Dharam. Peut-être la résidence des ministres à Bangalore.»

Sur le pignon du bâtiment, je remarquai un slogan :

L'ŒUVRE DU GOUVERNEMENT
EST L'ŒUVRE DE DIEU

«Tu souris, oncle.

– C'est vrai, Dharam, je souris. Je pense que nous allons bien vivre à Bangalore», répondis-je avec un clin d'œil.

Je quittai l'hôtel et louai un appartement. À présent, je devais gagner ma vie et trouver un moyen de m'intégrer dans la ville.

J'essayai d'écouter la voix de Bangalore, comme j'avais écouté celle de Delhi.

Je descendis M.G. Road et m'attablai à la terrasse du café Coffee Day. J'avais apporté un papier et un crayon, et notais tout ce que j'entendais.

J'ai terminé ce logiciel en deux minutes et demie.

Aujourd'hui, un Américain m'a offert quatre cent mille dollars pour ma start-up. Tu sais ce que je lui ai répondu? «Ce n'est pas assez!»

Tu crois que Hewlett Packard est une meilleure entreprise qu'IBM?

Tout, apparemment, dans cette ville se résumait à une seule activité.

Sous-traitance. Autrement dit : exécuter des tâches en Inde pour les Américains via le téléphone. Tout en dépendait : l'immobilier, la richesse, le pouvoir, le sexe. D'une manière ou d'une autre, j'allais moi aussi devoir m'y faire une place.

Le lendemain, je pris un autorickshaw pour me rendre à Electronics City. Je repérai un banian en bordure de route et m'assis dessous pour observer les immeubles. Le soir, j'assistai à l'arrivée des 4×4. Je restai à mon poste jusqu'à deux heures du matin et vis les 4×4 ressortir des immeubles.

Voilà comment je vais me faire une place, pensai-je.

Laissez-moi vous expliquer, Votre Excellence. À Bangalore, les hommes et les femmes vivent comme des animaux dans la forêt. Ils dorment le jour et travaillent la nuit, jusqu'à deux, trois, quatre ou cinq heures du matin, cela dépend, parce que leurs maîtres sont de l'autre côté du monde, en Amérique. Question : comment les jeunes gens et les jeunes filles – surtout les jeunes filles – vont-ils de leur domicile au bureau le soir, et rentrent-ils du bureau à leur domicile à trois heures du matin? Il n'existe pas de réseau d'autobus à Bangalore, ni de trains comme à Bombay. De toute façon, les jeunes filles ne seraient pas en sécurité dans les bus ou les trains. Car les citadins, soyons francs, sont des brutes.

C'est là que les entrepreneurs entrent en scène.

Le lendemain, je me rendis chez un vendeur de Toyota Qualis

dans le centre-ville, et lui déclarai de ma voix la plus suave : «Je veux conduire vos voitures.» Il me jeta un regard intrigué. Je n'en revenais pas d'avoir dit cela. Un jour serviteur, à jamais serviteur. L'instinct est toujours là, quelque part au creux des reins. (Si vous me rendez visite à mon bureau, monsieur le Premier ministre, mon premier mouvement sera sans doute de me prosterner à vos pieds!)

Je me pinçai férocement la paume gauche, souriant malgré la douleur, et repris d'une voix profonde et bourrue : «Je veux *louer* vos voitures.»

La dernière étape de mon incroyable success story, monsieur, consistait à passer d'entrepreneur social à entrepreneur d'affaires. Ce ne fut pas facile.

J'appelai un à un au téléphone tous les responsables de toutes les firmes de sous-traitance de Bangalore. Avaient-ils besoin d'un service de transport pour conduire leurs employés au travail le soir? Avaient-ils besoin d'un service de taxis pour ramener leurs employés à leur domicile après le travail au petit matin?

Je vous laisse deviner leur réponse.

Une femme eut la gentillesse de m'expliquer :

«Vous arrivez trop tard. Toutes les sociétés de Bangalore ont déjà un service de transport pour leur personnel. Désolée pour vous.»

Comme à mes débuts à Dhanbad, la nouvelle me terrassa. Je passai une journée entière dans mon lit.

Que ferait M. Ashok? me demandai-je.

Ce fut la révélation. Je n'étais pas seul. J'avais quelqu'un à mes côtés. J'avais des milliers de gens à mes côtés!

Vous ne manquerez pas de voir mes amis à Bangalore : des

hommes gras, bedonnants, qui arpentent Brigade Road en balan-çant leur trique, fichant des coups aux vendeurs ambulants, les harcelant, leur soutirant de l'argent.

Je parle des policiers, bien sûr.

Le lendemain, je me rendis au commissariat de police le plus proche. Dans ma main, je tenais le sac rouge. Affichant les manières d'un homme important et montrant ostensiblement le sac, je remis au planton la carte de visite que je venais de faire imprimer et insistai pour être reçu par le responsable du poste : l'inspecteur en chef. On finit par me conduire à son bureau. Le stratagème du sac rouge avait fonctionné.

L'inspecteur-chef était assis derrière un immense bureau, son uniforme kaki tout scintillant d'insignes et de médailles, et le front arborant les marques rouges de la religion. Derrière lui : trois portraits de dieux. Mais pas celui que je cherchais.

Ah, Dieu merci, il y en avait aussi un de Gandhi dans un coin.

Avec un grand sourire doublé d'un namasté, je lui tendis le sac rouge. Il l'ouvrit avec précaution.

« Voici un petit témoignage de ma gratitude. »

C'est fabuleux. Dès l'instant où vous montrez des billets de banque, tout le monde comprend votre langue (car vous savez certainement que les habitants du nord et du sud de mon pays ne parlent pas la même langue).

« Gratitude pour quoi ? demanda l'inspecteur en hindi, en lorgnant d'un œil l'intérieur du sac.

– Pour tout le bien que vous allez me faire, monsieur. »

Il compta l'argent : dix mille roupies, écouta ma requête, et réclama le double. Je lui donnai un peu plus et il fut ravi. Mon portrait était là, monsieur le Premier ministre. Pendant tout le temps de la négociation, j'eus en face de moi l'avis de recherche avec ma photo brouillée.

Deux jours plus tard, je retéléphonai à la gentille dame de la société d'Internet qui avait refusé ma proposition. Elle m'apprit une nouvelle navrante. Son service de taxis avait été brutalement interrompu, une descente de police ayant révélé que la plupart des chauffeurs n'avaient pas de permis de conduire.

« Je suis désolé pour vous, madame. Vous avez toute ma sympathie. Et en prime, je vous offre mes services. La compagnie Tigre blanc.

– Vos chauffeurs ont leur permis ?

– Bien sûr, madame. Vous pouvez vérifier auprès de la police. »

Elle vérifia, et me rappela. La police lui avait fourni les meilleurs renseignements à mon sujet. C'est ainsi que j'ai créé ma propre « start-up », comme on dit en anglais.

Au début, je conduisais moi-même. Ensuite, j'ai arrêté. Au fond, je crois que je n'ai jamais vraiment aimé conduire. Je préfère parler. En tout cas, la start-up est vite devenue une affaire importante. Nous avons maintenant seize chauffeurs qui tournent avec vingt-six véhicules. Mais oui ! Quelques centaines de milliers de roupies et un travail acharné peuvent accomplir des miracles dans ce pays. Si l'on ajoute mes biens immobiliers et mes comptes en banque, je vaux aujourd'hui quinze fois la somme que j'ai empruntée à M. Ashok. Vérifiez vous-même sur mon site web. Voyez ma devise : « Avec nous, la technologie ira loin. » Et en anglais, s'il vous plaît ! Regardez les photos de ma flotte : vingt-six Toyota Qualis flambant neuves, toutes équipées de l'air conditionné pour les mois d'été, et toutes sous contrat de sous-traitance avec de célèbres firmes technologiques. Si vous aimez mes 4×4, si vous voulez que vos jeunes employés de centres d'appel soient reconduits chez eux avec classe, cliquez sur le lien :

CONTACTEZ ASHOK SHARMA !

Parfaitement, Ashok ! C'est le nom que je porte désormais. Ashok Sharma, entrepreneur originaire du Nord, installé à Bangalore.

Si vous étiez assis avec moi, sous ce grand lustre, je vous dévoilerais tous les secrets de mes affaires. Sur l'écran de mon portable Macintosh argenté, vous verriez mes 4×4, mes employés, mes garages, mes mécaniciens, mes policiers soudoyés.

Tous sont à moi, Munna, dont la destinée était de faire des sucreries !

Vous verriez aussi les photos de mes gars. Ils sont seize. Autrefois, j'étais chauffeur de maître, aujourd'hui, je suis maître de chauffeurs. Je ne les traite pas comme des serviteurs : je ne gifle, ne brutalise ni ne raille personne. Je ne les insulte pas en leur disant qu'ils sont de ma « famille ». Ce sont mes employés, je suis leur patron, c'est tout. Je leur fais signer un contrat, que je signe aussi, et nous devons, eux comme moi, l'honorer. S'ils observent la façon dont je parle, dont je m'habille, dont je tiens les choses propres, ils progresseront dans la vie. Sinon, ils resteront chauffeurs jusqu'à la fin de leurs jours. Ils ont le choix. Une fois leur travail terminé, je les chasse du bureau : pas de papotages, ni de tasse de café. Un Tigre blanc n'a pas d'amis. C'est trop dangereux.

Cependant, malgré mon étonnante success story, je ne veux pas perdre le contact avec les lieux où j'ai puisé ma véritable éducation.

La rue et le trottoir.

Le soir, ou très tôt le matin, je me promène dans Bangalore, juste pour écouter la ville.

Un soir où je me trouvais à proximité de la gare, j'aperçus une douzaine d'ouvriers rassemblés devant un mur, qui discutaient à voix basse. Ils parlaient une langue étrange ; c'étaient des autoch-tones. Mais je n'avais pas besoin de comprendre leurs paroles pour savoir ce qu'ils disaient. Dans une ville où des étrangers ont afflué de partout, ils étaient les laissés-pour-compte.

Ils lisaient quelque chose sur ce mur. Je voulus voir de quoi il s'agissait, mais ils cessèrent de parler et resserrèrent les rangs. Je dus les menacer d'appeler la police pour les obliger à se disper-ser et me laisser voir l'inscription.

Je reconnus l'image au pochoir d'une paire de mains se libérant de ses menottes au-dessus de :

LE GRAND SOCIALISTE ARRIVE À BANGALORE

Il arriva, en effet, quelques semaines plus tard. Il tint un grand meeting et fit un discours époustouflant, parlant de feu et de sang, promettant de purger le pays des riches parce que, dans dix ans, il n'y aurait plus d'eau pour les pauvres à cause du réchauffement de la planète. Je l'écoutai, debout dans le fond. À la fin du discours, les gens applaudirent comme des fous. Une immense colère gronde dans cette ville, c'est certain.

À Bangalore, gardez vos oreilles grandes ouvertes, monsieur, – comme dans toutes les autres villes indiennes – et vous enten-drez des frémissements, des rumeurs, des menaces d'insurrection. La nuit, des hommes assis sous des réverbères lisent. Des hommes discutent en petits groupes et pointent l'index vers le ciel. Se ras-sembleront-ils tous, une nuit, pour détruire la Cage à poules ?

Ha !

Une fois en cent ans, peut-être, éclate une révolution qui libère les pauvres. J'ai lu ça dans un de ces vieux livres dont les pages ser-vent dans les tea-shops à envelopper les samosas. Au cours de l'his-toire, disait ce livre, quatre hommes seulement ont mené des révolutions victorieuses pour libérer les esclaves et tuer leurs maîtres :

Alexandre le Grand.

Abraham Lincoln, l'Américain.

Mao, votre compatriote.

Et un quatrième. Hitler, peut-être. Je ne me souviens plus.

Mais je ne crois pas qu'on ajoutera un cinquième nom à la liste dans un avenir proche.

Une révolution indienne ?

Non, monsieur. Cela n'arrivera pas. Les habitants de ce pays attendent toujours que la guerre de libération vienne d'ailleurs : de la jungle, des montagnes, de Chine, du Pakistan. Cela n'arrivera pas. Chaque homme doit accomplir son propre pèlerinage de libération.

Le livre de ta révolution est dans tes tripes, jeune Indien. Chie-le, et lis.

Au lieu de quoi, ils restent vautrés devant des écrans de télévision à regarder des matchs de cricket et des pubs de shampoing.

À propos de publicités de shampoing, monsieur le Premier ministre, je dois vous confier que les cheveux dorés me donnent la nausée, à présent. Je ne pense pas que ce soit sain pour une femme d'avoir cette couleur de cheveux. Je me méfie de la télé et des grandes affiches placardées dans les rues de Bangalore exhibant des femmes blanches. Désormais, je me fie à mon expérience personnelle, acquise dans les hôtels cinq-étoiles. (Eh oui, monsieur Jiabao. Je ne fréquente plus les quartiers chauds. Je trouve déplorable d'acheter et de vendre des femmes qui vivent dans des volières et se font traiter comme des animaux. J'achète uniquement les filles que je rencontre dans les hôtels de luxe.)

Et, selon mon expérience, les Indiennes sont les meilleures.

(Plus exactement, les meilleures après les Népalaises. Croyez-moi, monsieur Jiabao, il n'existe rien de plus excitant pour un homme de Bangalore que de croiser les regards étincelants de deux jeunes Népalaises sous la capote sombre d'un autorickshaw.) En fait, la vue de ces étrangères aux cheveux dorés – on en croise une multitude à Bangalore – m'a conduit à la conclusion que les Blancs ne sont plus à la mode. Ils ont tous l'air émaciés, chétifs. Vous n'en voyez pas un avec un ventre convenable. À mon avis, c'est la faute du président d'Amérique ; il a légalisé la sodomie dans son pays, et les hommes n'épousent plus des femmes mais d'autres hommes. Je l'ai entendu à la radio. Cela mènera l'homme blanc au déclin. Sans compter que les Blancs utilisent beaucoup trop les portables et que cela leur détruit le cerveau. C'est prouvé.

Le téléphone portable provoque le cancer du cerveau et réduit la virilité ; les Japonais l'ont inventé pour diminuer du même coup l'intelligence et les couilles de l'homme blanc. J'ai entendu cela à un arrêt de bus, un soir. Jusqu'alors, j'étais très fier de mon Nokia et je le montrais à toutes les filles des centres d'appel que j'espérais séduire. Depuis, je l'ai jeté. Quand vous me téléphone-rez, il faudra m'appeler sur ma ligne fixe. C'est un peu gênant pour les affaires, mais prudent : mon cerveau a trop d'impor-tance. C'est tout ce que possède un intellectuel en ce monde.

Les Blancs seront finis avant que je sois mort. Il y a les Noirs et les Rouges, c'est vrai, mais je ne sais pas ce qu'ils manigancent. La radio ne parle jamais d'eux. Je vous livre mon humble prédiction : d'ici vingt ans, il n'y aura plus que l'homme jaune et l'homme brun au sommet de la pyramide. Nous dirigerons le monde.

Que Dieu protège tous les autres !

Je dois maintenant m'expliquer sur la longue interruption intervenue dans ma narration, il y a deux nuits.

Cela me permettra par la même occasion d'illustrer les différences entre Bangalore et Laxmangarh. N'imaginez pas, monsieur Jiabao, qu'en arrivant à Bangalore vous allez trouver partout probité et sens moral. Cette ville possède son lot de voyous et de politiciens. Mais, si un homme veut se comporter correctement, il peut le faire. À Laxmangarh, il n'a pas le choix. C'est toute la différence entre cette Inde-ci et cette Inde-là : le choix.

L'autre nuit, j'étais assis dans mon bureau en train de vous raconter ma vie quand le téléphone a sonné. J'ai décroché le récepteur et entendu la voix de Mohammad Asif.

« Monsieur, il y a un problème. »

C'est alors que j'ai cessé de vous parler.

« Quel genre de problème ? »

Je savais que Mohammad Asif était de service et je m'attendais au pire.

Après un silence, il m'a expliqué :

« Je ramenais les jeunes filles chez elles quand on a percuté un garçon à vélo. Il est mort, monsieur.

— Préviens tout de suite la police.

— Mais, monsieur… je suis en faute. Je l'ai renversé, monsieur.

— C'est justement pour ça que tu dois appeler. »

La police était sur les lieux quand je suis arrivé avec un minibus vide. La Qualis était rangée sur le bord de la route, ses passagères toujours à l'intérieur.

Le corps ensanglanté d'un adolescent gisait sur la chaussée. La bicyclette était un peu plus loin, écrasée et tordue.

Mohammad Asif se tenait un peu à l'écart. Il secouait la tête d'un mouvement mécanique. Quelqu'un hurlait contre lui, avec la rage propre à ceux qui pleurent la perte d'un proche.

Le policier présent tenait les curieux à distance. Il a fait un léger signe de tête en m'apercevant. Lui et moi nous connaissions très bien. Il m'a soufflé à mi-voix :

« C'est le frère de la victime, monsieur. Il est fou furieux. Je n'ai pas réussi à l'éloigner. »

J'ai arraché Mohammad Asif à sa transe.

« Prends le minibus et ramène les jeunes filles chez elles. » Ensuite, je me suis tourné vers le policier et j'ai dit d'une voix plus forte : « Laissez partir mon chauffeur. Il doit ramener ses clientes chez elles. Quelles que soient les mesures à prendre, c'est avec moi que vous les prendrez.

– Vous n'allez pas le laisser filer ? a vociféré le frère, retournant sa colère contre le policier.

– Écoutez, jeune homme, je suis le propriétaire du véhicule. C'est à moi que vous devez en vouloir, pas au chauffeur. Il obéissait aux ordres. Je leur demande de conduire le plus vite possible. C'est moi le coupable. Et il faut ramener ces jeunes filles chez elles. Venez avec moi au commissariat. Je vous servirai d'otage. Laissez-les partir. »

Le policier est entré dans mon jeu.

« C'est une bonne idée. On enregistrera la déposition au poste. »

Tandis que j'occupais le frère en faisant appel à sa raison et à ses bonnes manières, Mohammad Asif et toutes les jeunes filles ont embarqué dans le minibus et se sont éclipsés. C'était mon premier objectif : ramener les passagères à leur domicile. J'ai signé un contrat avec leur entreprise et j'honore tout ce que je signe.

Ensuite, je me suis rendu au commissariat avec le frère du mort. Les policiers de faction m'ont apporté du café. Pas à lui. Il m'a foudroyé du regard quand j'ai pris la tasse ; il avait l'air prêt à me mettre en pièces. J'ai bu une gorgée.

« Le commissaire adjoint sera là dans cinq minutes, a annoncé un des agents.

– C'est lui qui va enregistrer le procès-verbal ? a demandé le frère. Parce que, jusqu'ici, personne n'a rien fait. »

J'ai bu une autre gorgée de café.

Le commissaire adjoint était un homme que j'arrosais souvent. Il avait écarté un rival pour moi. C'était un individu de la pire espèce, qui n'avait rien dans la cervelle, mais soutirait de l'argent à tous ceux qui entraient dans son bureau. Une ordure.

Mais une ordure à ma botte.

Sa vue m'a aussitôt mis du baume au cœur. Il était venu tout exprès en pleine nuit pour m'aider. Il existe une forme d'honnêteté chez les voleurs, à ce qu'on raconte. Il a tout de suite compris la situation. Il m'a ignoré et s'est approché du frère :

« Qu'est-ce que vous voulez ?

– Un procès-verbal. Je veux que ce crime soit enregistré.

– Quel crime ?

– La mort de mon frère. À cause de... – Il a pointé le doigt vers moi – la voiture appartenant à cet homme. »

Le commissaire adjoint a jeté un coup d'œil à sa montre.

« Il est tard. Presque cinq heures. Tu ferais mieux de rentrer chez toi. On oubliera que tu es venu. On va te *laisser* rentrer chez toi.

– Et lui ? Vous allez le boucler ? »

Le commissaire adjoint a croisé les doigts et poussé un soupir.

« À l'heure de l'accident, la bicyclette de ton frère n'avait pas de lumières en état de marche. C'est illégal. Et on finira forcément par trouver d'autres infractions. Tu peux me croire, il y en aura d'autres. »

Le jeune homme était ébahi. Il secouait la tête comme s'il avait mal entendu.

«Mon frère est mort. Cet homme est un criminel. Je ne comprends rien à ce qui se passe ici.

— Écoute, rentre chez toi. Prends un bain. Prie Dieu. Va dormir. Et reviens demain matin. Nous ferons un procès-verbal demain, d'accord?»

Le frère comprenait enfin pourquoi je l'avais attiré au commissariat. Il comprenait que le piège s'était refermé sur lui. Peut-être que, jusqu'alors, il n'avait vu de policiers que dans les films hindis.

Pauvre garçon!

«C'est scandaleux! J'alerterai les journaux! Je prendrai un avocat! J'appellerai la police!»

Le commissaire adjoint, qui n'était pourtant pas d'un naturel enclin à l'humour, s'est autorisé un léger sourire.

«C'est ça, appelle la police.»

Le frère a quitté la pièce à grands pas furieux en lançant d'autres menaces.

Le commissaire adjoint s'est tourné vers moi.

«Les plaques minéralogiques seront changées demain. On dira que c'était un chauffard qui a pris la fuite. On substituera une autre voiture. Nous gardons ici des véhicules endommagés pour les cas de ce genre. Vous avez de la chance que votre Qualis ait heurté un cycliste.»

J'ai acquiescé.

Un cycliste tué : inutile d'enregistrer l'affaire. Un motard tué : la police est censée verbaliser l'accident. Un automobiliste tué : ils m'auraient jeté en prison.

«Et s'il prévient la presse?»

Le commissaire adjoint s'est tapoté l'estomac :

«J'ai tous les journalistes de cette ville là-dedans.»

Je ne lui ai pas remis une enveloppe tout de suite. Il y a un temps et un lieu pour ces choses-là. L'heure était aux sourires, aux remerciements et au café. La conversation a glissé sur ses fils, tous deux étudiants aux États-Unis, qu'il voulait faire revenir à Bangalore pour fonder une entreprise Internet. J'opinais et je souriais de toutes mes dents étincelantes et fluorées. Nous buvions du café fumant sous un calendrier représentant la déesse Lakshmi, celle qui fait pleuvoir des pièces d'or dans la rivière de la prospérité. Au-dessus d'elle trônait le portrait encadré du dieu des dieux : un Mahatma Gandhi souriant.

Dans une semaine, je retournerais voir le commissaire adjoint avec une enveloppe, et il se montrerait nettement moins affable. Il compterait l'argent devant moi et dirait : «C'est tout? Vous savez combien me coûtent les études de mes fils à l'étranger? Vous n'imaginez pas les notes de l'American Express qu'ils m'envoient tous les mois!» Et il réclamerait une autre enveloppe. Puis une autre, et une autre, et encore une autre. Ces choses n'ont pas de fin, en Inde, monsieur Jiabao, comme M. Ashok le disait si justement. Il faut continuer de payer ces salauds. Mais je me plains de la police à la manière des riches. Pas comme s'en plaignent les pauvres.

La différence fait tout.

Le lendemain, monsieur, j'ai convoqué Mohammad Asif au bureau. Il était rongé par la honte. Je n'avais aucun besoin de lui faire des reproches.

D'ailleurs, ce n'était pas sa faute. Ni la mienne. Les entreprises de sous-traitance tirent tellement les prix qu'elles forcent les compagnies de taxis à leur promettre un nombre de courses impossible chaque nuit. Pour respecter les plannings, il faut conduire imprudemment; et donc risquer des accidents sur la route. C'est un problème auquel sont confrontées toutes les compagnies de transports privés. Ce n'est pas moi qu'il faut blâmer.

« Ne t'inquiète pas, Asif », lui ai-je dit.

Le pauvre était effondré.

J'en suis venu à respecter les musulmans, monsieur. Ils ne sont pas géniaux, à l'exception des quatre grands poètes, mais ils font de bons chauffeurs et, dans l'ensemble, ils sont honnêtes, bien qu'une partie d'entre eux semblent poussés par l'envie irrésistible de faire sauter des trains chaque année. Je n'allais pas renvoyer Asif pour ça.

Néanmoins, je lui ai demandé de me procurer l'adresse du garçon que nous avions tué.

Il m'a regardé d'un air ébahi.

« Pourquoi, monsieur ? On n'a rien à craindre des parents. S'il vous plaît, ne faites pas ça. »

Je l'ai obligé à trouver l'adresse et à me la donner.

J'ai retiré de mon coffre des billets tout neufs de cent roupies, je les ai glissés dans une enveloppe marron, je suis monté dans ma voiture et je me suis rendu moi-même chez les parents.

La mère m'a ouvert la porte. Elle m'a demandé ce que je voulais et j'ai répondu : « Je suis le propriétaire de la compagnie de taxis. »

Je n'ai pas eu à préciser laquelle.

Elle m'a apporté du café, avec un verre emboîté dans son gobelet en métal. Ces Indiens du Sud ont des manières exquises.

J'ai versé le café dans le verre et bu comme le veut la coutume.

Sur le mur, il y avait une photo sous verre d'un jeune homme. Le cadre était entouré d'une couronne de jasmin.

Je n'ai pas dit un mot avant d'avoir terminé mon café. Puis j'ai posé l'enveloppe marron sur la table.

Un vieil homme nous avait rejoints et ne me quittait pas des yeux.

« Tout d'abord, je tiens à vous dire mon profond chagrin pour la mort de votre fils. Ayant moi-même perdu de nombreux membres de ma famille, je comprends votre douleur. Il n'aurait pas dû mourir.

«Ensuite, c'est moi le fautif. Pas le chauffeur. La police m'a laissé partir. C'est ainsi que les choses se passent dans la jungle où nous vivons. Mais je reconnais ma responsabilité. Et je vous demande votre pardon.»

J'ai pointé l'enveloppe sur la table.

«Il y a là vingt-cinq mille roupies. Je ne vous les donne pas parce que j'y suis obligé, mais parce que je le veux. Vous comprenez?»

La vieille femme refusait de prendre l'argent.

Mais le vieil homme, le père, regardait l'enveloppe.

«Au moins, a-t-il dit, vous avez eu le cran de venir.

— Je voudrais aider votre autre fils. C'est un garçon courageux. Il a tenu tête à la police, l'autre nuit. Si vous voulez, il peut venir dans ma compagnie et devenir chauffeur. Je m'occuperai de lui.»

La femme s'est pris la tête à deux mains. Les larmes ruisselaient sur ses joues. C'était compréhensible. Peut-être avait-elle eu pour son fils mort les mêmes espoirs que ma mère pour moi. Le père s'est montré plus souple; les hommes sont plus raisonnables dans ces situations.

Je l'ai remercié pour le café, me suis respectueusement incliné devant la mère affligée, et je suis parti.

Mohammad Asif m'attendait au bureau. Il n'arrêtait pas de secouer la tête en répétant:

«Pourquoi? Pourquoi gaspiller tant d'argent?»

À ce moment-là, je me suis dit que j'avais peut-être commis une erreur. Si Mohammad Asif raconte à ses collègues que j'ai eu peur de la vieille femme, ils croiront pouvoir m'escroquer. Ça me rend nerveux. Je n'aime pas montrer ma faiblesse devant mes employés. Je sais où cela mène.

Mais il fallait que je me comporte autrement. Vous comprenez ? Je ne peux pas vivre de la même manière que le Sanglier, le Buffle et le Corbeau vivaient, et vivent probablement encore, à Laxmangarh.

Je suis dans la Lumière, à présent.

Que se passe-t-il dans une histoire de *Murder Weekly* ou même dans un film hindi ? Un homme pauvre tue un homme riche. Bien. Il prend l'argent. Bien. Mais ensuite il se met à rêver que le mort le poursuit, les mains pleines de sang, en criant : *A-ssa-ssin, a-ssa-ssin.*

Dans la vraie vie, ça ne se passe pas ainsi. Croyez-moi. C'est l'une des raisons pour lesquelles je ne vais plus voir les films hindis.

Une seule nuit, grand-mère m'a pourchassé sur un buffle. Mais ça ne s'est jamais reproduit.

Le véritable cauchemar qui vous tourmente, c'est l'inverse. Vous vous agitez dans votre lit en rêvant que vous ne l'avez pas fait. Que vous avez manqué de courage et laissé filer M. Ashok, que vous êtes toujours à Delhi, toujours serviteur, chez un autre maître. Et vous vous réveillez. Vous cessez de transpirer. Votre cœur s'apaise.

Vous l'avez fait ! Vous l'avez tué !

Trois mois après mon arrivée à Bangalore, je me rendis dans un temple afin d'accomplir les rites funèbres pour eux tous : Kusum, Kishan, et tous mes cousins, tantes, neveux et nièces. J'ai même dit une prière pour la bufflonne. Comment savoir qui a survécu ou non ? Ensuite, j'ai dit à Kishan, à Kusum et à tous les autres : « Maintenant, laissez-moi en paix. »

Et, dans l'ensemble, ils l'ont fait, monsieur.

Un jour, un article de journal attira mon attention : «Dix-sept membres d'une même famille tués dans un village du Nord.» Mon cœur s'emballa. Dix-sept ? Impossible, ce n'est pas la mienne. Ce n'était qu'un fait divers horrible de plus, un de ces innombrables entrefilets qui abondent dans les quotidiens. Le nom du village n'était pas indiqué. On disait seulement que c'était quelque part dans les Ténèbres, aux environs de Gaya. Je relus l'article plusieurs fois. Dix-sept ! J'avais le souffle coupé. Ils ne sont pas dix-sept à la maison ! À moins que quelqu'un ait eu des enfants… ?

Je froissai le journal et le jetai. Pendant des mois, je n'ai plus ouvert un journal. Pour être à l'abri.

Je vais vous dire ce qui a pu leur arriver. Soit la Cigogne les a tous fait tuer, soit il en a fait tuer quelques-uns et tabasser les autres. Et même si, par miracle, la Cigogne – ou la police – les a épargnés, les voisins les auront chassés. Car un mauvais garçon dans une famille salit la réputation de tout le village. Leurs voisins les auront donc forcés à fuir. À Delhi, Calcutta ou Bombay, où il leur faudra vivre sous un pont et mendier leur nourriture, sans le moindre espoir d'avenir. Ce n'est pas mieux que la mort.

Que dites-vous, monsieur Jiabao ? Vous me traitez de monstre froid ?

Je me souviens d'une histoire que je crois avoir entendue dans une gare, à moins que je ne l'aie lue sur la page déchirée enveloppant l'épi de maïs grillé que j'avais acheté au marché. Bref, c'était l'histoire du Bouddha. Un jour, un brahmane astucieux, cherchant à piéger le Bouddha, lui demanda : «Maître, vous considérez-vous comme un homme ou comme un dieu ?»

Le Bouddha sourit et répondit : «Ni l'un ni l'autre. Je suis seulement celui qui s'est éveillé tandis que vous tous dormez encore. »

Je vous ferai la même réponse, monsieur Jiabao, si vous me demandez : « Êtes-vous un homme ou un démon ? »

Ni l'un ni l'autre. Je me suis réveillé tandis que vous tous continuez de dormir. C'est la seule différence entre nous.

Je ne devrais pas penser à eux. À ma famille.

Dharam n'y pense pas, lui.

Il a compris ce qui s'est passé. Je lui avais d'abord dit que nous étions en vacances, et je pense qu'il l'a cru pendant un mois ou deux. Il n'en dit pas un mot, mais je le surprends parfois qui me jette des regards en coin.

Il sait.

Le soir, nous dînons ensemble, face à face, et nous parlons peu. Après le repas, je lui donne un verre de lait. Il y a quelques soirs, après qu'il eut terminé son lait, je lui ai demandé :

« Tu penses parfois à ta mère ? »

Silence.

« À ton père ? »

Il a souri.

« Donne-moi un autre verre de lait, s'il te plaît, oncle. » Je me suis levé, et il a ajouté : « Et aussi un bol de glace.

— La glace, c'est le dimanche, Dharam.

— Non. Tout de suite. »

Et il m'a souri.

Il a tout compris, je vous l'assure. C'est un petit maître chanteur en herbe. Il se taira aussi longtemps que je le nourrirai. Si je vais en prison, il perd son verre de lait et sa glace. C'est sûrement ce qu'il doit se dire. Décidément, la nouvelle génération n'a aucune morale.

Dharam va en classe dans une bonne école de Bangalore. Une

école anglaise. Il parle l'anglais comme le fils d'un riche. Il sait prononcer «pizza» comme le prononçait M. Ashok. (Et il adore cette horrible chose). Je l'observe avec fierté faire de longues divisions sur une feuille de papier blanc, le soir, assis devant la table. Toutes ces choses que je n'ai jamais apprises.

Un jour, je le sais, ce garçon qui boit mon lait et s'empiffre de glace me demandera : «Tu ne pouvais pas épargner ma mère? Tu ne pouvais pas lui écrire pour qu'elle puisse fuir à temps?»

Alors il me faudra trouver une réponse. Ou le tuer, je suppose. Mais cette question ne viendra pas avant plusieurs années. Jusque-là, nous dînerons ensemble tous les deux chaque soir, Dharam, le dernier membre de ma famille, et moi.

Il me reste une seule personne à évoquer.

Mon ex.

Je croyais inutile de prier les dieux pour lui, puisque sa famille a certainement offert une multitude de prières pour son âme tout au long du Gange. Que signifient les prières d'un pauvre homme aux trente-six millions et quatre dieux en comparaison de celles des riches?

Pourtant je pense beaucoup à lui et, croyez-le ou non, il me manque. Il ne méritait pas son sort.

J'aurais mieux fait de trancher la gorge de la Mangouste.

Un grand pas en avant a été franchi dans les relations sino-indiennes au cours des sept dernières nuits, Votre Excellence. *Hindi-Chini Bhai Bhai*, comme on dit. Je vous ai expliqué l'essentiel de ce qu'il faut savoir sur l'esprit d'entreprise : comment il est encouragé, comment il surmonte les épreuves, comment il reste fidèle à ses véritables objectifs et comment il est récompensé par la médaille d'or du succès.

Mon histoire s'achève, monsieur, et mes secrets sont maintenant vos secrets. Si vous le permettez, je conclurai sur une dernière remarque.

(C'est une vieille astuce empruntée au Grand Socialiste : juste au moment où le public commence à bâiller, il dit « un dernier mot », et il repart pour deux heures. Ha !)

Quand je descends en voiture Hosur Main Road, quand je m'engage dans Electronics City Phase I, vous n'imaginez pas à quel point c'est excitant pour moi de voir défiler les noms des entreprises. General Electric, Dell, Siemens, toutes sont à Bangalore. Et tant d'autres à venir. Ça se construit partout. Des chantiers s'ouvrent ici et là. On remue des tonnes de terre, de pierres et de briques. La ville entière disparaît sous la fumée, la pollution, la poussière de ciment. Elle est recouverte d'un voile. Lorsque le voile se lèvera, à quoi ressemblera Bangalore ?

Ce sera peut-être un désastre : des taudis, des égouts, des centres commerciaux, des embouteillages, des policiers. Mais on ne sait jamais. Elle peut devenir une ville formidable, où les humains vivront comme des humains et les animaux comme des animaux. Une nouvelle Bangalore pour une Inde nouvelle. Alors je pourrai dire que, à ma manière, j'ai contribué à bâtir New Bangalore.

Pourquoi non ? Ne fais-je pas partie de ce qui change dans ce pays ? N'ai-je pas réussi dans le combat que tout homme pauvre devrait mener ? C'est-à-dire lutter pour ne pas subir les coups encaissés par son père, pour ne pas finir dans l'amoncellement de corps indifférenciables qui vont pourrir dans la boue noire du Gange ? D'accord, il y a cette histoire de meurtre. C'est une chose à ne pas faire, je ne le nie pas. Cet acte a assombri mon âme. Et toutes les crèmes blanchissantes vendues sur tous les marchés du pays ne rendront pas mes mains propres.

Pourtant, tous ceux qui comptent en ce monde, y compris notre Premier ministre (y compris vous-même, monsieur Jiabao), n'ont-ils pas, selon toute probabilité, commis un meurtre pour parvenir au sommet ? Si vous tuez un grand nombre de personnes, on vous dresse une statue de bronze près du parlement à Delhi. C'est ce qu'on appelle la gloire. Ce n'est pas ce que je recherche. Mon seul but était d'avoir la chance d'être un homme : pour cela, un seul crime suffisait.

Et ensuite ? vous demandez-vous.

Je vais essayer de vous expliquer. Cette après-midi, en roulant sur M.G. Road, l'avenue chic de Bangalore où s'alignent magasins américains et sociétés technologiques, j'ai vu des employés de Yahoo placer une nouvelle enseigne devant leur siège :

QUELLE EST LA TAILLE DE VOTRE AMBITION ?

Pour montrer la mesure de la mienne, j'ai lâché le volant et écarté largement les bras.

« Grande comme une bite d'éléphant, connard ! »

J'adore ma start-up – mon grand lustre, mon ordinateur portable argenté, mes vingt-six Toyota Qualis – mais, soyons honnête, je sais que je finirai par m'ennuyer un jour ou l'autre. Je suis un homme de démarrage, monsieur le Premier ministre. Il faudra bien que je vende cette start-up à un autre crétin – un entrepreneur, je veux dire – pour me lancer dans une voie nouvelle. Je songe à l'immobilier. Je suis un homme qui voit toujours « demain » quand d'autres regardent seulement « aujourd'hui ». Demain, le monde entier viendra à Bangalore. Allez à l'aéroport et comptez toutes les boîtes de verre et d'acier en construction. Regardez les noms des entreprises américaines qui les bâtissent.

Quand tous ces Américains viendront ici, où croyez-vous qu'ils iront dormir ? Dans la rue ?

Ha !

Partout où se vend un appartement, je vais le visiter et je me pose la question suivante : *Combien un Américain me le paiera-t-il en 2010 ?* Si l'environnement est susceptible de convenir à un Occidental, je verse des arrhes aussitôt. L'avenir de l'immobilier est à Bangalore, monsieur Jiabao. Si vous voulez y faire de bonnes affaires, vous aussi, je vous aiderai !

Après trois ou quatre ans d'immobilier, il se pourrait que je vende tout pour construire une école destinée aux enfants pauvres de Bangalore. Une école avec un enseignement en anglais. Une école où il sera impossible de pervertir la tête des élèves avec des prières ou des histoires sur Dieu ou Gandhi. Une école où l'on n'apprendra que les faits et les réalités de la vie. Une école pleine de Tigres blancs, lâchés dans Bangalore ! La ville serait à nos pieds, croyez-moi. Je deviendrais le boss de Bangalore. Je réglerais tout de suite son compte au commissaire adjoint. Je le mettrais sur une bicyclette et le ferais renverser par une Qualis conduite par Asif.

Mais tous ces rêves n'aboutiront peut-être à rien.

Il m'arrive de penser que je ne serai jamais pris. Je crois que la Cage à poules a besoin d'individus tels que moi pour s'en évader. Elle a besoin que des maîtres comme M. Ashok – qui, malgré ses nombreuses qualités, était un piètre maître – soient éliminés pour être remplacés par des serviteurs exceptionnels comme moi. Dans ces moments-là, je jubile à la pensée que la famille de M. Ashok peut mettre ma tête à prix pour un million de roupies sans le moindre résultat. J'ai changé de bord : je suis désormais dans le camp de ceux qui, en Inde, ne sont jamais inquiétés. Dans ces moments-là, je regarde mon lustre à pampilles, et l'envie me saisit de lever les bras et de brailler, aussi fort et loin que ma voix puisse porter jusqu'en Amérique via les lignes téléphoniques des centres d'appel.

J'ai réussi! Je me suis évadé de la Cage!

Mais à d'autres moments, quand un passant dans la rue crie : « Balram ! » je tourne instinctivement la tête et je me dis : *Ça y est, je me suis trahi.*

Être pris. Cela reste une possibilité. Les choses n'ont jamais de fin en Inde, disait M. Ashok. Vous pouvez donner aux policiers toutes les enveloppes et tous les sacs rouges, rien ne les empêchera de vous rouler. Un jour, un agent en uniforme peut pointer le doigt sur moi et dire : *C'est fini, Munna.*

Pourtant, même si tous mes lustres dégringolent et volent en éclats, même si on me jette en prison et que tous les détenus me violent, même si on me fait gravir les marches de bois de l'échafaud jusqu'au nœud coulant du bourreau, jamais je ne dirai que j'ai commis une erreur cette nuit-là, à Delhi, quand j'ai tranché la gorge de mon maître.

Je clamerai que ça valait la peine de connaître, ne serait-ce qu'une journée, une heure, une minute, le sentiment de n'être pas un serviteur.

Je pense être prêt à avoir des enfants, monsieur le Premier ministre.

Ha !

Votre toujours dévoué
Ashok Sharma
Le Tigre blanc
De Bangalore
boss@tigreblanc-technochauffeurs.com

Glossaire

Charpai : lit de cordes.

Dâl : plat de lentilles jaunes.

Dosa : crêpe à base de farine de riz et de lentilles, légèrement fermentée.

Ghât : degrés de pierre aménagés de part et d'autre d'une rivière ou d'un fleuve, utilisés pour les ablutions et, dans certains cas, comme lieux de crémation.

Gulab jamun : boulettes frites, à base de farine et de lait, plongées dans du sirop de sucre jaggery.

Hookah : narguilé.

Jama Masjid : la mosquée du Vendredi à Delhi, construite au XVIIe siècle sous le règne de Shâh Jahân. Par sa superficie, la plus grande construction religieuse de l'islam.

Jantar Mantar : observatoire astronomique.

Laddoo : pâtisserie ronde, à base de farine de pois chiche le plus souvent (ou parfois de semoule, lait concentré, farine de blé), parfumée à la cardamome, soit au safran, soit à l'essence de rose, ou agrémentée de noix de cajou, raisins secs, etc.

Lassi : boisson à base de yaourt battu, salée ou sucrée.

Pâan : chique de bétel.

Pooja : prière.

Rajput : membre d'une caste militaire hindoue se réclamant de la lignée des Kshatriyas.

Roti : pain.

Sadhu : mystique errant.

CET OUVRAGE A ÉTÉ TRANSCODÉ
ET ACHEVÉ D'IMPRIMER EN FRANCE
PAR CPI BUSSIÈRE
À SAINT-AMAND-MONTROND EN DÉCEMBRE 2008